Uma luz no meu caminho

Fernando do Ó

Uma luz no meu caminho

FEB

Copyright © 1962 by
FEDERAÇÃO ESPÍRITA BRASILEIRA – FEB

9ª edição – 2ª impressão – 2 mil exemplares – 9/2014

ISBN 978-85-7328-692-2

Todos os direitos reservados. Nenhuma parte desta publicação pode ser reproduzida, armazenada ou transmitida, total ou parcialmente, por quaisquer métodos ou processos, sem autorização do detentor do copyright.

FEDERAÇÃO ESPÍRITA BRASILEIRA – FEB
Av. L2 Norte – Q. 603 – Conjunto F (SGAN)
70830-106 – Brasília (DF) – Brasil
www.febeditora.com.br
editorial@febnet.org.br
+55 61 2101 6198

Pedidos de livros à FEB
Gerência comercial – Rio de Janeiro
Tel.: (21) 3570 8973/ comercialrio@febnet.org.br
Gerência comercial – São Paulo
Tel.: (11) 2372 7033/ comercialsp@febnet.org.br
Livraria – Brasília
Tel.: (61) 2101 6161/ falelivraria@febnet.org.br

Texto revisado conforme o novo acordo ortográfico.

Dados Internacionais de Catalogação na Publicação (CIP)
(Federação Espírita Brasileira – Biblioteca de Obras Raras)

O11l   Ó, Fernando do, 1895–1972

         Uma luz no meu caminho / Fernando do Ó. – 9.ed. – 2.imp. – Brasília: FEB, 2014.

         335 p.; 21cm

         ISBN 978-85-7328-692-2

         1. Romance espírita. 2. Espiritismo. I. Federação Espírita Brasileira. II. Título.

                                                  CDD 133.9
                                                  CDU 133.7
                                                  CDE 80.02.00

Qualquer semelhança com pessoas encarnadas ou desencarnadas, firmas, estabelecimentos ou institutos é simples coincidência.

O AUTOR

Capítulo 1

Sileno e Lisiane distanciaram-se silenciosamente do último pavilhão da direita, onde funcionava, anexo ao Instituto Avançado de Pesquisas Espirituais, o Departamento Especializado de Preparação Reencarnatória Superior.

No conjunto, o majestoso edifício, que ficava em sublime região espiritual, dava a impressão de gigantesco bloco de um hospital de clínicas.

Eram duas almas de eleição que, na dobada dos séculos, vencidas as provações mais rudes, os experimentos mais cruciais — todavia acalentando elevado ideal, no fragor das lutas redentoras —, enfim, se reencontravam na felicidade de nunca mais se separarem.

A despeito da altitude espiritual de ambos, acabavam de cumprir vasto programa de preparação para um mergulho na carne, no desempenho de alevantado propósito, qual fosse o de exemplificarem, entre nós, uma vida em comum, nutrida e sustentada por sentimentos que transcendem a nossa concepção de amor, sem outro contato que não o das almas, na glorificação da Vida Triunfante.

Caminhando lado a lado, estreitamente ligados por filigranas de luz, como se fossem uma só pessoa — um sol de duas cores —, em breve estacaram à margem de manso curso d'água que tinha cintilações cambiantes de irisados mundos distantes, perdidos no Infinito.

Vibravam no ar, tocadas de doces claridades, suavíssimas harmonias que lhes chegavam aos corações como um murmúrio de vozes siderais, num celeste concerto indefinível, em que se casassem sons de harpas e violinos encantados ao cântico de artistas invisíveis que falassem de um amor que é suavidade e encantamento, um sublime movimento da alma que gravita para a Essência da Vida, pelos sacrossantos caminhos da Perfeição.

— Quantos séculos rolaram, Lisi, sobre nós, e quantas lágrimas e penas nos amortalharam as almas em busca deste divinal reencontro, ora eu me ausentando de seu coração, ora você a me procurar nos tormentos em que a minha imperfeição me situava... Hoje...

— O passado diluiu-se ao refulgente sol do esforço que fizemos, Sileno — respondeu, fitando-o com a doçura das almas redimidas.

— Você foi sempre UMA LUZ NO MEU CAMINHO...

E pousou-lhe a mão diáfana nos cabelos que a brisa da tarde morrente perfumava.

Lisiane fitou-o nos olhos, suave e tranquilamente, sorrindo feliz, porque a ambos unia um amor que pairava acima de sentimentos que haviam ficado definitivamente apagados, eternamente desaparecidos, para todo o sempre esbatidos, mergulhados na noite do passado vencido e sepultado na distância dos milênios.

— Quando o fito, e olhando-o no âmago do ser que se constituiu um perene exemplo de coragem espiritual — falou docemente Lisiane, como se estivesse contemplando longínqua região povoada de entes sublimes —, sinto que as criaturas de Deus situadas nos mais baixos níveis da luta redentora um dia chegarão até nós, sofrendo e esforçando-se por se despirem da ganga espessa da materialidade mais grosseira.

Capítulo 1

— E olhe, amor — ciciou-lhe Sileno, envolvendo-a na luz suave de seu olhar —, que a nossa posição na marcha para o Mais Além é ainda uma pobre estação na jornada evolutiva.

E tomando-lhe as mãos alabastrinas, onde fez sentir a carícia de seus beijos, que tinham o sabor e o perfume de divinal essência, falou, alongando o braço para mostrar lá longe uma nesga de estranho crepúsculo que se esbatia na fímbria do horizonte que se apagava:

— Toda a beleza desta hora crepuscular, a magia destes toques de luz a se exaurirem, não sei por que, amor, lembram à minha alma em marcha para novas metas de aperfeiçoamento todo o trabalho que fizemos e todas as dores que suportamos na difícil escalada, nos perigosos caminhos da libertação.

— É natural que sintamos a presença do passado, Sileno — respondeu, suave e doce, Lisiane, fronte levantada para as Alturas, como uma alma em busca de Deus, na imensidade —, desde que assumimos sérios compromissos com almas que precisam de nós e às quais estaremos sempre ligados pela própria Essência da Vida, porque todos filhos do mesmo Pai, oriundos da mesma Fonte Inexaurível da Infinita Misericórdia.

Calaram-se, porque acordes que lembravam orquestrações de sidéreas plagas, a se derramarem e extravasarem por estranha e indefinível sensibilidade que lembrava soberbo encantamento estético, saturavam o ambiente, convidando à meditação e à prece.

Insensivelmente, Sileno e Lisiane absorveram-se em arrebatadora rogativa, que provocava verdadeira neblina luminosa, a qual, ao tocar neles e nas coisas em derredor, se desfazia em divina harmonia, como se mágico concerto das esferas distantes houvesse descido do Céu na mansidão sacrossanta de celeste viração.

Quanto tempo estiveram assim, talvez não o soubessem nunca.

Entretanto, voltando a si do inefável êxtase, murmurou Lisiane:

— Falou alguém a teu coração, amor?

— Sim, bem-amada.

— Que te disseram, doce amigo?

— Compreenderam nossos sacrossantos propósitos e deferiram a nossa rogativa.

— Permitiram-nos — esclareceu brandamente Lisiane, e com certo ar de gravidade — viajar para a Terra na tentativa de vencermos a prova cruenta a que voluntariamente nos submeteremos, exemplificando, entre nossos irmãos terrícolas, o amor na sua mais lídima e suprema renunciação.

— A missão é sedutora — disse Sileno, num murmúrio.

— Mas eivada de riscos, embora a situemos no ano de 1960 — contraveio Lisiane.

— A bem dizer, quase no limiar do terceiro milênio — advertiu o companheiro.

— Mas não esqueça, doce amigo, que do ano sessenta em diante acentuar-se-ão os trabalhos seletivos...

— Isso me faz pensar, bem-amada, naquelas fases cruciais de nossa andada em busca da libertação, quando...

— Quando — interrompeu suavemente Lisiane — dirigíamos aquelas rogativas a Deus, suplicando... suplicando... Como foi mesmo, amado?

— Estávamos vitoriosos já em vários tentames liberatórios, quando suplicávamos assim:

Senhor, calçaste-nos os caminhos da ascensão gloriosa com os espinhos mais agudos das rosas de tua munificência; com os pedrouços dilacerantes de tua misericórdia infinita, dando-nos mais sofrimentos que a outrem, mais dores que a nossos companheiros de jornada ascensional; ninguém, senão nós, foi mais contemplado com os tesouros da tua bondade revelada nos acicates ao coração flagiciado. Tua magnanimidade é sofrer, teu amor é penar. Nunca outros receberam tanto quanto nós. Teu privilégio é a dor, e tua clemência é a mais triste

Capítulo 1

solidão. Deste patrimônio nos encheste as almas e sofremos quando te esqueces de nós na tortura de todos os padecimentos. Agora queremos mais. Não nos poupes, Senhor, porque precisamos vencer a prova da renunciação mais amarga e do abandono mais atroz.

Continuou Sileno:

— A dor é o supremo benefício — ponderou, pervagando o olhar lúcido pelo horizonte distante. — Por ela e com ela atingimos o pequeno triunfo, ou melhor, o êxito em nossas tentativas tantas vezes repetidas... E agora — adiantou Sileno, envolvendo a bem-amada num abraço que revelava toda a sublime ternura de seu formoso espírito —, a volta à carne, onde contemplaremos os albores da nova civilização.

— Sim, amado, mas a tarefa nos impõe o contato com pobres irmãos e companheiros em seríssimas dificuldades do coração.

— Mas a Irmã Consuelo também nos ajudará.

— Ela será mais um darão divino a nos alumiar os passos pelas veredas do mundo...

— Pelos caminhos da Eternidade... pois que ela tem sido para nós o próprio emblema da sublime proteção.

— É uma alma de eleição.

E como se essa frase fosse um chamamento de alguém à cena que se desenrolava na beleza daquela hora, uma luz diferente revelou a presença de elevado Espírito às duas almas que permutavam confissões, falando sem palavras, exteriorizando os pensamentos mediante cariciosa vibração espiritual:

— De Deus são o reino, o poder e a glória, por todo o sempre.

— Por todo o sempre — responderam Sileno e Lisiane, num doce murmúrio, traduzindo indizível contentamento, e voltando-se para a luminosa Entidade que os visitava.

— Irmã Consuelo — falou Lisiane, abraçando-se à sublime criatura como se fora tenra criancinha aconchegando-se à mãe depois de longos dias de dolorosa ausência.

— Vocês me chamaram — respondeu a Irmã Dor-sem-fim, como fora conhecida em prístinos avatares, em ríspida iniciação monástica, pelos idos do século XII.

— Falávamos na excelsa mensageira de Jesus, ao ferirmos pequenos detalhes de nossa volta à carne, no cumprimento de sagrada tarefa — respondeu, humilde e respeitoso, Sileno, beijando a destra de Consuelo, semelhantemente a um filho bem-amado, num movimento de celeste amor.

Agora eram três seres que se uniam, para uma missão de elevada significação espiritual, na alvorada de uma nova civilização.

— Sempre que permutamos pensamentos de ajuda e de amor, lembramos a cruz de seu martírio, nos séculos que passaram e que agora evocávamos às vésperas de ríspidos testemunhos — confessou Lisiane, ainda abraçada a Consuelo.

— Quando nos dispomos ao trabalho redentor, resgatando os erros e os pecados que nos atormentam a consciência, a dor é um gozo; o sofrimento, uma recompensa; o martírio, um prêmio, um presente do Céu.

— Recordar nesta hora os padecimentos de uma alma a quem devemos a felicidade do retorno à carne, por amor a Jesus, não o fazemos — esclareceu Sileno — senão buscando aquele espírito de serviço e a coragem evangélica de que tanto necessitamos.

Houve um interregno na conversação.

Havia cânticos pairando na amplidão, em ressonâncias maravilhosas nas almas que ali se arrebatavam no mais santo amor, que se traduziria mais tarde, na crosta, na mais exemplar e comovente jornada pelos caminhos da renunciação e do desprendimento.

Vozes que se adivinhavam melodiosamente celestiais espraiavam-se pelo espaço, como se um coro de mil arcanjos se elevasse de mundos ignotos perdidos em distantes arquipélagos

Capítulo 1

estelares, em busca de Deus, de esfera em esfera, na ânsia de identificar-se com o Sumo Bem.

Sileno e Lisiane, ao lado da Irmã Consuelo, que sorria feliz, ladeada pelos dois amigos, sentiam que as vozes se aproximavam e, a breve trecho, uma multidão de Entidades vaporosas, entoando um hino de profunda significação espiritual, como que descendo do Céu, acabava de cercar as três personagens, que não demorariam escrever, com as lágrimas de seu amor e o sangue de seu devotamento, uma página de sublime abnegação e imenso sacrifício.

Lisiane sentiu, mais do que ouvira, divina massa coral que enchia o espaço e se elevava às alturas, tanto quanto descia ao seu coração, num vaivém de indefiníveis modulações, como se o Céu viesse até os meandros do inferno e depois subisse até a beleza celestial de plagas inatingidas.

Suas almas, porém, em vez de se arrebatarem diante de tamanha grandeza, como que se recolhiam a si mesmas, imaginando a distância infinita que as separava ainda das esferas coruscantes de espiritualidade.

Pareceu-lhes que o intraduzível coro falava de uma alma que penara e sofrera, e provara a mais amargosa taça de todas as crueldades e de todos os martírios, pelos caminhos da eternidade, para forrar-se aos assaltos das paixões avassaladoras, para emergir dos abismos da corrupção.

Sentiram que o cântico — dado que agora se fazia presente somente em seus corações — falava de Consuelo, a boníssima Dor-sem-fim, que os enlaçava naquele instante, depois de haver vencido lutas ásperas, embates ríspidos e dilacerantes, choques entre a alma e o instinto, entre o pecado e o amor, a bondade e o vício.

Lisiane, com os olhos nublados, passou os dedos alongados e translúcidos, alvos como os lírios de Nazaré, pelas faces pulcras de Dor-sem-fim, tocando de leve as lágrimas que suavemente lhe corriam pelo rosto, e, quando os retirou, sentiu que se cobriam de luminoso orvalho, no qual se houvesse misturado uma lágrima semelhante àquelas que Jesus chorou no Monte das Oliveiras, por nossa ingratidão.

Dor-sem-fim, num movimento que Sileno não percebeu, acariciou a mão delicada de Lisiane, nela depositando um beijo que tinha o perfume da bondade e a essência do Divino Amor.

Foi uma hora de encantado movimento de espiritualidade, quando, após, o coro se elevou na grandeza de sua linha melódica, como se quisesse levar a Deus aquele ósculo que era uma prece, uma oração; um beijo que era o arrebatamento de uma alma a serviço de Deus, pelos caminhos da renúncia.

Uma voz, porém, suave como uma carícia de mãe, doce como um sorriso de criança, meiga como a confissão de Maria Isabel, elevou-se no concerto admirável e falou, sem que se pudesse surpreender a Entidade que relatava a história de uma alma que sofrera tanto até despedaçar-se-lhe o último sinal da impiedade que corroera seu coração, para triunfar, afinal, na glória sempiterna da Espiritualidade Maior:

Dor-sem-fim viveu entre nós.

Sua história é a narração evangélica de uma alma que viveu um dia como Maria de Magdala, para atingir as culminâncias espirituais a que chegou Joana de Cusa.

Sê feliz, Dor-sem-fim, em tua ousada, mas gloriosa peregrinação pelos caminhos difíceis da Crosta, na santa missão de ajudar e servir.

Um mensageiro celeste desceu, irisado de luz sublime, mal terminara de proferir as últimas palavras o alevantado Espírito, e sobre a fronte de Consuelo colocou uma coroa de luz, cujos reflexos espraiavam-se pela multidão que silenciosa se conservara durante o tempo que demorara a coroação de Dor-sem-fim.

Tão logo, porém, o divino emissário se ausentou, osculando a face da serva do Senhor, uma voz maravilhosa vibrou num cântico de celestial expressão, e a massa coral, acompanhando-a em arrebatadora modulação, emprestava, àquela cena de

Capítulo 1

incomparável significação, uma nota de singular beleza, como se as portas do Céu se abrissem e as almas eleitas derramassem sobre a assembleia flocos alvinitentes, num consórcio inusitado e inimaginável de harmonias e de luz buscadas em esferas gigantescas, onde os gênios da Arte Sideral elaboram de todo o sempre, sob a inspiração e os desígnios de Deus, os recursos espirituais em novas dimensões conscienciais de que se servem, nos caminhos da eternidade, os gigantes do pensamento na Arte e na Perfeição.

Indescritível foi a emoção de todos.

Consuelo, coroada de luz, tendo ao seu lado Lisiane e Sileno, num movimento de profunda modéstia, de evangélica humildade, ao sentir-se apenas com os dois companheiros com quem batalharia na Terra por um ideal sacrossanto, fez que se extinguisse a luminosidade que a envolvia e retomou a palavra, ainda comovida e de olhos voltados para o Alto.

— Essa homenagem que me trazem os amigos da Espiritualidade Maior é um adeus que deve lembrar-nos o cumprimento do dever. Em nossos corações, diletos amigos, esse espetáculo de beleza sem-par convém permanecer, pois a sua doce lembrança nos acordará sempre, no íntimo de cada um, a indispensável coragem para não tergiversarmos na execução do serviço redentor.

— Ainda bem que irás conosco, Dor-sem-fim. Tua presença em nossos caminhos revigora-nos os propósitos, alimenta-nos as esperanças e encoraja-nos as almas — disse Lisiane convicta.

— Confesso, Consuelo — acresceu Sileno —, que Lisiane interpretou magistralmente o meu pensamento. Tu nos ajudarás enormemente.

— Mas não contem só comigo, amigos — respondeu Consuelo. — A viagem é séria, e as dificuldades são quase insuperáveis.

— Sim — murmurou Lisiane, mergulhada em seus pensamentos.

— Necessitam mobilizar todas as energias de que dispõem e essa fé inquebrantável de que já deram prova em outros avatares. O mundo ainda é um viveiro de tentações. O espírito evolvido sabe evitá-las e como delas desviar-se a tempo e a hora.

— Temos trabalhado muito nesse sentido, Consuelo — ponderou Sileno —, e não nos esqueceremos de orar e vigiar.

— Sim, amigo, oração e vigilância sempre foi a senha dos bons servidores da Causa. Vivendo-a, a criatura de Deus torna-se invulnerável, ao mesmo passo que impermeável às ilusões provocadoras do meio ambiente, do círculo social em que foi chamada a exercer suas atividades.

— Preocupam-me muito os motivos que nos levam a abandonar estas paragens, tornando-nos caudatários do mundo pecaminoso que cresta e devora as nossas mais santas esperanças — lamentou Sileno.

Fez-se silêncio em torno.

O céu recamara-se de astros coruscantes e belos, parecendo endereçar uma festa de luz àquelas almas que se aprestavam para um mergulho na carne, no desempenho de sacratíssima tarefa de amor.

Dor-sem-fim pervagava o olhar alheio e distante pelo horizonte longínquo. Orava, ou meditava, sobre a missão que tomara a si junto a Sileno e Lisiane.

O moço esperava a palavra daquela alma delicada e boa.

— Sileno — falou mansamente Consuelo —, o mundo não é pecaminoso nem cresta as nossas alentadoras esperanças. O mundo é o que é: uma casa de Deus, na específica destinação de educandário recuperatório, sem qualquer fator intrínseco a impedir a libertação do homem, ou a desviá-lo de seu roteiro ascensional.

Houve um estacato na dissertação oportuna.

As estrelas continuavam a cintilar no espaço infinito, bordando a filigranas a umbela do céu longínquo.

Capítulo 1

Sombras erradias cortavam, de onde em onde, a paisagem maravilhosa, como se fossem tangidas pelo vento ou açoitadas por desígnios imperscrutáveis.

Lisiane, meditando nos deveres a serem cumpridos, em tempo breve, no campo das ordenações humanas, aguardava com visível interesse a palavra cativante de Dor-sem-fim.

Sileno, introspectivo, compreendia e sopesava a responsabilidade que aceitara com o descer à Terra, em nobilíssima exemplificação salvadora.

— É ela uma das moradas da casa de Deus — prosseguiu Consuelo, serena, meiga, persuasiva. — Desde sua formação, sob a amorável solicitude e supervisão de Jesus, e quando agasalhava os primeiros homens, ou melhor dito, os primeiros Espíritos humanizados, sente o impacto de nossos descaminhos e imperfeições.

— Sim, compreendo — confessou Sileno cabisbaixo.

— Nunca teríamos a guerra, a destruição, a fome, a peste, o ódio, o egoísmo, se desde o início houvéssemos seguido a Jesus — ensinou Consuelo.

— Concordo — falou Lisiane, apertando-lhe a mão, como quem procura proteção e amparo.

— Convém aduzir — esclareceu — que a destinação do mundo terrestre tem sido a de campo de luta do homem contra si mesmo, e não contra outrem, seus irmãos, porque todos filhos de Deus, com o mesmo destino, a mesma luta, o mesmo fim. Se os Espíritos que regressam à Terra, pelo determinismo de seu próprio passado, onde se situam as causas de suas lutas atuais, reencarnam por encontrar-se com os problemas que no dia de ontem equacionaram, na tentativa muito nobre de resolvê-los, e se o soubessem fazer perdoando, amando e servindo, o clima espiritual do mundo se modificaria e, em função da espiritualidade do homem, a casa planetária não seria o que é — um lugar de lutas sangrentas e de desesperadas competições subalternas, onde apenas tomam parte os instintos mal orientados, sem freios nem disciplina.

— Irmã Consuelo — ponderou Sileno respeitoso —, meu matrimônio com Lisiane na Terra, isento de contato carnal como pretendemos que seja, estará na pauta da espiritualização de nossa casa planetária, ou melhor, enquadra-se ele nessa modalidade, nas exigências civilizatórias do terceiro milênio?

Dor-sem-fim volveu os olhos lúcidos para seus companheiros, sorriu e falou docemente:

— Tudo quanto, nobremente, pretende dar uma nova direção ao Espírito em marcha para atingir o apogeu da espiritualidade se ajusta bem aos atuais rumos que a Humanidade deve seguir, por imposição da própria perfeição, que é o nosso destino. Não se deve desestimular a alma que deseja um lugar ao sol, na romagem para o Mais Além.

Silenciou um instante para completar depois o pensamento que mal se esboçara:

— Sei aonde querem chegar, mas por quê, Sileno, não me propuseste de maneira franca a questão que te inquieta?

— Formulei-a a medo, temendo qualquer deslize na enunciação do pensamento, pois sou ainda muito imperfeito.

Ela sorriu encorajadoramente.

— As palavras, Sileno, só adquirem sentido diferente daquele que têm no uso corrente de nossas comunicações verbais quando lhes comunicamos a vibração de nossa inferioridade, ou a significação que lhes dá o nosso atraso. Mas é difícil mesmo, meu amigo, manejá-la com santidade. Não raro a impregnamos com o perfume de falsas virtudes. Articulá-las santamente só o fez Jesus, porque a pureza não se coaduna com a baixeza. No excelso Mestre, por meio das anotações apostólicas, a palavra tem espírito e vida abundante; adquire aquela grandeza espiritual como o gesto, a ação e a obra, porque não é o que tomamos pela boca que nos faz mal, mas o que dela sai,

Capítulo 1

porque ela fala daquilo de que o coração está cheio, para servir-me duma expressão evangélica.

"Atentemos, porém, à tua indagação, Sileno" — prosseguiu —, "porque dia despontará em que organizaremos o envoltório necessário à descida a zonas inferiores, na realização de lindos objetivos, sem o concurso da carne — o contato sexual —, o qual, a essa altura, carecerá inteiramente de significação. O matrimônio, então, será tão somente a união de duas almas pelo amor mais santificante. E disso temos notícias que nos vêm de esferas sublimadas, engajadas em nosso próprio sistema planetário."

— Consuelo — aventurou Lisiane —, mas na Terra, nesta fase de progresso como mundo expiatório, não infringe as Leis do Senhor essa modalidade de casamento? Não seria uma fuga à maternidade, uma deserção disfarçada aos imperativos biológicos da reprodução?

— Não, Lisiane. Vocês vão à Terra em missão sublime. Nela estão implícitas a renúncia e a exemplificação, a vivência de um amor mais puro e santo, embora ainda infinitamente distante daquele que Jesus viveu entre os homens. A Perfeição também reclama seus mártires e seus místicos, que se deixem imolar por amor ao seu sonho de beleza espiritual para que do sacrifício resulte um bem, uma lição, um ensinamento. Sem a flagelação das grandes almas não despontam as alvoradas radiosas do espírito. Reparem que nunca o mundo alcançou descobertas e invenções sem as lutas sagradas dos laboratórios, onde o sábio chora na dor das tentativas infrutíferas para, depois, iluminar-se das mais santas alegrias, no momento em que a pesquisa o leva ao triunfo e à glória de seus sofrimentos.

— Quer dizer que a Ciência... — tartamudeou Sileno.

— A Ciência ou o conhecimento se desatam de seus segredos ao toque mágico da evolução, quando da maturação do homem para uma nova conquista no domínio do espírito, meu bom Sileno — esclareceu Dor-sem-fim. — Só se descobre e só se inventa o que existe, aqui ou alhures, porque o homem, em *ultima ratio*,[1] não cria — organiza. Porque quem cria é Deus. Ele é o Autor Sublime. O Criador Infinito. A Mente Infinita que tudo pode. Viver nele e existir nele, eis o nosso destino. É por isso que a perfeição contém a imperfeição. O absoluto, o relativo; o infinito, o finito; o pai, o filho.

— Se não criamos, nobre Consuelo — ponderou Sileno, um tanto constrangido —, porque quem cria é Deus, como organizar nosso envoltório?

— Meu caro — esclareceu Consuelo —, efetivamente, em última análise, como disse, quem cria é Deus, mas os elementos indispensáveis à organização — eu disse organização, Sileno —, aí estão à espera de inteligências potentes que os saibam afeiçoar, moldar, aglutinar; por isso, afirmei que a Ciência ou o conhecimento se desatam de seus segredos ao toque mágico da evolução, quando da maturação do homem para uma nova conquista no domínio do espírito.

Depois de breve pausa, aduziu:

— Na materialização dos Espíritos, os habitantes do Invisível não criam, organizam, servindo-se do material — digamos assim — encontradiço no próprio meio em que agem para se tornarem tangíveis aos estudiosos dessa faceta do Espiritismo Experimental. Aqui, ali e acolá, os elementos abundam. E nota, meu amigo, que muito parcos eram os conhecimentos de Katie King, seus recursos científicos nos trabalhos levados a efeito por William Crookes. Imaginem vocês o que não realizariam os recursos superiores de almas sublimes!...

— Perdoe-me, generosa irmã, voltar ao assunto superficialmente atacado por nós, sobre se a nossa união, na Terra, isenta de contato sexual, não fere os ditames morais, biológicos e espirituais com vistas à reencarnação de criaturas que precisam

---

[1] Argumento definitivo e final.

Capítulo 1

voltar ao mundo para os resgates e provas santificadoras — pediu Sileno, a medo.

— Os meus amigos partem, com assentimento de Mais Alto, como pioneiros e bandeirantes de um ideal sacrossanto. E até pode acontecer que, nessa andança espiritual, indiquem uma Nova Era para o pobre planeta que tanto tem padecido as nossas imperfeições e as nossas misérias. Porque, sofrendo os processos evolutivos, a nossa casa planetária oferecerá ao homem mais evoluído condições físicas mais condizentes com a vida dos que aportam às suas plagas no cumprimento de missões elevadas.

"Demais" — prosseguiu —, "os fazedores de corpos que devem receber os viajores destinados à Terra, em processo reencarnatório, andam por lá aos milhões."

— Mas, hoje em dia — acresceu Lisiane, tímida —, os que podem servir ao Senhor, recebendo e encaminhando almas em débito para com a Divina Justiça, fogem à cooperação com as forças do bem — homens e mulheres.

— O problema, Lisiane — esclareceu Consuelo —, é deles.

E de inopinado:

— Fica o Senhor, por isso, impedido de fazer que voltem à carne seres em déficit com o bem? Achas tu, Lisiane, que só a reencarnação na Terra, como a conhecemos, é meio idôneo para resgate de culpas?

— Bem, dado que foi na Terra que praticamos nossos erros e nossos crimes... — ponderou Sileno, adiantando-se a Lisiane.

— A Justiça Eterna, meu caro — falou Consuelo —, não se apressa nem se manifesta moldada à nossa vontade ou aos feitios de nossos sentidos. Qualquer que seja a falta, o crime, o erro, o delito, há sempre os recursos repressivos na Lei, *assim na Terra como no Céu*. A Terra, como planeta expiatório, um dia evoluirá, por uma fatalidade cósmica. As reencarnações terão um conteúdo espiritual diferente, digamos mesmo, superior. Os corpos que abrigarão os Espíritos terão, forçosamente, natureza diversa da que ostentam as vestiduras carnais que carregamos em nossa dolorosa peregrinação pelas sombrias veredas do mundo que nos suporta ainda a imperfeição. Os mundos, quanto os homens, se sucedem na eterna viagem rumo à perfeição. O de hoje foi o de ontem e será o de amanhã. Cada mundo e cada Humanidade ocupa o lugar merecido por direito de conquista. O homem se possui a si mesmo, mediante sucessivas tentativas que um dia integrarão um só bloco, somando ou resumindo a conquista que o faz avançar no caminho do progresso e do aperfeiçoamento.

Consuelo recolheu-se a si mesma, por um instante, e continuou, inspirada:

— Um dia, a Infinita Grandeza, que é Deus, reinará em nosso entendimento. Não nos perderemos no labirinto da imperfeição, questionando sobre a onisciência e a magnanimidade do Pai Altíssimo. Todos os tentames no sentido de ajudar e servir, na exemplificação do amor, que selaram a romagem neste mundo de almas como as de Francisco de Assis, Teresa d'Ávila, Vicente de Paulo, Joana de Cusa, Estêvão e tantos outros abnegados servidores de Jesus, nascem no Céu para redimir a Terra.

"Felizes os que semeiam desde o passado longínquo, colaborando com Jesus, ainda que pobremente, mas imolando o seu egoísmo e os seus vícios na ara de todas as abnegações."

Dito isso, silenciaram.

Os astros da noite recobriam a amplidão, cintilantes.

Vozes de longe chegavam-lhes, num murmúrio, como se fossem comovedoras mensagens gratulatórias enviadas àquelas nobres criaturas que se aprestavam para voltar à crosta no desempenho de elevados desígnios.

Dor-sem-fim, em profunda meditação, como que se alheara do ambiente, exatamente como alguém que, mediunizado, recebe páginas confortadoras de outras plagas siderais.

Capítulo 1

Sileno e Lisiane oravam no aconchego de suas grandes esperanças.

— Não sei — disse Consuelo, como quem fala de si para si — que seria de nossas endividadas almas com os tesouros do Céu se Deus não nos permitisse as tentativas de aproximação do Ideal sonhado, assim nas missões santificantes, tanto quanto na asperidão das provas redentoras.

"O mundo agita-se" — prosseguiu —, "nos pródromos da civilização a alvorecer no ano 2000. Urge que novos ideais sejam conhecidos entre os homens, para que esta casa de Deus, que logo nos receberá em seu generoso regaço, mude de rota, galgando a posição de planeta regenerador."

E voltando-se para Lisiane e Sileno, que lhe acompanhavam os pensamentos:

— Vocês serão, como muitos que viajam, a esta hora, com destino à Terra, os novos semeadores, que, um dia, vencida a etapa gloriosa, regressarão a penates, sustentados pela satisfação íntima do trabalho inusitado, realizado com Jesus.

— E quando partiremos, Dor-sem-fim?

— Dentro de mais alguns dias iniciar-se-ão os serviços preparatórios da reencarnação, sob a supervisão de nossos amigos Flamínio e Ezequiel, astros de primeira grandeza no céu de nossas atividades espirituais.

— Mas isso excede os nossos parcos merecimentos, Consuelo querida! — exclamaram a uma voz os dois postulantes.

— Não se façam de demasiadamente modestos — contraveio Consuelo —, porque, a despeito de, em verdade, sermos míseras almas em busca da indispensável reabilitação, nem por isso os nossos amigos de Mais Alto nos ignoram a boa vontade e o desejo sincero de merecermos trabalho redentor.

— Não esperava tanta bondade — murmurou Sileno, com os olhos úmidos.

— Assim também eu — ciciou Lisiane, apertando docemente as mãos de Consuelo.

— Não nos esqueçamos de que Deus tudo nos dá e possibilita, para que logremos sempre êxito em nossos tentames. Jesus já nos ensinava: "Sede perfeitos como nosso Pai celestial é perfeito." Se pretendemos a perfeição, as forças sublimes acorrem ao nosso silencioso chamamento, quando esse movimento de alma se revela digno e realizável não somente na exteriorização dos atos, mas sobretudo em nossa mente, no âmago de nossas almas. Não basta pedir, é necessário merecer.

Demoraram-se ainda os três em elevada confabulação, acertando entre si normas de ação, sopesadas que já haviam sido as graves, rudes e tremendas responsabilidades das quais, daí em diante, teriam de se desincumbir.

Tarefeiros do Sumo Bem, os compromissos assumidos e aceitos se lhes afiguravam, agora, mais do que nunca, pesados, exigentes, impositivos, a macerarem, ininterruptamente, os espíritos dispostos ao sacrifício grandioso.

Tinham conhecimento, pelas crônicas espirituais divulgadas em "Metrópole dos Sacrifícios" — uma bela cidade que se constituiu sede do governo de vasta região do Espaço, e uma das mais gigantescas unidades da parte ocidental dessa modalidade de Continente —, que alguns Espíritos valorosos, mas que superestimaram o próprio valor, já haviam tentado o êxito do experimento a que estavam presentemente ligados Dor-sem-fim, Sileno e Lisiane, regressando, porém, a penates, em situação um pouco constrangedora na sabatina do sexo.

Dificilmente, até então, se permitiam descidas à Terra a almas que não houvessem passado pelo crivo de testes adequados — rigorosos e concludentes —, a fim de não ocorrer qualquer malogro que pudesse comprometer a positura espiritual alcançada pela majestosa cidade, cuja tradição de elevadíssima espiritualidade, a que não fora estranha a figura luminosa de Francisco de Assis, ultrapassara, já de há muito, suas próprias fronteiras, onde também se iniciara Teresa d'Ávila.

Capítulo 1

Sim. "Metrópole dos Sacrifícios", sendo quase desconhecida dos habitantes das zonas adjacentes à crosta terrestre, ninho de sábios, pensadores, místicos de elevada hierarquia, é um verdadeiro portento de beleza e elevação espiritual. Suas casas, praças, jardins, edifícios, que na falta de vocábulo mais apropriado diremos públicos; suas universidades, escolas, faculdades, institutos, conservatórios de música e canto, centros de arte e cultura, laboratórios, onde não são estranhos experimentos de ciência sideral aplicada; seu gigantesco Bloco de Estudos Universais, o qual reponta, com certo destaque, o Esperanto, compreendendo a Terra e todas as zonas espirituais que lhe são afins; seus veículos de excursões de estudos, de socorro e de assistência, na sua mais sublime modalidade, que lembram helicópteros terrestres, mas de construção que evocam os chamados "discos voadores"; sua população, constituída de homens e mulheres cuja beleza espiritual se expressa no seu todo harmonioso; seus templos de construção diáfana, dada a formação dos elementos utilizados em sua estruturação — tudo lembra ao nosso pobre espírito um pedaço do Céu, ainda nas vizinhanças do mundo doloroso que nos serve de moradia e escola temporárias.

Bem que a formosa cidade não tenha escapado às zonas que ainda se ligam à Terra, embora desta assaz distante, está ela fora de seu domínio no que tange à influência espiritual inferior, que lá não chega nem aporta por falta absoluta de receptividade nos meios metropolitanos.

Nem podia deixar de ser assim.

Capítulo 2

Enquanto Gervásia lavava as xícaras e Lisiane as enxugava, antes de tomar o rumo da fábrica onde trabalhava há muitos anos, ajudando a tia cujo marido falecera na Itália, no combate de Monte Castelo, no posto de segundo-tenente, assim conversavam:

— Você precisa pedir um aumento, Lisi, porque o que ganhamos não dá para atender as nossas despesas — aconselhava em tom enérgico. — Não há dinheiro que chegue nesta casa. Só de aluguel pagamos seis mil cruzeiros. Os gêneros estão pela hora da morte.

— Titia — respondeu Lisiane —, ainda há bem pouco fomos aumentados em nossos salários. Não faz nem quatro meses. Não acha a senhora que é exigir muito?

— Não acho nada. Acho que você ganha muito pouco. Há quantos anos trabalha na fábrica?

— Seis anos.

— Precisamente há oito anos você veio para minha companhia, trazida por seu pai — meu único irmão —, que ficara viúvo e não tinha onde recolher a orfãzinha; você, minha filha.

— E desde então nada sabe a respeito de seu paradeiro?

Capítulo 2

— Como quer que saiba? Seu pai sempre foi um doidivanas. Sua mãe morreu de tanta judiação. Morreu de fome, porque, doente desde que você nasceu, nunca pôde ajudá-lo em nada. E ele, por sua vez, um beberrão contumaz, vivia de biscates, de pedir dinheiro aos amigos para não pagar nunca. Aliás, você sabia e sabe bem como era a vida que vocês levavam lá em Vila Isabel.

— A senhora foi muito boa, recebeu-me em sua casa, titia.

— Eu sempre fui boa, Lisi, mas a bondade não exclui a energia. Você terá que pedir um aumentozinho. Se o meu querido Rogério não tivesse morrido, já seria, no mínimo, coronel. E sabe você quanto ganha um coronel? Pois, se não sabe, posso dizer-lhe que é muito dinheiro. Pois bem, esse ordenadão não o ganho, porque Rogério morreu. Seu pai atirou com você para cima de minha pensão e aqui me tem obrigada a trabalhar dia e noite para não dever nada a ninguém. E você a ganhar uma ninharia, e com escrúpulo de pedir um aumento, quando sabe que há oito anos a sustento em tudo.

— Mas entrego-lhe quase todo o dinheiro que ganho na fábrica para que nada lhe falte, titia.

— Grande coisa você me dá, Lisi — exclamou, raivosa, Gervásia, limpando as mãos no avental enxovalhado. — Que são seis mil cruzeiros? Nada! Nada em comparação ao que lhe dou. Quando você veio para minha companhia, contava 12 anos. Só aos 14 começou a ganhar, mas ganhar o quê? Uma ninharia.

— Sei que ganho pouco, titia, e que a senhora muito se tem mortificado por mim. Se não fosse a senhora, que seria de mim?

— É bom reconheça você que me sacrifico. Não tenho tempo de ir a um cinema. Nem dinheiro para isso, porque o que recebo por morte do meu querido Rogério não cobriria, junto com o seu, essas despesas extras, mas tenho fé em Deus que um dia as coisas melhorarão. Você achará um belo casamento, porque é muito bonita, tem um emprego e sempre há de encontrar, como se diz, um amparo, um homem em sua vida.

— Assim estou muito bem, titia, trabalhando para a senhora, primeiramente, e depois para mim. Pretendo morrer solteira.

— Você é uma tola, mas seu dia chegará, e quando chega a hora, ninguém responde por si.

— Deus permita que eu sempre possa responder por mim, tia Gervásia.

— Seja o que Deus quiser. Mas você já está um pouco atrasada. Deixe o resto para mim, senão você perde a hora.

Lisiane beijou-a carinhosamente, encaminhou-se para a porta da rua e de lá ainda lhe enviou um adeus com a sua linda mãozinha.

— Nunca vi moça como essa. Não gosta de dança, de cinema nem de namorados — resmungou dona Gervásia. — Eu nunca perdi um baile, namorava quanto dava e não faltava a um bom filme. Foi assim que fisguei o Rogério. Hoje, tudo acabado. Só me resta a saudade. E a saudade também é uma consolação.

Deu mais uma demão às coisas que limpava e foi para o quarto, murmurando:

— Lisiane é um anjo; e o pai, um demônio. Só tenho medo que ele apareça aqui um dia para amargurar-lhe a vida. É capaz de obrigar a filha ao crime por um copo de vinho.

Mal Gervásia lhe pronunciava o nome, eis que Demenciano empurra a porta que Lisiane deixara entreaberta e entra espalhafatosamente, visivelmente embriagado.

— Ó de casa! Que solidão é essa? Onde estás, Lisi? E tu, Gervásia?

E cambaleando, olhos injetados, roupa suja e desalinhada, avançou para a sala onde se atirou em uma poltrona estofada muito velha, possivelmente do tempo ainda do tenente Rogério.

Capítulo 2

— Mas que é isso? — gritou Gervásia de dentro do seu quarto.

— Sou eu, Gervásia querida, teu pobre irmão Demenciano. Vem cá para o abraço do filho pródigo. Não, filho, não! Pai pródigo!... — E deu uma risada.

Voltando à sala, Gervásia depara-se com o irmão, que já não podia levantar-se da cadeira.

— Minha irmã Gervásia — falou a custo, sem poder erguer-se —, como tenho sofrido neste mundo, querida. Nem queiras saber. Deus já não se lembra de suas pobres criaturas, não é, Gervásia?

E pendendo a cabeça para um lado, e escorregando para o chão, ficou nessa posição, ressonando ruidosamente.

Gervásia contemplou-o demoradamente, sacudindo a cabeça, de um lado para o outro, em atitude de censura, surpresa e piedade.

— Sempre o mesmo homem. E como envelheceu o coitado...

A muito custo, conseguiu erguê-lo e arrastá-lo para o quarto de hóspedes, colocando-o, com grande esforço, sobre a cama. Feito isso, mirou-o de novo, falando de si para si:

— Deus queira não me traga, a vinda de Demenciano, maiores aborrecimentos.

Pensou um pouco, e murmurou:

— Quem vai sofrer é Lisiane. Arrebatar-lhe-á o dinheiro e o consumirá na bebida e nas noitadas alegres a que sempre se afeiçoou. Que Deus tenha pena de nós. — E se retirou para seus aposentos.

Demenciano respirava ruidosamente.

Era um homem alto, com pouco mais de 40 anos, mas visivelmente gasto.

Vivera sempre assim, trabalhando um dia e descansando uma semana. A família era-lhe penoso encargo. Falecida a esposa, na mais negra miséria, Demenciano ausentou-se de casa, entregando Lisiane aos cuidados de sua irmã Gervásia, que a recolheu de má vontade, mas, com o correr de alguns meses, apegou-se à sobrinha, tal a meiguice de Lisiane, sua humildade e extrema obediência.

Ela mesma, com auxílio de parentes da tia, conseguiu emprego na fábrica de seu Aprígio, um português milionário, homem de bons sentimentos, incansável em socorrer seus semelhantes, a ponto de a esposa, também dedicada criatura, exclamar de vez em quando:

— Aprígio, meu bom amigo, assim você terminará pedindo esmola. Essa prodigalidade tem que acabar. Faça a caridade, mas contenha-se.

Aprígio ria-se a valer, e a resposta era a mesma de sempre:

— Mulher, por mais que teime no atendimento às necessidades de meus semelhantes, Deus persiste em aumentar-me o dinheiro. Quando dou um milhão, no outro dia recebo dez!

— Então, essa caridade está sendo um bom negócio!

E ria também.

Aprígio, porém, tornava-se sério e retrucava:

— Minha filha, Deus é bom, e se me manda tanto dinheiro por meio das bonecas e brinquedos que fabrico, é porque Ele sabe que o não faço por ostentação nem esperando qualquer recompensa para depois da morte. O meu ideal, Maria, você bem o sabe, sempre foi o de trabalhar e ter alguma coisa para viver a coberto das necessidades mais prementes, e dar do meu pouco a quem me batesse à porta. É isso que eu faço, minha querida. E se Deus me tem dado mais do que necessito, você não acha que é para eu distribuir com quem ganha menos do que eu? Neste mundo, minha filha, os ricos não passam de depositários dos bens passageiros do mundo, com o encargo de administrá-los a contento de Deus. Felizes os que encontram a morte, socorrendo sempre.

E foi assim que Lisiane encontrou, um dia, trabalho na fábrica de bonecas e brinquedos de seu Aprígio.

Capítulo 2

Lisiane, em passo acelerado rumo ao serviço, ao entrar, pelo largo portão, no recinto da fábrica, esbarrou, acidentalmente, com Sileno, que admitido, havia pouco, nos escritórios do estabelecimento, dirigia-se, cabisbaixo, para o serviço, abandonado aos seus pensamentos.

— Ó... perdão — desculpou-se Lisiane, fitando seu colega de trabalho.

Entretanto, ao vê-lo, sentiu-se tomada de espanto... Será que o conhecia? De onde?

— Quem deve pedir desculpas sou eu — falou Sileno, confuso, pois o mesmo fenômeno que se passara com Lisiane acabava de assaltá-lo igualmente.

Fitaram-se, mudos, enleados...

— Conheço-a — arriscou Sileno, sorrindo... — Não trabalha na fábrica?

— Sim, na seção de bonecas... Conheço-o também... Será que já nos vimos?

— Não creio haja sido aqui, pois faz poucos dias que me admitiram como escriturário. E você?

— Já vai para seis anos que me conseguiram o emprego.

— Não importa que nunca me houvesse visto, mas admito a hipótese de já tê-la encontrado alhures...

— Deixe-se de criar problemas... Já estamos bastante atrasados. Ainda nos avistaremos.

— Certamente, a menos que se esquive de mim...

— Não há razões para isso. Até logo.

Separaram-se.

Lisiane foi pensando no moço com quem acabava de travar relações.

"Eu o conheço. De onde? Não o sei. De outras reencarnações, na ensinança espírita? Se o for, somos, então, velhos amigos..."

Já estava, todavia, à porta da seção, e o serviço tinha que ser feito.

— Parabéns, Lisi, pela conquista — bradou Marília à companheira de trabalho, logo entrou na sala. — Uma bela pescaria... Essas songamongas... — E abraçou a amiga.

Mudando de tom:

— Não me leve a mal, querida. Sabe como gosto de brincar. Nunca o faço por mal ou com segundas intenções. Mexo assim com qualquer colega, não é verdade?

— Não me aborreço com os trotes das colegas. São sempre inocentes, Marília.

— Conhecia-o de há muito?

— Vi-o, hoje, pela primeira vez.

— Sim. E daí?

— Daí o quê? Quando os acontecimentos estão maduros, explodem aos nossos pés. Os fatos são uma espécie de relógios-bombas, ou bombas-relógios, Marília. Não percebemos a sua gênese, mas podemos a esta remontar, se nos detivermos no estudo dos efeitos. Somos muito displicentes e, por isso, nos surpreendem os ventos. A nossa passagem pela Terra nos ensina hoje, mesmo por uma ocorrência banal, o acontecimento de ontem. Por isso, vivo sempre a imunizar-me, com muita atenção, contra as surpresas do cotidiano. De outro lado, procuro acautelar-me, pelo pensamento emitido hoje, pelo gesto deste momento, pela palavra desta hora, pela intenção com que agi em dado instante de minha andada, dos resultados que recolherei amanhã...

— Neste caso, o encontro foi sementeira de ontem?

— Vamos trabalhar, Marília, para fazermos jus ao ordenado — esquivou-se, sorrindo.

E dirigiu-se ao vestiário, onde envergaria seu avental.

— Sua egoísta — gracejou Marília, dando tapinhas nas costas de sua amiga, ao reiniciar o serviço que interrompera com a chegada de Lisiane.

Capítulo 2

A sobrinha de dona Gervásia, no entanto, não escondia seu estado de espírito diante do insólito acontecimento, ou seja, do encontro com Sileno.

Sentiu que sua vida ia mudar a partir daquele instante. E mudar para novos sacrifícios. Disso estava certa. A colheita lhe pertencia...

Alguma coisa indefinível envolvia-lhe a alma, e pressentia tormentosos os dias futuros.

Enquanto seus dedos ágeis acertavam o trabalho, já agora o fazendo mecanicamente, seu espírito concentrava-se em si mesmo e procurava entender aquele estado de alma que lhe causara o doce instante em que viu Sileno e trocara com ele algumas palavras.

"As almas se reconhecem, meu Deus" — ciciou para si mesma. "Eu o conheço, porque o reconheci. Mas por que me entristeço e me angustio, agora que o vi e o tenho perto de mim? Que compromissos assumimos, ele e eu?"

Suas mãos moviam-se febrilmente na execução de sua tarefa.

"Falarei com Consuelo, ainda hoje, porque ela sempre foi UMA LUZ EM MEU CAMINHO..."

E procurou não pensar mais no ocorrido.

Sileno, a seu turno, entregava-se à mesma sorte de pensamentos. Esdrúxulos e inquietantes.

"Quando a vi? Onde? Ela me é conhecida. Conheço-a, indiscutivelmente. Já a vi. Sinto-a dentro de mim de prístinos avatares. Só o Espiritismo, com certeza, me explicará isso que sinto desde que com ela me encontrei no portão da fábrica."

Interrompeu um cálculo e olhou para o alto.

"No entanto, ao contrário do que deveria suceder, sinto-me alarmado, inquieto, inseguro. E o que mais me deprime é essa sensação de insegurança, que me causa medo. Pressentimento de alguma desgraça, de algum drama, de uma infelicidade? Mas por que esse sobressalto? Preciso falar com

Consuelo tão logo nos encontremos na pensão. Ela é uma santa. Tem sempre uma palavra de bom ânimo para quem a procura em suas aflições. Desde que a conheço, humilde, bondosa, prestativa, sempre a pensar nos outros, minha vida mudou. Sem pai nem mãe, pobre órfão desde 10 anos, ela tem sido para mim infatigável irmã querida. Nunca soube de onde veio. Sabe-se apenas que, como eu, também não tem pai nem mãe."

Voltou ao trabalho, para, depois, murmurar consigo mesmo:

"Consuelo, a moça com quem falei e eu não seremos atores de algum drama que marcará época nos anais do sofrimento? Mas por que uma santa como Consuelo deve sofrer, meu Deus?

"'O sofrimento é um prêmio, que não se confere às almas tíbias, fracas e pusilânimes', esta é uma das frases de Consuelo, que me acompanha sempre que me sinto alarmado sem motivo, sem causa, sem que alguma coisa me haja acontecido."

Consuelo, mal sabiam, de há muito vinha sofrendo em silêncio o drama da sua própria superioridade moral.

Aconselhava e animava; orientava e esclarecia; transfundia nas almas timoratas e fracas que a procuravam, para confiar-lhe os padecimentos mais íntimos, a sua fortaleza de espírito, o seu bom ânimo.

Eles, porém, nunca souberam das horas amargas que suportava caladamente; do martírio de seus dias; da flagelação que suportava na própria alma, das noites maldormidas.

Consuelo era de uma beleza singular. Uma encantadora moça de 18 anos, que aliava à do corpo a formosura da alma.

Muitas vezes, ao passar por lugares mais frequentados, em demanda de seu trabalho, homens e mulheres se imobilizavam para admirá-la.

Nunca, porém, alguém ousou dirigir-lhe uma palavra menos gentil, tal a autoridade moral que, sem artificioso estudo, se

Capítulo 2

lhe estampava no porte donairoso, em seu sorriso silencioso e amigo, em seus gestos de digna apresentação, no falar educado e humilde.

Na fábrica de seu Aprígio, moças e moços, velhos e crianças adoravam-na por sua bondade, meiguice, carinhosa solicitude.

Spoletto era a exceção.

Chefe do Departamento de Contabilidade, e às ordens de quem trabalhava Consuelo, em qualquer oportunidade, em instantes que se lhe afiguravam adequados, insinuava-lhe propostas veladas de envolta com sentimentos de desrespeito.

Fazia-se de desentendida, esquecendo as alusões indignas.

Há três anos — desde quando viera trabalhar para o seu Aprígio — que Spoletto não a deixava em paz.

E quando alguém a procurava para algum serviço ou explicação que se relacionavam com as suas obrigações de funcionária zelosa, e esse alguém era delicada e carinhosamente recebido por ela, que o tratava sorridente e franca, Spoletto sentia-se humilhado e, nesse dia, Consuelo sofria a estupidez, os remoques e as indiretas do chefe.

— Aqui, senhorita Consuelo — dizia invariavelmente em tais ocasiões, brusco, agressivo e despeitado —, não é lugar para colóquios amorosos. Isto aqui é um lugar de trabalho.

E afastava-se da serventuária desabridamente.

Consuelo sorria para dentro de si, com pena de Spoletto. Era o preço de sua comunhão com Deus.

Sabia mais que o Senhor Jesus não a convocara ao testemunho inutilmente. E sempre imprecava:

— Não te esqueças de mim, Senhor. Como preciso de ti nestas horas... E Tu o sabes, porque só Tu tens acesso à intimidade de meu mundo interior, onde esparges o doce perfume de teu divino amor. Tendo-te a ti, eu tenho tudo, meu Senhor.

E limpava os cantos dos olhos com a ponta afilada de seus dedos brancos, de marfim translúcido.

Lívia, que, por trabalhar ao seu lado, lhe conhecia os padecimentos, murmurava sempre:

— É um anjo que veio ao mundo sofrer por nós, nos círculos das tentações do pecado. Pobre Consuelo.

— Por que pobre Consuelo, Lívia? — inquiriu a funcionária, com um sorriso triste, um dia em que ouvira a frase da colega.

— Como não? Sofrer a grosseria, a humilhação, os remoques que esse rinoceronte lhe assaca de vez em quando? Por que não reage, não lhe diz também uns desaforos? Elas por elas.

Consuelo sorriu e falou:

— Vamos continuar nossa tarefa, Lívia. Ele pode surpreender-nos a conversar e você irá sofrer sem necessidade.

E voltando-se para o trabalho, prosseguiu nele, calma, serena e humilde.

— Deixe que ele venha se fazer de bobo comigo. Dou-lhe uns gritos e vou me queixar ao seu Aprígio.

Consuelo olhou-a com doçura e bondade.

Lívia compreendeu-a e silenciou, mas, falando para dentro de si, disse:

"Deus não devia mandar anjos para cá. Aqui abundam os Spolettos. Pobrezinha. É a beleza dela que faz tudo isso. Incendeia, sem culpa nenhuma dela, os Espíritos inferiores. Às vezes a feiura é a salvação. Ou o defeito físico."

E continuou o serviço interrompido, enquanto na seção de bonecas Lisiane era objeto dos mesmos sentimentos e das mesmas arremetidas amorosas de que era vítima sua amiga Consuelo.

Ambas, segundo Lívia comentava, sofriam do mesmo mal da beleza; por isso, os homens não as deixavam em paz.

Pois se até o velho Spoletto era candidato...

E soltava boas risadas quando as via requestadas por seus incontáveis admiradores.

— Gostaria que acontecesse isso comigo — dizia às vezes —, porque eu ia fazê-los sofrer um bocado. Esse seria o

Capítulo 2

castigo que lhes aplicaria com prazer. Infelizmente, ou felizmente, ninguém morre de amores por mim. A feiura sempre será um empecilho... Cada um viva o destino que construiu — finalizou.

E, alegando necessidade de conferir umas faturas na seção competente, saiu da sala, dirigindo-se ao local de trabalho de Lisiane.

Mal penetrou no recinto, eis que se lhe depara uma cena semelhante à que presenciara entre Consuelo e Spoletto.

— Você sempre está atrasada. Não sei qual a razão de seu Aprígio tê-la aqui, se nada faz a contento. Quando não erra num trabalho, inutiliza outro. Francamente, senhorita!

Licurgo, o encarregado da seção, um homem espadaúdo, feio e velho, que vivia a cortejar Lisiane sem qualquer êxito, tomava-se de rancor contra a pobre funcionária, repreendendo-a na presença de todos e tratando-a, por vezes, asperamente, com incrível grosseria.

— Em que pensa para errar tudo, dando prejuízos ao seu Aprígio, um homem que além de pagar ótimos ordenados ainda nos trata com toda a urbanidade e delicadeza? Certamente, é algum moço que lhe está a virar a cabeça.

Lisiane permanecia trabalhando em silêncio.

Nem mesmo a cabeça levantava para encarar o seu injuriador.

Tinha consciência de que não errara nada.

O que Licurgo tinha em vista era deprimi-la, tal qual o fazia Spoletto com a adorável Consuelo.

Recolhia-se, porém, ao silêncio. Era a melhor defesa.

— E julga que não os vi, ainda há pouco, palestrando, sorridentes, no portão? Enquanto pensa no homem, dá por paus e por pedras no desempenho das obrigações. Não estarei mais condescendente. Cuide-se comigo!

E saiu arrebatadamente, dirigindo-se ao gabinete.

Lívia aproximou-se, batendo delicadamente com a mão na meiga Lisiane.

— Que história é essa, Lisi? Então, um mal-educado desse a insulta, e você, tanto quanto o faz Consuelo, se deixa ficar inerte?

— Não vale a pena discutir, minha amiga. Nunca devemos alimentar o mal.

— Olhe, Lisi, semelhante conduta vai muito bem aos anjos, e observe que ainda não estamos no céu...

— Mas estamos em marcha para lá. A dor é o melhor caminho...

Lívia olhou-a com admiração e respeito.

Bela e simples, delicada e carinhosa, um mundo de ternura e de bondade, era um modelo incansável de humildade e tolerância.

— Quer saber uma coisa, Lisi?

— Fale, menina...

— Aquilo é paixão. O velho Licurgo está seriamente apaixonado.

— Por quem?

— Ora, a pergunta... Por você, querida.

Lisiane não respondeu. Não disse nada.

— Os homens do estofo moral de Licurgo e Spoletto, intrujões e arcaicos, não toleram a mocidade, principalmente quando esta lhes descobre os sonhos lubricamente sórdidos.

Sem esperar a contestação, aduziu, tentando outro assunto:

— Foi amor à primeira vista o seu colóquio com Sileno?

— Eu amo todas as criaturas, Lívia. Nosso ideal é fazer do mundo uma estância de paz e amor. Precisamos, como nos ensina Consuelo, ajudar a Deus a melhorar a Terra.

— Ajudar a Deus? Que história é essa? Deus precisa de nós?

Lisiane observou-a, sorrindo.

— Duvida?

Capítulo 2

— Claro, Lisi, que duvido... Ora, Deus a precisar de nós...
— Precisa. E sempre precisou, desde que Ele vive em nós. E isso não é uma glória para nós, pobres almas malogradas nas tentativas de redenção própria?
— Custo a crer que Deus desça à escuridão do mundo para reclamar a cooperação dos infiéis...
— Ele não desce, Lívia, exatamente porque não há descida no Infinito nem do Infinito. Quando Deus ajuda o homem pelo homem não estará Ele convocando o instrumento de sua Divina Vontade? Infelizmente, todos os nossos pensamentos mais altos morrem para o mundo exterior, ou neste se extraviam, por falta de vestidura verbal adequada, assim como perecem as sementes que não venceram a resistência da terra para nascerem.
— Francamente, Lisi, não estou entendendo patavina. Se Deus precisa de nós, então Spoletto e Licurgo têm razão.
Lisiane sorriu, compreensiva, e fitou a amiga que sorria.
— Jesus, Lívia, quando veio ao mundo para salvar-nos, fez-se tão pequeno quanto nós. Se tal não fora, quem lhe compreenderia a infinita grandeza? Se viesse Ele como o esperavam os judeus...
— Mas ainda assim não entendo por que Deus precisa de nós...
— Ele quer que devamos a nós mesmos o mérito de nossos próprios triunfos. Daí o convocar-nos para o serviço de redenção da Humanidade, assinalando-nos o dever, o trabalho de ascese espiritual, mediante a labuta de ajudar e servir. Precisa de nós porque quer ofertar-nos a suprema glória de sermos seus colaboradores, de fazer-nos partícipes de seu Reino, que Jesus nos revelou. Os pais sempre precisam dos filhos...
— Os pais dos corpos... — contraveio Lívia, sorrindo.
— Quando o Divino Crucificado chorava no silêncio de seu coração, na cruz dos nossos pecados, toda a imensa ingratidão da Terra, e foi interpelado pela turba alucinada por que não

descia do madeiro e não se salvava a si mesmo, respondeu que, se quisesse, seu Pai lhe enviaria legiões de anjos para salvá-lo. Que seria, porém, do Cristianismo sem a sublime renúncia do Filho de Deus?

— Compreendo, Lisi, agora, por que Jesus morreu. O mundo, boa amiga, acho que ainda levará um ror de anos para compreender em sua divina significação o martírio do Divino Amigo.

— E também por que Deus precisa de nós. Somos partes do todo. Somos organismos no Organismo Universal. Somos deuses em Deus. Precisa Ele de nós para promover a nossa própria felicidade. Será que ainda não compreendemos que, se Deus se utiliza de nós, é porque precisa de nós, desde que está em nós?

E voltando-se, firme, para Lívia:

— Não leste ainda a Parábola dos Trabalhadores da Última Hora? Não? A resposta à tua curiosidade lá se encontra tão visível quanto o Sol que nos ilumina. O Evangelho do Reino é a luz do caminho.

Depois de alguns instantes de silêncio, prosseguiu:

— Deus precisa de nós, repito. Empregamos o verbo *precisar* ou *reclamar* porque não dispomos de uma expressão melhor para externar o pensamento que floresceu em nossa mente. Vimos do grito, Lívia, e veja que herança atávica nos conduz ainda na manifestação de nossos sentimentos mais íntimos: o tom empregado para exprimirmos um instante de dor ou de alegria; de ódio ou de amor. O próprio gesto. A mímica. Tudo em nós ainda está muito aquém da verdadeira espiritualidade, por qualquer ângulo que o encaremos. Eu não diria: Deus precisa de mim. Afirmaria: Deus me quer no seu Amor. Ele é o Amor. Deus me quer na sua Perfeição. Ele é a Perfeição. Deus me quer no seu Poder. Ele é o Poder. Por me querer, Ele me ama. Por me afeiçoar a si mesmo, Ele me atrai. Por me fortalecer, Ele assevera que somos deuses. Que eu sou deus.

Capítulo 2

— Basta de filosofias, que me dão dor de cabeça, e vamos descer à Terra e falar dos homens, velhos companheiros de andança planetária — interrompeu Marília, que chegava, quase na hora de suspender o serviço.

Riram todas cordialmente.

— Vocês precisam, de onde em onde, baixar a este pobre mundo e debater nossos próprios problemas. Abandonem essas coisas metafísicas para os velhos. Somos jovens e, portanto, falemos de nós mesmos.

E olhando significamente para Lisiane:

— Lisi, minha bela amiga, não imagina como achei maravilhoso o seu namorado. Um espetáculo!

— Gostou, então, muito dele?

— Naturalmente, mas um tanto tímido, sabe? A timidez não é o meu fraco. Sileno é um amor.

Deu sonora gargalhada.

— Psiu! — advertiu Lívia. — Olhem que podemos chamar a atenção do velho Licurgo, e, daí, quem vai sofrer as consequências é a Lisi, moça que não é nada para ele...

— Mas anda morrendo de amores por ela, o bruxo... — comentou Marília.

— Vamos silenciar e voltar ao trabalho. Evitemos nos surpreenda a conversar — advertiu Lisiane. — Sobrar-nos-ão oportunidades para as palestras alheias ao serviço. Ele tem razão. É o chefe da seção e, como tal, cabe-lhe o direito de admoestar-nos e mesmo de repreender-nos. Vamos respeitá-lo mesmo por sua idade.

As colegas compreenderam que Lisiane tinha razão.

— Confabularemos mais tarde, depois que sairmos da fábrica — opinou Marília. — Mas quero avisar a Lisi que lhe tomarei o namorado — disse, rindo.

— Não faça cerimônia, minha amiga — concordou Lisiane.

— Não é ciumenta, Lisi?

— Creio que não. Sinto-me tão bem assim como sou! Aliás, com toda a sinceridade, confesso não ter vocação para o matrimônio.

— E por que conversava tão animadamente com Sileno? — indagou Marília.

— Palestrar com um rapaz de nossa idade significa casamento à vista?

— O matrimônio vem depois — justificou Marília, rindo.

E dando umas palmadinhas nas costas da amiga, Marília dirigiu-se para o serviço, pois Licurgo surgira pela direita, surpreendendo-as na amistosa conversação.

— A ordem é trabalhar — disse, ríspido e mal-educado. — Na primeira oportunidade em que encontrá-las em palestra durante as horas de trabalho, levarei o fato ao conhecimento do Sr. Aprígio, para os devidos efeitos de punição.

— É só de punição que ouço falar. Parece até uma doença, uma psicose, tamanha preocupação. Por mim, o senhor pode denunciar-me quando entender e lhe aprouver. O Sr. Aprígio não lhe dará crédito, e se lho der, por acaso, é para rir de sua mania de viver a delatar os colegas, porque o senhor não passa de um colega, e colega indesejável — disse arrebatadamente Lívia, retirando-se.

Voltando, porém, acresceu:

— Vá de uma vez, e não esteja por aí a fazer declarações de amor a uma jovem que tem idade de ser sua filha e, quem sabe, sua neta. Nisso é que o senhor deve reparar, e não em uma palestra inocente que em nada prejudica o serviço.

Licurgo ficou, então, a sós com Lisiane.

— Lisiane — falou a medo, algo constrangido —, gostaria de pedir-lhe um favor.

— Peça-o, Sr. Licurgo.

— Será que posso contar com sua benevolência?

— Desde que esteja em mim atendê-lo, sim.

— Não ficará magoada comigo?

— Por que ficaria? A menos que o pedido...

Capítulo 2

Licurgo não a deixou terminar a frase.

— Quero apenas que ouça com boa vontade o pedido que lhe faço, por intermédio de seu pai.

Lisiane sobressaltou-se à ideia da presença de seu pai no Rio de Janeiro.

— Meu pai? Mas meu pai há muitos anos que está ausente.

— Ele regressou ontem. Encontra-se em casa de sua tia Gervásia.

Lisiane emudeceu. Não se sentiu nem alegre nem triste pela revelação de Licurgo, mas invadiu-lhe a alma um pânico que não sabia definir. Estava alarmada agora. Olhou, de novo, para Licurgo, sem saber o que deveria dizer-lhe.

— Obrigada pela notícia. Permita-me que vá depressa ver meu pai. Dele saberei a natureza de seu pedido.

E tomando de sua bolsa que estava no cabide, abandonou, rápida, o recinto, mal ouvindo o que lhe dizia Licurgo.

— Atenda meu pedido, Lisiane. Será para o nosso bem.

No entanto, a funcionária da fábrica de seu Aprígio já transpusera a porta de saída do escritório, com o espírito alarmado.

Refez-se logo, porém.

"Alarmando-me como uma colegial, ou uma criatura sem Deus" — falou para si, caminhando apressada para alcançar a casa quanto antes.

"Mas, afinal, que queria Licurgo pedir-lhe? Nunca ouvira falar que seu pai tivesse qualquer relação com o seu chefe.

"Por que tia Gervásia não lhe falara dessa amizade de que Licurgo fazia praça?

"Saberia logo.

"E como estaria seu pai? Teria melhorado de vida depois dessa longa ausência? Certamente, já que voltava à casa da irmã, onde havia deixado a seus cuidados a filha única.

"Estaria, com certeza, regenerado, trabalhando, ganhando para seu sustento e, quem sabe, lhe traria uma lembrança, ainda que pequena, mas sempre uma demonstração de que não a esquecera durante os largos anos de sua peregrinação por alheias terras, por distantes plagas."

Não demoraria a tomar conhecimento de tudo. A casa já estava à vista, com seu portãozinho de ferro e aquele majestoso pé de magnólia à entrada, lembrando o sítio que seus avós possuíam em Jacarepaguá.

Abriu o portão e, célere, empurrou a porta e entrou na casinha de tia Gervásia, que a esperava, de ar triste e distante.

— Lisi, minha filha — foi-lhe dizendo sem mais delongas —, preciso falar com você, agora mesmo. Vamos para o meu quarto, lá estaremos mais à vontade.

Lisiane compreendeu que o aparecimento de seu pai não era um acontecimento que alegrasse tia Gervásia.

O homem não se modificara, infelizmente. Continuava o mesmo ser.

— Sente-se aqui, ao pé de mim, minha pobre Lisiane.

E sentaram-se lado a lado, à beira da cama.

— Seu pai regressou ao Rio de Janeiro, e quando você mal saía para o serviço, dava ele entrada nesta casa, lamentável e completamente alcoolizado, a ponto de nem sequer poder articular palavra. Deitei-o no quarto de hóspedes e, por inacreditável que pareça, agora é que se está levantando. Já viu uma coisa dessas?

— É mesmo lamentável, titia, o que ocorre com meu pai. Tenho pena dele, e da senhora também, pois talvez se vá aborrecer com ele, que, pelo que acabou de relatar, não se reajustou ainda. Seja o que Deus quiser.

— Lisiane — suplicou Gervásia —, vou fazer-lhe um pedido. Por mais que ele a maltrate ou a aborreça, perdoe e esqueça. Ele é seu pai.

— Titia — respondeu Lisiane —, fique certa de que respeitarei sempre o homem que Deus me deu por pai neste mundo. Posso, graças a Deus, compreender todas essas coisas. Não há de ser nada. Confio em Jesus. Não se entristeça por isso, titia.

Capítulo 2

— Deus a abençoe, minha boa Lisi. Você me aliviou o coração e tirou de meu espírito um peso tremendo.

Beijou-a maternalmente e convidou:

— Vamos almoçar, porque seu horário é curto, e longo o caminho para a fábrica.

Depois do almoço, encaminharam-se para a cozinha, onde Lisiane auxiliava a tia na limpeza dos pratos e talheres, antes de voltar ao serviço.

— Hoje, vá mais cedo, para que ele tenha tempo bastante para pôr as ideias em ordem. Quando você voltar, à tardinha, talvez já esteja melhor, e se porte bem quando a vir.

Lisiane ajudou mais alguns minutos na arrumação das louças e, tomando de sua bolsa e beijando a tia, encaminhou-se para a fábrica.

Eram treze horas. Tinha ainda meia hora, tempo de sobra para ir pensando nos acontecimentos que se avolumavam em seu caminho, ao redor de si, e que pressentia.

Ao dobrar a esquina de sua ruazinha, estava postado, à calçada, Sileno, como quem espera alguém.

Vendo-a, dirigiu-se para a colega de trabalho e, sorridente e feliz, cumprimentou-a amigavelmente com um simples: — Olá!

— Ó Sileno — respondeu —, que faz aí? Esperando a namorada?

— Esperando a namorada, diz bem — respondeu. — E olhe que não cheguei a esperar muito, pois tão logo me postei aqui, eis que você surge na esquina, mas, desta vez, meio distante e triste. Que há com você, Lisi? Posso saber?

— Primeiramente, obrigada pela honra imerecida de me considerar sua namorada. Infelizmente, ainda não pensei muito em namoro. Não tenho tempo para isso. A rigor, nunca permaneço triste. Preocupada, sim, às vezes. Será você uma exceção?

— Quem não tem seus problemas, Lisi? Veja que até Consuelo carrega aflições, ela que é uma santa.

— Entendo — retrucou Lisiane — que quanto mais se espiritualiza a criatura, mais sofre neste mundo. É o preço da ascensão.

— Tanto você quanto ela têm uma cruz difícil de conduzir.

— Quem não a tem?

— Concordo. Ocorre, entretanto, que a sua e a de Consuelo são rudemente esmagadoras. Não será uma áspera prebenda o suportar criaturas como os velhos Licurgo e Spoletto?

Lisiane fitou o colega, mas não falou. Apressou o passo e, depois, limitou-se a murmurar:

— Está quase na hora. Não demora e ouviremos a sirena convocando-nos ao trabalho.

Sileno teve a impressão de que a sua companheira de serviço não gostara da alusão aos dois chefes de seção do estabelecimento.

— Lisi — pretendeu desculpar-se —, não me interprete mal a frase. Disse-a por um demais, ainda que saiba sofrerem com a conduta muito solta deles.

— Um dia, com mais tempo, falaremos sobre o assunto que o preocupa.

— Obrigado.

— Obrigada, digo-o eu. E até logo; sempre nos sobrará tempo para falarmos de nossos deveres e de nossos sonhos.

— Nunca ouvi dizer que sonham os anjos também... — E sorriu.

Nesse preciso instante Consuelo chegava, igualmente. Cumprimentaram-se cordialmente e cada qual rumou para sua seção.

Somente um funcionário era infalível no atingir a fábrica antes de qualquer outro — era Giacomo Spoletto.

Vendo Consuelo, sorriu e, afoitamente, encaminhou-se para ela, ridículo:

Capítulo 2

— Consuelo — iniciou a declaração —, por que não corresponde você à afeição que tenho por quem me povoa os sonhos e alimenta a minha imaginação febril? É lá possível tenha passado despercebida ao seu coração a minha amizade? O perceber essas coisas foi sempre um privilégio das mulheres...

Consuelo permaneceu serena e retrucou:

— Senhor Spoletto, respeito bastante seus sentimentos, porque me habituei a prezar e respeitar meus semelhantes e, por isso, agradeço-lhe de todo o coração a amizade que acaba de confessar ter por mim. É uma honra. Infelizmente, Sr. Spoletto, não a posso corresponder na pauta em que a colocou. O senhor é um cavalheiro e, por certo, me compreenderá.

— Será pela diferença de idade? Sou apenas 25 anos mais velho que você. Será por que sou casado? Ora, doce Consuelo, o casamento não será um empecilho ao nosso amor. De mim, tudo você há de ter: amor, dinheiro, prazeres, vida regalada, diversões, festas no alto mundo carioca. E se mais for o seu desejo, desquitar-me-ei, e aí, então, a felicidade será completa.

Ela permaneceu serena, imperturbável, ainda que ferida cruelmente nos seus mais delicados sentimentos.

Apesar de já esperar aquela explosão passional de Spoletto, nunca imaginou pudesse ele magoá-la tão impiedosamente.

De há muito vinha sofrendo as arremetidas sentimentais de seu chefe, mas procurava não entendê-las. Mergulhava suas penas no serviço.

Se Spoletto a esbofeteasse, mesmo na presença de seus colegas, a dor moral não seria tão grande quanto a que lhe causavam as expressões agora recebidas em plena face; mas a sua fortaleza moral era grande demais para abater-se naquele transe; e seu espírito de compreensão estava tão acima da baixeza humana que, instintivamente, perdoou desde logo ao seu algoz.

Não esperava, porém, que Spoletto houvesse descido moralmente tanto, para que, de uma só vez, magoasse e ferisse soezmente sua mulher e seus filhos, a pobre criatura que trabalhava sob suas ordens e, principalmente, a si mesmo.

Ela, porém, devia compreender aquela alma enfermiça e atrasada. E perdoá-la.

Enquanto Spoletto aguardava a resposta, iam chegando ao escritório os outros funcionários.

Olhando-os, e vendo-os em atitude de visível constrangimento, para logo imaginaram o que ocorrera, pois Spoletto não era, em assuntos de amor, homem que desistisse de qualquer conquista, por difícil que fosse. Nem de recuar diante da primeira recusa.

Conhecendo, porém, como conheciam, Consuelo, os colegas sabiam que ela era uma criatura diferente, superior e extremamente bondosa e humilde.

— Assim, senhorita — falou o chefe como quem reata uma palestra interrompida pela presença de estranhos —, conduza-se como quero e tudo sairá bem, a contento da chefia; do contrário, levarei os fatos ao conhecimento do Sr. Aprígio, que decidirá em última instância.

E abandonou o recinto, refugiando-se em seu gabinete.

Em aí chegando, Clóvis, seu secretário, interpelou-o, sorridente, pois ambos eram companheiros do mesmo "ofício":

— E daí? Nada? Aperte o cerco, chefe. Essas que se fazem de "santinhas" são as mais fáceis de cair. Digo-lhe eu, que tenho prática e experiência do mundo.

— Pior para ela se não aderir. Sairá daqui, como já têm saído as outras.

— Terminará aderindo, que remédio — aventurou Clóvis, rindo à vontade.

Spoletto não se deu pressa de retornar ao serviço. Ficou pensando em Consuelo. Apaixonara-se perdidamente pela moça. Quando não lhe conseguia arrancar uma frase, tomava-se de cólera e, aproveitando todos os momentos azados, feria-a com palavras candentes, insultuosas e cheias de fel.

Capítulo 2

Voltou, ainda uma vez, com o olhar fixo em Consuelo, que, trabalhando silenciosamente, carimbava fichas, conferia notas e fazia lançamentos em livros especiais.

Spoletto mirava-a detidamente, como quem desejava descobrir algum defeito na mercadoria a comprar.

Ela sentia-lhe a presença e esforçava-se por manter seus pensamentos em ordem, dentro daquele sentido espiritual que só as almas de eleição entendem.

Ao cabo de alguns minutos, Spoletto retirou-se.

Quando Consuelo levantou a cabeça, Sérgio, modesto funcionário, moço que todos estimavam, chegava à sua mesa, respeitoso e amigo:

— Sabe que sempre teve a nossa solidariedade em todos os momentos críticos, como este por que acaba de passar. Falo em nome de nossos colegas e no meu próprio.

Consuelo olhou-o, calma e serena:

— Obrigada, Sérgio. Vocês vivem a incomodar-se comigo, que nada sou. Seja como for, meu coração se fortalece mais com essa prova de bondade e delicadeza dos meus bons companheiros de serviço.

— Sabe você como apelidaram-na em toda a fábrica?

— Em toda a fábrica?

— Sim, mas não se alarme, porque todos nós lhe queremos muito bem.

— E qual é o apelido?

— Dor-sem-fim.

Consuelo encarou fixamente Sérgio.

Aquelas palavras lhe acordavam reminiscências que não sabia definir.

Sentia um misto de sofrimento e de gozo que ainda não experimentara em sua vida.

Lembranças de outras reencarnações?

— Dor-sem-fim — murmurou, alheia, distante, longe do mundo.

A caneta caíra-lhe da mão, e ela continuava a fitar, a distância, através das persianas da sala ampla e ensolarada.

— Ocorre-lhe alguma coisa à enunciação de seu apelido, Consuelo? — inquiriu Sérgio, meio atônito em face da atitude de sua amiga.

— Não, Sérgio. Foi uma estranha sensação que me assaltou o espírito à pronunciação desse nome. Uma coisa esquisita, mas já passou. Já voltei do Além...

E sorriu.

— Olhe que quase me assustou — falou Sérgio, sorrindo também.

— Sabe que coisa me ocorreu nesses dois minutos de abstração, Sérgio?

— Esclareça, Dor-sem-fim...

— Esse nome desperta-me na alma lembranças vagas de um passado longínquo, com suas dores, seus erros, seus infortúnios; compromissos graves assumidos com amigos, outrora; tempos menos recuados em que me encontrei comigo, sofrendo com Jesus. Dor-sem-fim..., uma alma lacerada por todos os martírios. História de um ser abrasado pelo amor mais puro que se possa conceber, e notícia de um destino. Ai! que estranha felicidade eu descubro nesse nome!... Sérgio, todos me chamam assim?

— Todos, Consuelo, todos, minha amiga...

— Por quê, Sérgio?

— Não percebeu ainda?

— Não.

— E... Spoletto?

— Ora, Sérgio, Spoletto está me ajudando a vencer as dificuldades do caminho.

— É por isso que Sileno, sempre que na palestra há uma referência a você, exalta-se e diz: Consuelo é UMA LUZ NO MEU CAMINHO.

Capítulo 2

Tornou-se séria, como quem procura desvendar um arcano, e alguns instantes após:

— Pobre de mim, que não chego a alumiar os meus próprios passos.

— Eu também podia fazer minha a frase de Sileno...

— Sileno exagera.

— Não há exagero quando se diz a verdade. Você sofre aqui com Spoletto, e Lisiane com Licurgo. A cota testamentária dos bons sempre foi a dor.

— À primeira vista, sem mais exame, o enunciado parece verdadeiro, mas, visto pela teoria das reencarnações, cai por terra fragorosamente.

— Você é mestra no assunto, Consuelo.

— Sérgio, por favor, vamos trabalhar, desde que aqui não nos encontramos senão para servir bem a quem nos paga. É também de boa ética não darmos margem a censuras e recriminações.

— Pense em mim, Consuelo — despediu-se Sérgio. — Fico contente e feliz quando você diz que pensou em mim.

— Egoísta...

Consuelo acompanhou-o com um olhar de simpatia e — por que não dizê-lo? —, também de amor.

Havia encontrado Sérgio, um dia, nos trabalhos de Espiritismo Cristão que se realizavam em uma sociedade dirigida pelo major reformado do Exército, Gabriel Lucas de Lima, uma alma boníssima que, em São Cristóvão, onde residia, era tido como um santo.

Era já modesto funcionário do seu Aprígio. Órfão aos 10 anos, encontrara em Gabriel um verdadeiro anjo da guarda. Não sentindo vocação para as lides intelectuais, achou trabalho na fábrica do melhor homem do mundo — Aprígio Dantas de Sousa Pinto —, como era conhecido em toda parte.

Desde que o vira, tomou-se de uma afeição elevada pelo "moço triste" e procurou servir-lhe de mãe ou de irmã, orientando-o, aconselhando-o e amando-o com aquele amor que o mundo ainda não conhece.

Terno e delicado, simples e bom, magro e pálido, todo sentimento e generosidade, era de uma timidez exagerada, arredio e introvertido. Só uma criatura tinha o poder de deixá-lo à vontade: Consuelo, a quem amava com todos os recursos de sua alma humilde e elevada.

E ela compreendeu-o logo. Tornou-se-lhe amiga de todas as horas.

Em seu coração puro e bom, Sérgio vertia, por vezes, as suas mágoas e desilusões, e chorava a tristeza de sua soledade.

— Você nunca está só, Sérgio — dizia-lhe após as confidências —, porque Deus está sempre conosco, e eu com você.

E relembrando fatos e situações, mergulhou nos seus afazeres, até que a sirena anunciou o término da jornada.

Consuelo pôs em ordem seus papéis, fechou os armários, tomou de sua bolsa e encaminhou-se para a porta de saída, quando Spoletto, colocando-se à frente, disse:

— Pense bem, Consuelo, no que lhe propus. Resolva satisfatoriamente o meu pedido. Desejo uma resposta para amanhã.

— Obrigada, Sr. Spoletto, pela atenção. Até amanhã.

Despediu-se humildemente, como se nada lhe houvera acontecido.

Ele ficou a olhar o vulto de Dor-sem-fim, que desaparecia.

Ignorava por que se sentia humilhado quando lhe falava.

Suas respostas tinham sempre significação diferente daquela que esperava, e que jamais tinham sentido aos seus ouvidos.

— Ela me pagará... Ora se paga... — murmurou, rilhando os dentes; mas logo se deu conta de que podia inutilizar a chapa protética... e cessou de os rilhar. O atrito poderia partir-lhe a dentadura...

Consuelo alcançara Lisiane e Sileno. E, tendo-se-lhes juntado também Sérgio, formavam um belo grupo.

Capítulo 2

Conversavam alegremente e, por sugestão de Consuelo, combinaram ir, na noite que vinha chegando, ao Centro Espírita do major Gabriel.

Marcado o encontro, Sérgio levou Consuelo até a pensão onde morava, próxima à fábrica, e seguiu para São Cristóvão, em um lotação, enquanto Sileno deixou Lisiane à frente do portãozinho da casa de tia Gervásia, que já a esperava, com um ar de preocupação a ensombrar-lhe a fisionomia sempre grave, mas muito simpática.

— Boa tarde, titia — disse, beijando-a em ambas as faces, carinhosamente.

— Quem é o moço?

— Um companheiro de trabalho.

— Gostei dele. Boa presença.

— É um grande coração. Diferente de todos os rapazes deste mundo.

— E com que convicção o diz...

Sorriu, acrescendo:

— A mocidade é, de fato, a única coisa que presta nesta vida, sim, senhora.

— A velhice também, titia. Não seja pessimista.

— Qual nada, minha filha. A velhice é, como dizia o meu Rogério, uma verdadeira provação... Eu que o diga, mormente longe dele...

— Nossa andada por aqui, titia — falou Lisiane, já em caminho para o alpendre da casinha bonita da tia Gervásia —, é de provas expiatórias. Para mim, velhice só é provação quando doentia.

E mudando de assunto, já com a mão na maçaneta da porta de entrada:

— E papai?

— Está lendo o jornal da tarde, na sala, e à sua espera.

— Vou correndo, titia, pois um pai é coisa maravilhosa...

— Apresse-se, então, pois não cessa de dizer que está ansioso por vê-la e falar sobre uma proposta que tem a apresentar.

Lisiane entrou e foi encontrar o pai já de pé, jornal na mão, esperando-a.

— Ó papai, que felicidade! — exclamou, atirando-se-lhe nos braços e beijando-o em ambas as faces.

— Lisi, querida! — respondeu, abraçando-a e beijando-a também. — Como estou satisfeito por encontrar-te, minha bela Lisi...

— Também eu, paizinho. Por que demorou tanto a vir?

— Ora, minha filha — disse, desvencilhando-se docemente de Lisi —, a gente nunca sabe o que nos pode acontecer. Tive oportunidades de retornar, mas deixa-se para amanhã, e, no final, foge-nos a oportunidade. Entretanto, agora não te abandonarei mais.

— Que Deus o ouça, pai, e possa você radicar-se de novo entre nós.

Lisi percebeu que Demenciano era um homem gasto, envelhecido, com aparência de sexagenário. Malvestido, quase desleixado, magro, não era mais para a filha o mesmo que a deixara há tanto tempo.

Sua fisionomia era a de uma criatura vencida pelo vício e pelos desregramentos de uma vida leviana. Disso estava ela perfeitamente a par.

Demenciano, pressentindo que a filha não recebera boa impressão de sua pessoa, apressou-se a desfazer o mau efeito, justificando-se:

— Sei que não sou o mesmo. Estive bastante doente. Lutei muito nesses anos que passei longe de vocês. Afinal, temos mesmo que envelhecer.

— Naturalmente. Seja como for, você, para mim, é o mesmo. De fato, achei-o mais idoso, o que não deixa de ser a coisa mais simples deste mundo.

Capítulo 2

— Muito bem, Lisi. Agradeço-te a bondade, e vamos ao que serve. Senta-te aqui ao lado do paizinho, porque tenho novidades para ti. Já conversei com a mana a propósito do que te vou propor. Ela, porém, não me quis secundar na tarefa. Escrúpulos de gente religiosa.

— Tia Gervásia é um belo coração, embora, por vezes, um pouco ríspida. Todavia, foi para mim uma segunda mãe. Jamais me deixou faltar o que quer que fosse. Amiga e conselheira, primou, invariavelmente, pela austeridade de uma conduta inatacável. É uma alma nobre e generosa.

Em face daquela confissão sincera e leal, Demenciano calculou, para logo, que sua incumbência, junto ao coração da filha, estava, de antemão, malograda.

Não gostou daquilo, pois ia-se-lhe pelos ares uma bela soma de cruzeiros, coisa que lhe não agradava à cupidez da alma ambiciosa, e às necessidades do momento. Estava falido. Sem dinheiro. Precisava de numerário e da sedutora quantia com que Licurgo lhe acenava em troca de Lisiane. Ia lutar para ganhá-la.

— Minha filha — falou como quem aborda enfastiadamente um assunto banal, desinteressadamente, e até com certa estudada repugnância —, não pensaste ainda em casar?

Lisiane deu uma risada discreta, mas gostosa, e depois respondeu:

— Ora, paizinho, sinceramente, creia que nunca tal coisa me passou pela mente. Acho que casamento é coisa muito séria, de muita responsabilidade, para quem, como eu, só tem um ideal na vida: trabalhar e servir a Deus e ao meu próximo.

Demenciano riu meio constrangido, mas, não se dando por vencido, prosseguiu:

— Sei que o matrimônio é algo sublime para ser encarado sem o devido senso de responsabilidade, mas, no teu caso, o assunto merece ser encarado com mais objetividade. Sou um homem velho, sem futuro, vivendo mais ou menos de rendas aleatórias. Somos mortais, tanto eu quanto tu e a mana

Gervásia. Pela ordem natural das coisas, iremos primeiro que tu. E depois, Lisi, como te arrumarás? Se, porém, contraíres casamento com um homem digno e bem instalado na vida, não te preocuparás mais pelo pão de cada dia, porque terás quem o leve à tua boca, sem qualquer cuidado de tua parte. Olha, filha, nesta vida temos que ser práticos. O ideal vem depois, sabes? Que me dizes a isso?

— Você pode ter carradas de razões, mas, de momento, não quero comprometer-me com quem quer que seja. Não tenho medo do trabalho, paizinho, nem tenho vocação para ser uma boneca em minha própria casa. Aliás, quer saber de uma coisa, paizinho? Penso que não me casarei nunca; mas, se Deus o quiser, é possível que venha, mais tarde, a mudar de opinião.

Demenciano encarou sua filha, que não fizera qualquer referência ao noivo que já lhe havia escolhido, e quedou-se pensativo.

Controlava-se para não explodir.

Lá se ia o dinheiro do Licurgo, e do qual estava precisando muito.

Não havia, porém, de ser como a filha queria. Não! Os cem mil cruzeiros que lhe prometera Licurgo não se iriam agora água abaixo, sem luta e luta muito dura e muito renhida. Lisiane teria que se submeter à vontade paterna. Diferença de idade? Ora essa! Todos os dias estavam se realizando casamentos sobre casamentos do mesmo estilo e tudo saía às mil maravilhas. Ela que não fosse boba.

— Lisi, és ainda menor e sabes que ainda estás sob o pátrio poder. A lei existe exatamente para ajustar o homem à sociedade. Nós, os pais, minha filha, podemos, com a autoridade que o Código nos confere, dar o destino certo à família, percebeu?

A essa altura, já se havia levantado e, de dedo em riste, postado à frente da filha, defendia seu ponto de vista... e o dinheiro de Licurgo.

Capítulo 2

Lisiane, longe de alarmar-se com aquela mostra de até onde poderia ir o intento do pai de forçá-la a casar-se, manteve-se serena e meiga.

— Compreendo, paizinho, o seu interesse por minha felicidade. Só tenho motivos para me alegrar em face de tamanha dedicação. Você é o melhor dos pais.

Demenciano ficou de ânimo suspenso.

A atitude da filha deixava-o desnorteado.

Não seria a mais descarada hipocrisia? Onde sua filha fora aprender semelhante tática?

— Se em verdade sou o melhor dos pais, convenhamos que não estou te conduzindo mal, penso eu — argumentou.

— Claro que sim, paizinho querido. Você não podia demonstrar maior interesse pela filha do que expressando-se assim como acaba de fazê-lo. Entretanto, em aconselhar bem e propor um casamento para o qual não me sinto inclinada, vai sempre alguma diferença, não acha?

— Bem, minha filha, mas é para o teu bem, prevendo teu futuro, ou melhor dito, preparando o teu futuro, porque estou velho e sinto que não irei longe.

— Por esse lado, paizinho, não se preocupe. Pergunte à tia Gervásia se não me tenho conduzido bem em todos os momentos de minha vida. Pergunte, paizinho, e terá como resposta que nunca lhe dei motivos de aborrecimentos.

Demenciano estava derrotado.

Lisiane era uma fortaleza de difícil acesso.

Viu que não tinha argumentos para mudar a face das coisas. A jovem era irredutível.

E tamanha era a convicção com que falara que Demenciano sentiu-se impotente para atingir seus objetivos.

Surgiu-lhe, porém, à última hora uma inspiração:

— Será que estás comprometida, minha filha, com algum latagão da fábrica onde trabalhas?

— Não, paizinho — respondeu. — Já lhe disse que de momento não tenho qualquer inclinação para matrimônio. Estou muito bem assim e gostaria que você me desse razão.

— Não te dou razão. E não faças as coisas sem a minha aprovação.

— Que é que estou fazendo sem a sua aprovação, meu pai?

— Não querendo casar com Licurgo, um cidadão honesto, bom, rico e respeitador. Tu o conheces bem, minha filha.

— Conheço-o, sim, paizinho — respondeu Lisiane alarmada. — Mas ele é casado! Como me dirige uma proposta dessas? Você não sabia disso, paizinho?

Colhido pela surpresa, Demenciano mastigou uma explicação:

— Bem... com certeza ele gosta tanto de ti que estará disposto a desquitar-se para casar-se contigo. E olha que vale a pena!

— Não diga isso, paizinho. Você não está raciocinando bem. Isso, para mim, seria cometer um crime de lesa-consciência. E este eu não o praticaria nunca, ainda que você ficasse zangado com a sua Lisinha.

E passou-lhe a mãozinha delicada pelo rosto anguloso e enrugado precocemente.

— És terrível, filha. E eu que calculava proporcionar-te um casamentão; mas isso não impede que volte ao assunto, mais de tempo. Vou dar umas voltas pela cidade para pensar melhor.

Quando, porém, ia a sair, lembrou-se de advertir:

— Lisi, ao insistir em que te cases, quero lembrar que essa questão de gostar ou não gostar é problema de somenos: o amor vem depois...

— O amor, paizinho, nunca vem antes ou depois. Ele está sempre em nós, porque é alma, é coração, é sentimento. Não é mercadoria.

Demenciano mediu a filha de alto a baixo, para depois expressar-se assim, recolocando o chapéu no cabide:

Capítulo 2

— Que entendes tu de amor? Já o viveste? Já o sentiste por alguém?
— Entendo o amor. Se já o vivi? Se já o senti por alguém? Claro que sim.
— Com quem o viveste? Com o velho fauno Aprígio? E com quem mais o viveste?

Lisiane fitou-o com os olhos nublados de dorido pranto. Lá na copa, tia Gervásia enxugava no avental as lágrimas que, incoercíveis, rolavam por suas faces maltratadas.

A frase do pai dilacerava as fibras mais delicadas do coração da filha.

— Não me respondes? É por isso que não ouves os meus conselhos. Sim, deve ser por isso. Já não és, para mim, aquela criança doce e inocente que aqui deixei há anos... És já uma mulher bem desenvolta. E já viveste o amor!... Sim, senhor! Parece mentira...

Lisiane, organização física delicada e alma sobremaneira espiritualizada, não atinava com uma palavra que fosse para responder ao pai, que enveredara por mau caminho na interpretação de seus pensamentos.

Queria esclarecer a situação, mas um tremendo poder inibitório estrangulava-lhe as expressões na garganta.

Demenciano, arrebatando ao cabide o seu chapéu, segurou-o fortemente pela aba, e, num arranco, gritou-lhe histérico:

— Ainda assim falarei abertamente ao Licurgo, e ele, que te ama, salvará a situação.

E abandonou a casa, quase a correr, mas sem deixar de ouvir o grito de angústia que Lisiane soltara às suas últimas palavras.

— Meu pai, não vá! Você me entendeu mal. Venha, que lhe explicarei tudo. Papai! Papai!

E abrindo a porta desesperadamente, atirar-se-ia ao encalço de Demenciano se não fora a oportuna interferência de Gervásia que, vendo-a naquele estado de alma, sentiu como se lhe houvessem atravessado o coração com aceradíssima lâmina de aço.

E segurando-a em seus braços, já desmaiada, levou-a para o seu quarto, onde a depositou sobre a cama.

Chorando e soluçando alto, fricionava os braços, as pernas e o busto de Lisiane, a ver se voltava a si depois daquele desapiedado impacto emocional.

E falava-lhe baixinho, como se fosse sua mãezinha, passando-lhe as mãos calosas e engelhadas pelos cabelos crespos e bem cuidados.

— Como os homens são estúpidos, santo Deus!

Olhou para tia Gervásia, puxou-lhe docemente as mãos e cobriu-as de beijos e de lágrimas.

— Sempre imaginei, minha filha, que se seu pai voltasse, você iria sofrer muito.

Lisiane olhava-a docemente, com pena dela. Acariciava-lhe as mãos ásperas e as faces onde a presença dos anos imprimira o selo da velhice amargurosa, na impossibilidade de falar. O choque fora grande, demasiadamente grande.

— Se ontem tinha esperança que ele fosse embora, estou convencida de que não irá mais. É um homem rancoroso e cheio de caprichos pessoais. Conheço-o bem. O pobre do meu Rogério era quem tinha razão quando afirmava que Demenciano ostentava um nome que falava por si mesmo.

E limpou, com a ponta do avental, uma lágrima indiscreta.

Lisiane se comovia sempre que tia Gervásia falava do extinto marido.

— Por que você disse aquilo para Demenciano? Sei que quando você fala, tudo está certo, mas não entendi bem o que significa aquela questão de já ter vivido o amor, e o ter sentido por alguém.

Lisiane esboçou um sorriso de inocência e de candura.

Demorou um pouco a responder. Estava como que reunindo forças para fazê-lo.

Minutos depois, expressou-se com voz apagada e pausada:
— Entretanto, tudo era verdade, titia...
— Quê?
— Tudo quanto enunciei era e é verdade...
E acariciou de novo as mãos rudes de tia Gervásia.
— Minha filha — retrucou Gervásia, nervosa e apressada —, que é que você disse? Será que estou compreendendo bem?
Lisiane sorriu outra vez e aquietou a alma suspensa da tia:
— Só entendo o amor, tia Gervásia, com Jesus. Com Ele o vivo e o sinto, porque aí ele é Beleza, é Luz, é Espiritualidade. Quem nunca sentiu Jesus no seu Divino Evangelho não pode sentir o amor, não sabe amar, a menos que se dê esse nome às paixões avassaladoras que o sexo malconduzido provoca, alimenta e estimula em seu desgoverno, na sua insânia, na sua loucura.
"Amor, titia" — prosseguiu, agora animada e exaltada mesmo —, "não é a satisfação do sexo sem o espírito, do instinto sem as claridades da razão e do discernimento, sem aquela pureza que assinala, na Terra, as almas eleitas. Deus, titia, também está no sexo como está em toda a Criação. Sublime e sempre o sexo — um laboratório de Deus — mormente quando dele fazemos um tabernáculo de santificação da vida, em que Deus faz sentir a sua Divina Vontade, na perpetuação da espécie nesta plaga do Infinito, elaborando com o homem — e veja, tia Gervásia, que glória para o homem saber que Deus não desdenha a sua cooperação — os corpos com que veste as almas que descem à Terra para que floresçam, no céu das consciências, as estrelas da Espiritualidade Maior, as luzes das recuperações e reparações salvadoras."
— Ai! filha adorada, que susto você me deu, a mim e ao seu pobre pai. Olhe, querida, que já foi um susto.
E, abraçando-a, cobriu-lhe as faces pálidas de beijos.
— Isso eu o teria dito ao paizinho, mas não me quis ouvir.

— A estas horas anda ele a confabular certamente com o velho e debochado Licurgo, e você é o assunto. Seu chefe quer conquistá-la, e Demenciano é o seu agente credenciado. É o pistolão.

E sorriu amargamente.

Lisiane, olhando para a tia, pediu-lhe:

— Sente-se aqui, à beira da cama, porque quero contar-lhe um sonho muito engraçado que tive na noite passada.

E tomando as mãos da tia entre as suas, falou:

— Primeiramente, uma pergunta: a senhora crê em sonhos?

— Certamente. O major Gabriel, em uma de suas últimas sessões de Espiritismo — o qual, aliás, sabe dirigi-las com muito acerto —, dissertou bastante sobre os sonhos, e pelo que me foi dado entender os sonhos são fatos ou acontecimentos que já se passaram, estão se realizando ou vão suceder mais hoje, mais amanhã. Não é isso?

— É possível — respondeu, retirando suavemente as suas mãos das mãos de Gervásia. — Mas vamos ao sonho. Há um colega na fábrica, de nome Sileno, por quem sinto uma atração toda especial. É aquele que me acompanhou até aqui. A minha impressão é de que o conheço há milênios. Gosto de estar perto dele. Sinto que é a minha alma gêmea. Quando o vi, senti que o amava de prístinas eras. Entretanto, meu amor por ele é diferente, tem raízes no Infinito, é uma afeição imensa e abismal, que arreda os corpos da existência carnal para que as almas se unam e se amem sem o contato do sexo, desde que já transpusemos essa experiência, que nesta altura de nosso reencontro seria para nós constrangimento invencível, para não dizer um verdadeiro incesto, em ambos os sentidos.

Lisiane pervagava o olhar pelo quarto, enquanto, discretamente, procurava sondar a tia, e de como estava ela recebendo a revelação onírica. Todavia, Gervásia permanecia tranquila, serena, atenta à dissertação da sobrinha.

Capítulo 2

— Pois bem, titia, foi com ele que sonhei, antes mesmo de conhecê-lo, o sonho mais gostoso do mundo. Adivinhe o que fizemos em sonho...

— Nem se pergunta. Sonho gostoso de moça com moço só pode ser casamento. Acertei?

— Claro que acertou em cheio. Casamo-nos, mas com separação de corpos.

— Quê? Com separação de corpos? Está maluca, Lisi? Que bicho a mordeu? Então, não é casamento... É... sei lá que diabo de casamento é esse?!

Lisiane deu uma risada cristalina e, passando a mãozinha perfumada pelas faces de Gervásia, prosseguiu:

— E Sileno estava de pleno acordo. Não acha isso bonito, titia?

— Mas... e o amor, Lisi, onde é que fica?

— No mesmo lugar dele... na alma da gente.

Gervásia fitou-a longamente, para depois arrematar:

— Isso não é casamento de gente deste mundo, é casamento de anjos. E você não está no Céu para casar desse jeito.

E sorrindo animadoramente:

— Ande, menina, desça daí. A Humanidade ainda não está preparada para semelhantes votos.

— Entretanto, devia, titia; não acha a senhora?

— Eu não acho nada, isto é, entendo que somos muitos imperfeitos para tentarmos viver como anjos.

Mudando de tom e interpelando Lisiane:

— Mas, espere, não nos havíamos comprometido com alguns amigos para a sessão de hoje, lá no Major?

Lisiane pulou da cama e, pondo em ordem o seu vestido, apressou-se a confirmar:

— De fato, titia, e penso que ainda temos tempo de ir, pois os trabalhos só começam às vinte horas.

— São dezenove, agora. Quer ir, querida?

— Vamos. Pegaremos o primeiro lotação e dentro de uns quinze minutos estaremos lá, para deleitar-nos com os maravilhosos ensinos que nos ministram os amigos daqui e de lá.

— Enquanto você dá os últimos retoques em sua arrumação, eu vou fechando a casa e pondo qualquer coisa sobre os ombros, pois a noite está bastante fresca, não acha?

Lisiane fez que sim com a cabeça, e após alguns instantes ambas saíam e, no ponto indicado, pararam à espera de condução.

Quando aguardavam transporte para São Cristóvão, Lisiane perguntou:

— A senhora já soube de um estranho caso que se relaciona com a vida pregressa do major Gabriel?

— Não — respondeu, meio admirada, a irmã de Demenciano. — De que se trata?

É que Consuelo conta que o nosso bondoso presidente foi conduzido, certa noite, quando liberto pelo sono, a determinado local de uma região ainda estreitamente ligada às atividades dos que mourejam por este vale de lágrimas.

— E que você pretende reformar, casando-se com Sileno como se casam os habitantes de Júpiter, que, conforme dizem os entendidos, é planeta de elevada hierarquia espiritual e onde o matrimônio tão somente une almas, que, dadas suas condições de seres espiritualizados, prescindem da ligação dos corpos, que — diga-se de passagem e ainda segundo as notícias já referidas —, não têm a constituição grosseira dos que envergamos aqui, desde que são modelados em material rarefeito, sutilíssimo, a exemplo de nosso perispírito. Entendeu?

— Arre, tia Gervásia, que a senhora é uma mestra! E quem diria que debaixo dessa humildade se ocultava uma bela cultura espiritualista!...

— Deixe-se de elogios fora de horas e vamos tomar o lotação, que aí vem.

Mal se acomodaram no lotação, Lisiane interrogou:

— Com quem a senhora aprendeu tanta coisa bonita? Teria sido com o tio Rogério?

— Não se faça de boba, Lisi, pois muito mais do que eu você sabe essas coisas. Rogério — a quem Deus haja —, era um homem instruído e temente ao Senhor. Um pouco alheio às lides espíritas; entretanto, não deixava de ser um esposo exemplar e um militar pundonoroso, e, em consequência, um bom cidadão.

— Nunca obteve dele uma mensagem, depois de seu traspasse?

— Por intermédio da mediunidade do Major, obtive uma, não faz muito. Era a sua linguagem, a sua maneira de dizer, e o mesmo amor a repontar da comunicação que me endereçou ao coração.

Limpou discretamente uma lágrima com a ponta do indicador comprido e áspero.

Lisiane silenciou, mas, a breve trecho, voltou a indagar:

— Sei que a pergunta é infantil, titia, mas me perdoe a curiosidade: amava-o muito?

Sorriu para responder, batendo de leve no braço da sobrinha:

— Como só se ama uma vez na vida.

Lisiane comoveu-se e deixou pender sua cabecinha de bastos cabelos negros encaracolados no ombro da tia Gervásia.

Esta, que ficara emocionada à lembrança do companheiro desaparecido, passou as mãos calosas pelas faces daquela criança que a bondade de Deus lhe enviara já no crepúsculo da vida.

— Estamos chegando, querida, e bem na hora.

Desceram, e pelo caminho Gervásia reencetou a conversação:

— Afinal, minha filha, você não me contou o sonho do Major.

— Creio que não é mesmo para ser contado por mim, mas por Consuelo, com quem ficamos de encontrar-nos hoje, na sessão, juntamente com Lívia, Marília, Sérgio, Sileno e outros amigos.

— Gostaria de ouvi-la nessa narrativa. Creio que, com você, Dor-sem-fim, Sérgio e Sileno, a tertúlia valerá por um mergulho no Céu.

— Não diga isso, titia — retrucou Lisiane, no instante em que transpunham a porta do salão que, já àquela hora, regurgitava de trabalhadores.

A mesa diretora dos serviços já havia sido formada.

Na cabeceira, tendo de um lado Consuelo, e do outro Sileno, que guardava o lugar para Lisiane, o Major compassava o olhar lúcido e belo pelos circunstantes.

À sua frente, ao alcance da mão, o glorioso livro de Kardec *O Evangelho segundo o Espiritismo*, aberto à página 55.

Tão logo deram entrada os novos servidores, o Major sorriu-lhes e, com um gesto delicado, convidou Lisiane a sentar-se à sua esquerda, lugar que, à aproximação da bem-amada, Sileno desocupara, oferecendo-lhe a cadeira, atrás da qual ficou, sorridente e feliz.

O Major era um homem baixo, gordo, míope, extremamente simpático e bom.

Dirigia a Sociedade Espírita que fundara, havia anos, com dedicação, devotamento e amor.

Em todo o Rio de Janeiro era conhecido por sua bondade, espírito de sacrifício, e, sobretudo, por sua poderosa mediunidade. Receitista e curador, não tinha mãos a medir, no afã de atender a quantos recorriam às suas faculdades medianímicas.

Não raro o surpreendiam em suas andanças de caridade, madrugada alta ou ao alvorecer, em plena rua, estugando o passo para atender a todos, no devido tempo, com o passe, a palavra de bom ânimo ou a receita homeopática que lhe sugeria, pelo conduto mediúnico, o incansável apóstolo da caridade, que é o bom Dr. Bezerra de Menezes.

Capítulo 2

Nunca ninguém o vira agastar-se por não poder descansar, mesmo nas horas mais avançadas da noite, quando seus serviços eram solicitados por um doente ou por uma alma desesperada.

Desenvolvera e cultivara sempre o senso do trabalho, da ajuda e do servir, dizendo invariavelmente que não vivia senão para socorrer o semelhante e cumprir o dever de chefe de família muito amado.

Duas vezes ao ano, o Major distribuía agasalhos e gêneros aos pobres do bairro, momentos esses em que se tomava da mais santa alegria, encarecendo a necessidade de socorro aos que batem à porta ou que procuram auxílio em qualquer parte.

Eram tardes de festas para tão pobre criatura. Sempre tinha uma desculpa para os que erravam, adiantando que o cristão, antes de condenar ou profligar o ato de seu irmão, devia lembrar-se de Jesus, o qual, quando defrontado por aqueles que o perseguiam, jamais proferira uma palavra menos fraterna contra eles.

Era sublime no incansável serviço de assistência aos sofredores.

Foi ao fim de um desses dias, em que colaborara ativamente nos trabalhos de distribuição de roupinhas e saquinhos de gêneros, que Dor-sem-fim, já recolhida ao leito, sentiu deslocar-se, suavemente, para determinada região espiritual contígua à crosta, e que lhe fora um dia familiar.

Caminhando com cautela por entre seres vergastados por seus próprios erros, e que a olhavam com estranha curiosidade, estacou em lugar adequado à observação que, incoercivelmente, alguém lhe impunha levar a efeito. Nesse comenos, sem mesmo saber explicar, surgiu ao seu lado simpática mulher, cabelos grisalhos, a irradiar beleza e simplicidade.

Dor-sem-fim pensou, a seguir, em perguntar-lhe o nome, quando, antecipando-se à solicitação, falou de manso, numa voz inesquecível pela inflexão e pela acentuada suavidade espiritual:

— Chamo-me Cornélia, e ajudo, aqui, de onde em onde, ao me ser facultado o ditoso ensejo de visitar, deixando por momentos meus afazeres em outras estâncias e distâncias, o meu Gabriel, uma alma valorosa a serviço do Bem. — E pervagou o olhar límpido e sereno em torno, como quem procura alguma coisa.

Consuelo compreendeu, e ela sorriu.

— Ele já vem. Despe-se, neste momento, do corpo carnal, mediante o sono, com o objetivo de avistar-se comigo — esclareceu.

De verdade, não demorou um minuto e já o incansável obreiro se achava ao lado da alma querida, trazendo, por fios luminescentes, o testemunho de sua ligação ao veículo físico.

A cena foi encantadora.

Gabriel, ao vê-la, tentou ajoelhar-se.

— Não, Gabriel — murmurou, erguendo-o delicadamente —, não faças isso. Vem para junto de nós...

E não pôde completar o pensamento, porque o visitante, num gesto de suprema reverência, lhe tomara gentilmente as mãos, osculando-as suavemente.

"Como sublime é o teu amor, meu Deus", pensou Consuelo, olhos marejados, diante da espiritualidade daquele encontro venturoso.

Cornélia fitou-a, comovida, e sorriu com felicidade.

As duas almas como que se confundiam em uma só, numa terna e divina expansão de amor, silenciosas, felizes, porque nenhuma palavra traduziria o que de grandioso e belo significava aquele instante glorioso.

— Acompanho-te os trabalhos edificantes, meu nobre Gabriel — disse, alfim, soltando as mãos de seu bem-amado, a formosa Cornélia —, e sei que correspondes plenamente à vontade dos que, de Mais Alto, te confiaram, em boa hora, a tarefa sacrificial, aliás por ti mesmo pleiteada junto ao Sumo Bem.

Capítulo 2

— Não fiz nada ainda, nobre Cornélia — respondeu, humilde e quase chorando —, do que tanto prometi a Jesus.

— Tens feito muito, Gabriel — retorquiu Cornélia, passando a mão pelo belo rosto dele.

— Dizes isso para me animar o espírito faltoso, santa que és, anjo de piedade que tens sido para mim.

— Meu amigo, temos hoje conosco essa grande alma que é Consuelo, partilhando, por feliz coincidência, de nosso encontro, embora em rápidos minutos — falou Cornélia, brandamente, fugindo aos elogios do abnegado companheiro.

Gabriel relanceou o olhar, voltando-se para Consuelo.

E em não se contendo, num gesto de fidalga espiritualidade, beijou-lhe as mãos.

— Velha amizade das mais dignas é esta alma santa, que tanto nos ajuda nos trabalhos de assistência que realizamos no Brasil — falou Gabriel. — Seu nome é repetido amiúde pelos sofredores que atendemos. Quem lhe não conhece o drama que a fez a mais sublime de todas as almas alanceadas por incomparáveis sacrifícios e supremas renunciações?

— Ninguém pode ostentar, meu nobre major Gabriel, bondade e amor, senão Jesus, o Divino Amigo, que tanto sofreu por nós, e continuará a suportar o impacto de nossa ingratidão. Seja, porém, como for — prosseguiu Consuelo —, agradeço-lhe sinceramente as expressões de generosidade que tanto me comoveram.

— Dor-sem-fim é muito modesta, Gabriel. Aliás, esse sentimento é o apanágio das almas de eleição — sentenciou Cornélia.

Entretiveram-se mais alguns minutos na apreciação dos serviços a que se entregava o Major, havia mais de cinco décadas, quando este, pedindo permissão para deixar a doce companhia da bem-amada e de Consuelo, falou:

— Cornélia, minha incomparável amiga, ajuda-nos sempre, principalmente intercedendo por nossos pobres irmãos

Spoletto e Licurgo, que, inscientes de que nosso dever é ajudar e servir, têm martirizado Consuelo e Lisiane, essas duas estrelas do Céu que caíram no negrume da Terra, tentando estabelecer, com seus próprios sofrimentos e laceramentos do coração, um novo sentido de coexistência no amor, que um dia sacudirá o mundo moral nos fundamentos e na estruturação em que o assentaram os homens que se desviaram de Deus, que é a Sabedoria, a Bondade, a Justiça e a Verdade absolutas.

E dizendo isso, beijou-lhe os pés, num repentino movimento que ela não pôde evitar.

Rapidamente, como acabara de fazer a Cornélia, beijou as mãos de Consuelo, que a essa altura chorava silenciosamente, cabeça reclinada no ombro de sua companheira.

Ambas se conservaram silenciosas, vendo Gabriel afastar-se humildemente, mas corajoso e decidido, rumo ao local onde o aguardava o serviço do Senhor.

Passado algum tempo, quando já não lhes era mais visível a doce figura do intemerato trabalhador da Vinha, falou Cornélia à amiga:

— Sei que não conhece a história de Gabriel, essa criatura valorosa e digna a quem tanto devem os serviços de proteção aos sofredores e infelizes transviados.

— Em verdade não a conheço; entretanto, pressinto-a ter sido difícil e dolorosa, a princípio.

Cornélia compassou o olhar em derredor, fitando, depois, o Alto, como se quisesse consultar alguém sobre a revelação que pretendia fazer à companheira.

— Consuelo, a narrativa comove, arrebata, impressiona, tanto quanto revela um homem, na lídima acepção da palavra.

Silenciou para falar logo a seguir:

— Suporte um pouco mais a minha companhia, pois a história é meio longa e não sou uma boa narradora.

Como resposta, Dor-sem-fim beijou-lhe as faces delicadamente.

Capítulo 2

Cornélia comoveu-se à carícia de Consuelo e não pôde deixar de sorrir:

— Essa é a resposta?

— No momento, não tinha outra melhor para dar a quem se equipara a pobre ser obscuro para fazê-lo feliz — murmurou, emocionada, a funcionária das Indústrias Aprígio.

— Como se faz de pequena, Consuelo, quando não sei se lhe posso desatar os cordões das sandálias! — murmurou, comovida, Cornélia.

E demorou-se um pouco, antes de iniciar a narrativa, na contemplação da região em que se achava.

Acomodaram-se ambas em pequena elevação do terreno, e Cornélia deu começo à história de Gabriel.

— Certa vez achava-me no Ministério da Assistência, levada por grave incumbência que me deferira personagem de elevada hierarquia, quando, ao dar entrada no gabinete do Ministro, surpreendi-o em viva palestra com Gabriel. Não o conhecia, então. Tratei, por uma questão de ética, de voltar nos mesmos passos, pois não me era lícito tomar conhecimento de assuntos que me não diziam respeito. Porém, o Ministro falou-me:

"— Rogo-lhe que fique, Cornélia, e assente-se aqui ao meu lado para ajudar-me no encaminhamento de um caso que interessa profundamente ao irmão Gabriel.

"Olhei para o Major e desde logo senti que estava diante de uma personalidade vigorosa, mas cujo passado não era muito recomendável. No entanto, simpatizei com ele. Sentei-me ao lado do Ministro e fiquei silenciosa.

"— Se não faz diferença falar perante a nossa nobre Cornélia, pode continuar a defender o petitório, amigo Gabriel.

"— Para mim é uma felicidade falar perante tão digna quão sublime criatura, a quem peço também interceda por uma pobre alma que, por muito ter pecado, muito tem sofrido e faz questão de mais sofrer.

"— Muito errou quem muito amou — respondi, sem atinar como a frase me saiu do coração sem qualquer esforço.

"— Obrigado, minha irmã — respondeu Gabriel, olhando-me com respeito, admirado e ao mesmo tempo humilde.

"Espalhando o olhar pela pequena sala, reatou a narrativa que vinha fazendo antes da minha entrada:

"— Gostaria, portanto — continuou Gabriel, como quem reinicia uma fatigante história —, que o bondoso Ministro permitisse fosse eu trabalhar numa das turmas que se encarregam de conduzir para lugar adequado os Espíritos que vêm da crosta em lastimável estado de penúria moral e espiritual, enlouquecidos ou ensandecidos. Não me assusta o trabalho. Quem viveu no crime, no vício, na degradação, e se dispõe ao trabalho redentor, já fez o balanço de suas possibilidades no serviço da redenção própria.

"— A tarefa é árdua, difícil, exaustiva e, sobretudo, exige muito espírito de sacrifício, renúncia e abnegação, Gabriel. Pesou já você quanto lhe vai custar a missão que se propõe realizar?

"— Jesus não me abandonará, creio — disse, demonstrando inquebrantável fé.

"— Está deferido o pedido. Agora mesmo começará, se o quiser, a exercer a sua arriscada empreitada.

"Dizendo isso, o Ministro calcou uma espécie de placa assentada sobre sua mesa de trabalho e daí a instantes surgiu um Espírito de nobre porte, que cumprimentou a todos, mas com especial deferência a mim.

"— Miguel — falou o Ministro —, Gabriel incorpora-se hoje ao trabalho de auxílio e ajuda aos vencidos da Terra, atendendo, de preferência, aqueles casos que já lhe são familiares.

"— Sim — respondeu solícito e respeitoso. E acenando amigavelmente para Gabriel, disse: — Felicidades para você. Que Jesus o inspire sempre, meu amigo.

Capítulo 2

"Gabriel fez uma saudação que abrangeu a todos e, em companhia do prestativo Miguel, desapareceu pela mesma porta por onde havia entrado. Estive mais algum tempo em companhia do Ministro, no desempenho da tarefa que me levara ao Ministério, e depois saí, disposta a tomar contato com os novos afazeres do novel auxiliar. Poucos instantes depois me encontrava em sombria e nebulosa região que me fazia recordar as descrições de *A Divina Comédia*.

"— Minha boa Consuelo — prosseguiu, depois de ligeira pausa —, apesar de já ter visitado locais semelhantes, a impressão que aquela zona escura e desolada me causou foi algo terrível. Seres ensandecidos, loucos e errantes, como quem não dispõe de destino certo, a proferirem palavrões e blasfêmias que lhes revelavam a ínfima positura espiritual, em um cenário de cinza carregado, em que não faltavam árvores secas e desgalhadas, lembrando charnecas e tabuleiros mergulhados em silêncio de chumbo, cactos monstruosos ostentando acúleos descomunais, dos quais pendiam estranhas aves como pássaros gigantescos empalhados por um artista dementado; tudo isso, minha amiga, enchia-me a alma de esquisito pesar, profunda tristeza e inusitada melancolia.

"Deteve-se um pouco e continuou:

"— Dor-sem-fim, minha filha, o interessante, e o que me atingiu depois o coração, foi ver a figura desenvolta mas humilde de Gabriel a passar por entre uns e outros, sem deter-se. Em certo momento, um homenzarrão, espadaúdo, barba e cabelos hirsutos, braços longos e simiescos a balançar, avançou para Gabriel e, reconhecendo nele velho e irreconciliável inimigo, soltou estentórica gargalhada que mais semelhava um urro, para, em seguida, estacando a menos de dois passos de Gabriel, dirigir-lhe a palavra:

"— Conheço-te, agora, maldito que me destruíste o lar e com ele a felicidade — bradou feroz, punhos erguidos, a babar uma espuma gomosa que lhe corria pela boca fenomenal, escancarada e hiante. — É o inferno que, aplaudindo meus propósitos da mais bela de todas as vinganças, vomitou-te aos meus pés, que irão, sem piedade, esmagar a víbora que precisa morrer para sempre. Prepara-te, Gabriel, para o ataque que começa. Em guarda! Não investiria contra uma criatura inerme, mas, para reduzir-te a pó, todos os meios me servem!

"Em avançando para ele, eu esperava que o nosso amigo tomasse qualquer atitude de defesa, mas isso não se deu. Ereto, sereno, olhar doce e humilde de onde eu via — admirada mesmo — fluir suave magnetismo que se propagava em brandas vibrações em seu derredor, alargando-se em volutas, como ondas que se formam em águas tranquilas quando se lhes arremessa uma pedra, deu alguns passos e caiu de joelhos, olhos voltados para o adversário, dizendo-lhe em um tom de voz envolto em mansuetude:

"— Lourenço, perdoa-me. Não te suplico por cobardia nem para eximir-me ao castigo que os meus atos engendraram ao longo do passado. Sei que destruí a tua felicidade, num momento de insânia e, por isso, justa é a tua cólera. Não mereço compaixão. Peço-te, apenas, uma oportunidade para romper com o que já passou e aliar-me a ti na execução de um plano de salvação que tenho em mente executar com a tua ajuda.

"Lourenço, tomado de espanto, deixou pender os braços ao longo do corpo colossal e, fitando Gabriel, rancoroso, a espumar de ódio incontido, tal qual um epiléptico em crise paroxística, levantou o pé direito para desferi-lo no homem que estava ajoelhado diante de si; mas, aí, tomei a defesa de Gabriel. Avançando, resoluta, bradei: 'Lourenço, meu amigo, detém-te, por Deus!'

"Ele olhou-me, olhos arregalados, boca escancarada, atirou os braços para mim e exclamou, tomado de intensa alegria:

"— Cornélia! Cornélia, minha filha! — E abraçou-se a mim, chorando como uma criança, beijando-me como sempre me

Capítulo 2

beijava, ele que me fora pai amado em longínquo avatar e que de nós se distanciara pelas veredas sombrias do seu destino..."

....

— Que maravilhosa viagem — murmurou Consuelo.

....

— Cerca de meio século lutou o meu Gabriel dentro da nobre tarefa que lhe deferira o generoso Ministro. Nunca o decepcionou. Tornou-se um exemplo de trabalho sacrificial. Ninguém jamais o vira em repouso, mas em serviço constante, atendendo, de preferência, àqueles a quem havia ofendido no decurso das existências escuras que vivera. Bastas vezes o visitei, em momentos ríspidos de seu labor sacrossanto. Nunca imaginei que uma alma que havia prevaricado tanto pudesse, um dia, suportar as dores que lhe avassalavam o coração generoso e bom. De uma feita ofereceram-lhe, de Mais Alto, oportunidade de trabalho em outro setor; no entanto, chorando pela distinção do convite, pediu, Consuelo amiga, nestes termos: "Suplico, por Jesus, que me deixem ainda aqui por mais duas décadas, tempo suficiente para o meu reencontro com Lourenço. Tenho, para com ele, uma dívida, a mais pesada de todas, que contraí nos meus desatinos pelos desvãos do mundo. Quero chorar com ele e com ele trabalhar um pouquinho mais. Devo-lhe muito."

— E depois, minha amiga? — inquiriu Consuelo.

— Depois? Depois a luta se tornou mais cruenta e mais acesa. Toda a dor que derramou nas almas levantou-se contra aquela alma feita de abnegação e generosidade. Lutou como nunca imaginara. Animei-o muito com a minha presença, mas, ao se submeter à prova derradeira na conquista do coração de Lourenço, tomei conhecimento de sua disposição de voltar à Terra em tarefa de difusão das verdades cristãs contidas no Evangelho do Reino à luz do Espiritismo. E voltou. E lá vocês o tem, com a mesma fibra que fez de Saulo de Tarso o maior de todos os Apóstolos, o Gigante Espiritual da Gentilidade...

Capítulo 3

Findos os trabalhos de Espiritismo experimental levados a efeito naquela noite, em casa do major Gabriel, formou-se seleto grupo de assíduos assistentes, para uma tertúlia na qual se estudariam as mensagens recebidas pelos trabalhadores da Sociedade dirigida pelo incansável Major.

Consuelo, Lisiane, Gervásia, Lívia, Marília, Sileno e outros, cercando o diretor dos serviços espirituais, trocavam impressões acerca de palpitantes assuntos doutrinários.

Dor-sem-fim, sorrindo e fitando Gabriel, perguntou-lhe delicada e suavemente:

— Major, não me levará a mal uma pergunta?

O interpelado sorriu paternalmente para sua interlocutora e respondeu amavelmente:

— Fale, minha filha, com essa bondade que lhe é peculiar.

— Perdoe-me a curiosidade...

— Consuelo, você é uma santa...

— Obrigada pelo elogio imerecido...

— Bem merecido...

— Vem ou não vem a pergunta? Não rasguemos seda — falou, interrompendo o diálogo, a inquieta Marília, rindo discretamente.

Capítulo 3

— Pois bem, aí vai a pergunta.
— Que ela venha, minha filha.
— É-lhe estranho ao espírito o nome de Cornélia?

Gabriel fitou Consuelo, meio surpreso, meio admirado. Franziu a testa ampla como quem quer lembrar-se de alguma coisa distante, um fato que jaz no fundo misterioso do passado. Alheou-se um pouco, num esforço tremendo, para recordar algo sepultado no pretérito longínquo. Finalmente, e sob a imensa expectativa da assistência, retrucou, com visíveis sinais de cansaço:

— Cornélia, sim, esse nome está estreitamente ligado à minha vida. Ele me causa, ao ser lembrado, estranha recordação de minha última romagem, como Espírito, por zonas sombrias adjacentes à crosta.

E silenciou, mas permanecendo como que concentrado, evocando, talvez, cenas interessantes de sua vida de alma desencarnada.

— Mãe, esposa, filha, amiga? — indagou serenamente, Consuelo.

— Talvez esposa — respondeu meio abstrato.

Postou-se em silêncio, de novo, sempre concentrado.

Todos o fitavam com curiosidade elevada, esperando uma sublime lição evangélica.

— Sim, meus amigos, Cornélia é mulher cristã entre as mais dignas que conheci. Não sei mais, para dizer somente que ela muito me ajudou quando comecei a trabalhar para Deus, com Jesus. Isso, sim, guardo no fundo da alma, no delicado recesso de meu coração.

Todos estavam como que pendentes da palavra do provecto médium e doutrinador.

Circunvagando o olhar lúcido pelos circunstantes, acresceu, logo após, o major Gabriel:

— Aprendi com Cornélia, meus bons amigos — e a lição edificante recolhi-a, no afã das horas, ao meu mundo interior —, que a mulher há de ser sempre para nós, homens, guia seguro, amparo e socorro nos tormentos da luta pela redenção de cada um.

— Não quis vir com o senhor nesta reencarnação, Major? — indagou, meio indiscreta, Marília, sorrindo brejeiramente.

— Se não quis, não sei. Com certeza, eu é que não merecia tal ventura...

— Assim, casou com outra, de quem enviuvou...

— Que indiscrição, Marília — ponderou Lívia, grave.

— Ora, o Major é o nosso instrutor, e estes, quando interpelados, apressam-se a esclarecer os discípulos, não é verdade? — inquiriu, voltando-se para o diretor dos trabalhos.

— Não há indiscrição, mas sede de esclarecimento.

Inclinando-se para Marília, Gabriel falou sorridente:

— Casei-me com Carlota por imposição do próprio destino. Eu lhe devia uma reparação. Fomos bons amigos, ótimos companheiros no aprendizado evangélico-espírita. Suportamo-nos perfeitamente. Sepultamos as nossas diferenças, e Cornélia, para isso, muito concorreu.

— Sem ciúme, Major? — perguntou Marília, desta vez gravemente.

Os assistentes ficaram de ânimo suspenso ante a pergunta feita sem qualquer circunlóquio.

— Não me leve a mal, Major — pediu Marília. — Estamos em uma espécie de Escola de Profetas e qualquer pergunta que não traga o selo da curiosidade inferior deve ser aceita e respondida, não é verdade?

— Gosto de sua franqueza, Marília, e respondo à sua interpelação com vivo contentamento, porque aborda um problema que interessa a todos nós. Quando um Espírito atinge a altura moral a que chegou Cornélia, o seu ideal é o de irmanar todos os seus semelhantes pelo amor, realizando o ensino cristão: "Amar a Deus sobre todas as coisas e ao próximo como a si mesmo." O ciúme nessa fase da vida é palavra que carece de significação,

Capítulo 3

é sentimento que o fogo purificador do Divino Amor transformou em cinzas que ficaram sepultadas fora de nós.

"O nosso mal, meus amigos" — prosseguiu o esclarecido orientador —, "é entendermos o amor como manifestação carnal dos instintos insatisfeitos. Quando digo que amo uma mulher, o que logo nos assalta o espírito é que desejo aquela mulher. É a infinita impureza de nossa alma milenária. No Universo, tudo é perfeição. A imperfeição somos nós. Por que haveria Cornélia de tomar-se de zelos por Carlota? Afinal não somos nada mais nada menos do que almas. Tão somente almas. O corpo é o escafandro, é a veste, é o gibão que tomamos de empréstimo à vida para realizarmos o nosso giro pelo mundo das formas. Seria o caso de termos ciúme do alimento que nos sustenta o vaso fisiológico; do ar que entretém a vida da árvore respiratória. Que significa o ciúme de uma alma por uma função comum ao homem e à mulher, que se acaba pela exaustão da mesma e pela imprestabilidade do gibão? O sexo não irmana ninguém, do ponto de vista estritamente espiritual. O que nos aproxima, une, liga pela eternidade, é o amor, divino sentimento que Jesus exemplificou, padecendo por nós na cruz de nossas infâmias e de nossa impiedade. Amor que redimiu Madalena."

— Deste passo — aventurou Marília, a mais trêfega dos interlocutores do Major —, amar todos os homens e amar todas as mulheres não é pecado, penso eu...

— Amar não é pecado, é a sublimação do sentimento humano. Jesus não nos ensinou a amar uns aos outros? A quem Jesus mandou amar? O corpo ou a alma? O ser eterno ou o corpo perecível? Mas acontece, Marília, que quando falamos e tratamos de amor nos referimos sempre ao sexo, às suas relações mais íntimas. Desgraçadamente, meus amigos, a nossa inferioridade é tamanha e tanto nos acostumamos a viver no pecado que não nos sobra tempo para saber que somos almas arrastando o corpo como carga preciosa que devemos zelar, para, mediante seu concurso indispensável, realizarmos o trabalho de salvação.

— Somos, efetivamente, muito atrasados, mazelados, impuros — exprimiu-se seriamente, Marília.

— A grande maioria — advertiu Sérgio, modesto e tímido —, quando quer enveredar pelo nobre caminho da redenção, lembra-se da necessidade de alijar, *a priori*, o fardo dos desejos humanos insofridos.

Consuelo olhou-o com ternura.

Ele surpreendeu-lhe o gesto e sorriu meio contrafeito, como uma criança.

Amava Consuelo com todas as forças de seu espírito generoso e bom. Não cessava de dizê-lo a si mesmo. Ela exercia sobre o filho adotivo de Gabriel uma influência doce e sublime, que o tornava feliz.

Almas eleitas, compreendiam-se na divina vocação do amor.

Para eles, esse amor era beleza, espiritualidade, caminho para a perfeição.

"Viveria eternamente ao lado de Dor-sem-fim, sem que um pensamento, por mais fugaz que fosse, maculasse a pureza de sentimento tão elevado e nobre", dizia-se a si mesmo, na devoção de seu amor.

Gabriel entendia-lhe a alma heroica sob aquela aparência de constrangimento e timidez.

Sempre fora assim, desde que o recolhera ao lar modesto, deserto com a ausência, pela desencarnação, de Carlota, a valiosa companheira de todas as horas.

Humilde, bom, dedicado, honesto e digno, Sérgio era-lhe um filho e um amigo, um colaborador precioso, um ser profundamente preparado para as luzes da civilização do terceiro milênio.

Capítulo 3

— É um santo — exagerava, pelo amor que devotava a Sérgio —, que Jesus me enviou para ajuda do serviço redentor.

"Entendemos" — continuou Gabriel — "que só o amor nos salvará, tanto quanto já o fez a outras Humanidades. Eu não amo a mulher, em suas características físicas, para que ela também me ame. A alma é a meta desse sentimento, pois que nesta é que se acomodam e permanecem, eternidade afora, as sacrossantas conquistas da vida."

Perpassou o olhar sereno pela assistência e prosseguiu:

— Esse amor que se compraz na adoração do corpo, com este se desfaz, porque não o compreende aquele que o alimentou senão nos prazeres físicos que proporciona, mas o outro, o verdadeiro — o amor — objetiva a alma, para onde gravita pela eternidade; por isso, não morre nunca, pois é essência e o espírito é imortal, eterno.

— Então ama todas as mulheres, major Gabriel? — indagou Lívia curiosa.

— Naturalmente. Eu amo todas as mulheres. Amo a Humanidade. Quando vivemos a verdadeira vida, a união dos seres já se não dará em função do sexo, mas na pauta do sublime gozo de amar, em sua divina significação.

Calou-se e interpelou os assistentes com o olhar indagador.

— E as reencarnações desaparecerão por desnecessárias neste mundo? — perguntou Sileno interessado.

— As reencarnações, ainda assim, não são desnecessárias. A Natureza não dá saltos, é uma grande verdade. Nossa casa planetária não será tão logo um paraíso para dispensar a nossa volta às lutas pelas supremas reabilitações neste mundo tão malsinado e que a nossa inferioridade não cessa de agredir e ferir. Só Deus sabe quando nos virá o dia de dispensar em definitivo o veículo carnal em nossas andanças pelo Infinito.

— Major — ponderou Marília sorridente —, também as mulheres deverão amar todos os homens?

— Marília, minha filha — esclareceu grave —, percamos o hábito de nos tratar, em marcha para Deus, como corpos, mas como Espíritos no desempenho de tarefas santificantes que a todos Jesus confiou. Não sei por que havemos de andar sempre a criar problemas em torno do sexo, reduzindo-o a um salão de baile, a uma feira livre dos sentidos desordenados. O sexo é um santuário onde Deus faz renascer a gloriosa semente da Vida. Porque o relaxamos em nossa impureza e em nossa indigência, ele não se nos apresenta senão como fonte de loucas aventuras genésicas. Deformamos moral e espiritualmente o sexo, através dos tempos, de modo a chegarmos a esta altura de nossa evolução na mais negra ignorância de sua função divinamente salvadora. Ele — digamos corajosamente — é a Porta da Vida nos mundos como o nosso. É a antessala de vivência espiritual. São corredores de oportunidades santificantes. Dele se tem servido Deus para enviar-nos a sua Divina Luz pela boca dos profetas, dos santos e dos mártires, dos gênios e dos místicos. Por ele vem a sabedoria ao mundo, as revelações, as descobertas e as invenções e, tanto quanto isso, aqueles que sentiram o toque maravilhoso do Amor descendo do Céu para iluminar a Terra. Servirmo-nos dele, inconscientemente como os escravos das sensações bastardas, é profanar um templo, profanar a Vida, apagar as luzes da razão, fazer que cesse de falar-nos a voz de Deus, que é a voz da Vida, do Amor e da Perfeição.

— É possível amarmos, nesta altura da vida — sabatinou Marília —, à revelia do sexo, à margem dele?

— Por que não? Não amamos os nossos filhos, os nossos pais, os nossos irmãos carnais, sem pensarmos no sexo? Ora, se isso é possível, por que me indaga você o contrário? É o mesmo que perguntarmos se realizável é a perfeição. Ainda insisto, minha adorável Marília, em que toda essa confusão, todo esse enredo e toda essa incompreensão vêm de nossa falta de espiritualidade, de nossa vivência terra a terra. Se apelamos para o convívio continuado das pessoas dentro do mesmo círculo

Capítulo 3

familiar, na dobada dos anos, para justificarmos a nossa ausência de desejos impuros com relação às pessoas do sexo oposto que são sangue de nosso sangue, por que não procurarmos seguir a mesma trilha com referência às criaturas que não nos pertencem segundo a carne? Preciso é que procuremos em tudo entender as lições que a vida nos oferece, onde há sempre claro um convite à perfeição, ora na vida dos místicos e dos mártires — que souberam, em tempo hábil, subjugar os ímpetos da animalidade, adormecida a mando da vontade poderosa —, ora nos próprios acontecimentos diários.

— Acha, então, o senhor, major Gabriel — interpelou Marília, insistente —, que devemos viver à margem e fora desse tabernáculo, como o batizou noutra oportunidade?

— Eu não disse para vivermos arredios a essa, para mim, verdadeira instituição divina. A Terra ainda não pode dispensar o conúbio nessa pauta. Muito teremos ainda que andar para dispensarmos esse impositivo biológico. Entretanto, já não é pequeno o número dos que tentam viver-lhe à margem, sem falsa santidade.

E sem querer, ou intencionalmente, olhou por uma fração de segundo na direção de Lisiane, Consuelo, Sérgio e Sileno.

Estes compreenderam.

— Há muito que narrar sobre essa Instituição — ponderou o Major, finalizando a palestra cordialmente mantida entre os elementos de seu agrupamento espírita. — Tenho mesmo que tal instituto, de procedência divina, mergulha suas raízes no próprio espírito. É uma opinião pessoal que agora me surgiu à revelia de meus pensamentos. Vamos, porém, encerrar por hoje a nossa tertúlia, não esquecendo que há outros problemas mais urgentes reclamando o concurso fraterno de nossas almas bem endividadas para com a Lei. Que Jesus nos guie e ilumine, meus amigos.

E encerrou-se o trabalho.

Levantaram-se os assistentes, e cada qual se deu pressa, pelo adiantado da hora, de rumar para o ninho doméstico, despedindo-se uns dos outros, deixando o Major em companhia de Sérgio, seu filho adotivo, que se mantinha meditabundo.

— Que te faz triste, Sérgio? — indagou o pai, tão logo ficara a sós com ele.

— Não estou triste, pai, penso em Consuelo...

— Sei que a amas, filho. Queres casar com ela?

— É o sonho do meu coração. Amo-a, pai, mas meu amar é diferente...

— Sei disso. Consuelo não é alma para um casamento, digo eu...

— Ambos sabemos, tanto quanto Lisiane e Sileno que, também, pretendem casar.

— Com a tua juventude, Sérgio, poderás conviver com Dor-sem-fim sem os reclamos da carne? Olha que a mocidade é exigente...

— Sei, ou melhor, sabemos. Responderemos por nós. Não foi o senhor mesmo quem afirmou e afirma que os nossos desatinos nessa pauta provêm da falta de espiritualidade? Seremos, Consuelo e eu, Lisiane e Sileno, os precursores.

E sorriu, com uma pontinha de ufania.

— Que Deus sustente, por seus divinos emissários, em todos vocês, essa resolução, que marcará o início de uma sublime convivência entre homens e mulheres, nesta estância do Infinito.

— Obrigado, pai, por sua lúcida compreensão de nossos propósitos.

— Um dia — disse, distante, olhar perdido na escuridão da noite que havia muito caído, como a recordar velhos tempos, cenas que lhe ficaram na alma valorosa, nos dias de antanho —, também tentei conviver com Carlota assim como tu queres fazer ao lado de Consuelo.

Calou-se para meditar de novo, no silêncio da hora avançada.

Capítulo 3

— E conseguiu, meu pai? — arriscou Sérgio, a medo, como quem comete um delito.

Gabriel fitou-o nos olhos e respondeu, confidencial:

— Quem conheceu a minha pobre Carlota, gênio arrebatado, sem instrução, quase analfabeta, diria estar diante de uma mulher vulgar, grosseira e indelicada, mas na intimidade revelavam-se-lhe os escaninhos da alma e — coisa surpreendente e singular — Carlota era toda meiguice, carinho, bondade e compreensão. Era o tipo da esposa ideal, espiritualizada, de uma delicadeza e humildade de santa.

— Dona Carlota?

— Sim, meu filho, D. Carlota.

— E por que se fazia assim parecer o que não era?

— Para afugentar de si as insinuações do pecado e manter na alma o medo da própria derrota no tentame a que se propusera comigo...

Silenciou.

Levantou-se da cadeira, deu alguns passos pela sala, encaminhando-se, após, para a janela que abria para a noite estrelada, e fixou o olhar no céu.

— Sinto-a sempre perto de mim, e quase sempre em companhia de Cornélia, irmã querida. Venceu a prova que se impôs a si mesma, naturalmente — falou como se o fizesse de si para si, tão baixo era o som de sua voz, num murmúrio quase inaudível. — Vencemos... — acresceu.

— Sublime...

— Conheci um amigo, moço, tipo másculo de homem, que, dirigindo um estabelecimento de meninas e mocinhas, fez-se eunuco, temendo a cilada do pecado.

— Um recurso desesperado — opinou Sérgio, à enunciação do fato.

— Lá diz o Evangelho do Reino: "Há eunucos pela vontade de Deus, e outros por sua própria vontade" — sentenciou o Major.

E após alguns instantes:

— Vou repousar um pouco. Boa noite, Sérgio.

— Boa noite, meu pai.

Enquanto essa palestra confidencial tinha curso entre pai e filho, outra não menos interessante desenrolava-se em casa de dona Gervásia.

Demenciano, alcoolizado, ressonava ruidosamente, atirado, vestido ainda, numa poltrona da sala de estar.

Quando a viúva de Rogério e Lisiane entraram, o barulho dos passos e do fechar da porta despertaram o visitante. Abriu, com muito esforço, os olhos injetados e falou com dificuldade:

— Isso é hora de voltar?

— E isso é estado em que venha para casa, Demenciano? — inquiriu, enérgica, dona Gervásia.

Aproximando-se do irmão, tirou-lhe o chapéu e tentou soerguê-lo com o auxílio de Lisiane, mas Demenciano, devido ao seu estado de embriaguez completa, se abandonara inteiramente na cadeira e dificultava, com isso, o trabalho das duas mulheres.

— Não bebi quase nada... É o meu fígado...

Pendeu a cabeça para um lado e lançou sobre Gervásia e Lisiane o jantar indigerido.

Elas não falaram. O silêncio, àquela hora, era a linguagem mais condizente com seu estado de alma.

Depois de alguma dificuldade, levaram-no para a cama, e Gervásia encarregou-se de tirar-lhe a roupa, acomodando-o no quarto de hóspedes, humilde, mas limpo, rigorosamente asseado.

— Tenha paciência, Lisi, porque, afinal, é seu pai — aconselhou Gervásia, passando-lhe as mãos grossas pelos cabelos, num gesto de carinho maternal.

Lisiane sorriu tristemente, com os olhos molhados de doloroso pranto.

— Ainda que não fosse meu pai — respondeu, erguendo suavemente a cabeça para fitar dona Gervásia —, o dever de quem pretende viver com Jesus é perdoar setenta vezes sete vezes, mãezinha.

Esta última palavra comoveu fortemente a pobre mulher, que, não se contendo mais, diante do infortúnio daquela criatura sublime, abraçou-se a ela e chorou alto, soluçando todas as mágoas há anos represadas em seu formoso coração.

Agora chegava a vez de Lisiane reanimar aquele espírito sofredor, mas nobre e corajoso.

— Não chore, mãezinha. Quando descemos à escuridão do corpo físico, trazemos o roteiro de nossos passos planejado de Mais Alto. Todas as agonias e desconsolações fazem parte do mapa da prova redentora. Agradeçamos ao Senhor o fazer-nos dignos de aprendermos a sofrer em silêncio, abençoando o martírio purificador, a dor que nos exalta a alma pecadora.

E sem esperar que Gervásia falasse, volveu os olhos para o Alto, nublados mesmo, e orou de mansinho:

— *Senhor, sublimes são teus desígnios e, hoje, que nos revelaste na dor que já esperava de tua munificência inesgotável, ouso pedir-te que me não poupes o trabalho do buril que afeiçoa a alma pecadora e retardatária à tua divina essência. Mas, Senhor, ilumina os passos dos entes que me cercam, e compadece-te, principalmente, daqueles que, pela amargura que nos ofertam nos trânsitos deste mundo doloroso, nos aceleram os passos e mantêm alertas as nossas almas no turbilhão da impiedade em que vivemos. E enxuga o pranto amigo dos que choram conosco na asperidão do caminho, pelo muito de bom que estão fazendo na Vinha que santifica, sob o teu divino olhar.*

— Ó alma de luz que tanto sofre — exclamou Gervásia após a prece —, você não foi feita, certamente, para este mundo ingrato e pecador.

Sem conter as lágrimas que vertiam de seu olhar amortecido pelo rigor de todas as horas amargurosas de sua vida de lutas e sofrimentos, desprendeu-se, brandamente, dos braços de Lisiane e olhou para as ruas desertas pelo vão da janela mal fechada.

— Durma, minha filha, porque irei fazer o mesmo. Amanhã é outro dia, e os afazeres da casa me reclamam as energias que já se vão escasseando. Ore também por seu pai. Talvez possamos ajudá-lo nesta hora difícil de sua romagem.

— Tenho sempre pedido a Jesus por ele. Penso que o coitadinho desorientou-se desde a partida de minha mãe para o Céu.

— Sim, Lisi, você diz bem — para o Céu.

Suspirando fundo, depois daquele desabafo, disse triste:

— Como é caro o Céu, Lisi... Quanto nos custa ganhá-lo...

— Quando nos identificamos com o Pai, o preço de sua conquista é suave...

— Porque também o jugo de Jesus é suave e o fardo de nossos deveres, com Ele, é leve... Quantas lágrimas nos custa compreender os ensinos do Divino Crucificado... — murmurou a viúva de Rogério, recordando a preleção da noite, por Gabriel.

— Foi o tema da palestra de hoje, não foi, mãezinha?

— Sim. E com que inspiração nos falou o Major!

Mudando de atitude, interpelou Lisiane, que a olhava com interesse:

— Você chegou a conhecer Carlota, a esposa de Gabriel?

— Guardo indeléveis recordações de D. Carlota. Era uma senhora que se fazia de grosseira e mal-educada. No fundo, era uma alma peregrina, elevada e digna.

— Possamos Sileno e eu realizar o que ela e o Major fizeram de sua união matrimonial.

— Que foi?

— Viveram sob o mesmo teto uma vida de renunciações e aprimoramento espiritual, alheios ao conúbio carnal.

— Meu Deus, que coisa maravilhosa deve ser isso! — quase disse a gritar a viúva de Rogério, fitando penetrantemente Lisiane, que sorria docemente.

Capítulo 3

Beijando Lisiane, retirou-se vagarosamente e deixou-se ficar na copa alguns instantes, sem mesmo saber por quê.

Tão pronto Gervásia saiu, Lisiane, que tinha pensado na possibilidade de transmitir um passe magnético ao seu pai enquanto ele dormia, pois, desperto, não lhe oferecia qualquer oportunidade, dada sua aversão ao Espiritismo, deixou-se levar por esse nobre desejo e encaminhou-se pé ante pé para os aposentos de Demenciano.

Gervásia, acidentalmente, saía da copa quando avistou Lisiane que se dirigia ao quarto de hóspedes, onde se achava seu pai, e, arrastada por invencível curiosidade, tomou a mesma direção.

Lisiane, de mansinho, abriu a porta, entrou e foi diretamente, sem perda de tempo, ao leito. Sentando-se, levou ambas as mãos à cabeça de Demenciano, concentrou-se e, elevando os olhos para o Alto, começou a orar.

A viúva de Rogério contemplava o espetáculo, chorando silenciosamente.

Terminados o passe e a prece, Lisiane inclinou-se e beijou a testa suarenta do pai, o qual, ao contato daquela carícia, acordou estremunhado e, vendo que era a filha quem o beijava, pulou da cama e esbofeteou-a, ululando:

— Afasta-te de mim, mulher perdida! Corrompeste-te com os homens da rua, e não satisfeita com isso, procuras o próprio pai em seu quarto, à calada da noite, quase nua, pensando que com tuas carícias ignóbeis podes fazer com que me cale sobre teu passado criminoso. Afasta-te de mim, filha maldita!

Lisiane baixou a cabeça ante as bofetadas e os insultos do pai, mas permaneceu de pé, soluçando, quando Gervásia deu entrada, lívida de espanto e, com uma energia de que ninguém suspeitaria naquela criatura franzina, avançou para o irmão e exclamou:

— Miserável criatura, que encheste a alma e o coração de todos os pecados do mundo, que traspassaste com os insultos mais soezes a alma delicada da tua filha, quando te procurou num gesto de amor, que dificilmente teu espírito, negro como o teu coração, compreenderá daqui a milênios! Deixa esta casa, que te acolheu fraternalmente, mas que desrespeitaste, apunhalando com a injúria mais infamante o doce coração de tua filha, até que um dia possas avaliar toda a extensão do delito que cometeste.

Demenciano, tomado de súbita loucura, estende os braços para a frente e procura o pescoço de Lisiane, tentando o estrangulamento da filha, que continuava na mesma posição, chorando de mansinho.

Vendo a atitude do pai, avançou para ele, como o tenro cordeiro para o sacrifício, e falou-lhe:

— Se, de verdade, meu pai, mereço o castigo pelos desvios que assinalam meu trânsito pelo mundo, longe de Jesus, mate-me, se é urgente que você viva sem a vergonha da presença de sua filha na Terra.

Fosse por que fosse, Demenciano estacou, ficando com os braços estendidos na mesma positura, como se os tivesse paralíticos, fitando, qual estranho dementado, fixamente, o semblante meigo da filha, incapaz de articular uma palavra, um som qualquer.

Lisiane, avançando mais um passo, colocou a destra sobre a cabeça de seu pai sem nenhuma reação da parte deste — que se conservava imóvel — levantou os olhos para o Alto e orou em silêncio.

Gervásia também orava mentalmente.

Poucos instantes depois, assim como quem desperta, Demenciano deixou cair os braços, olhou em derredor, respirou fundo e falou:

— Gervásia, preciso partir agora. Tenho pressa de atender um compromisso em São Paulo. Se for possível, reúne a pouca roupa que trouxe comigo, enquanto procuro um táxi.

Capítulo 3

Dizendo isso, beijou a filha e saiu, quase a correr, enquanto Gervásia procurava arranjar em uma pequena mala de mão os pertences do irmão que se despedia.

Lisiane não se conteve quando Demenciano a deixou após a carícia de seu beijo.

Correu até a porta da rua e gritou:

— Paizinho, venha cá! Venha, paizinho!

Correndo, e chamando-o, foi até o pequeno portão que ficava um pouco além da casa, mas tudo debalde, porquanto Demenciano já se embarafustara por entre as trevas da noite, desaparecendo na escuridão.

Lisiane permaneceu arrimada ao muro, procurando ainda descobrir o vulto querido do paizinho que se fora.

— Lisi! Lisi! Venha! Não fique aí no portão a estas horas da noite!

— Já vou, mãezinha.

E voltou, chorando baixinho, arrastando-se quase, duplamente ferida...

Entrando em casa, abandonou-se aos braços de Gervásia e, ocultando a cabeça ardente no ombro de sua tia, aquietou-se como mísera avezinha que encontra pouso seguro no meio da tormenta arrasadora.

— Não chore, querida, ele não demora. Daqui a instantes estará aí com o automóvel — disse, conduzindo-a mansamente para o quarto.

— Ele nunca mais virá, mãezinha...

— Não diga tolice, Lisi. O paizinho vem sem demora.

Lisiane não respondeu. Sabia que Demenciano nunca mais voltaria. Havia sido tremendo o impacto das últimas cenas, para que retornasse àquela casa.

Tinha a certeza de que não mais o veria.

— Lisi — segredou Gervásia, depois de acomodar a sobrinha em sua cama, e sentando-se à beira do leito —, fui muito estúpida, cruel e desumana com o meu irmão, não fui mesmo?

Lisiane não respondeu logo. Depois, virando-se para tia Gervásia, retorquiu, passando-lhe as mãos delicadas pelos cabelos que os anos e os sofrimentos vinham embranquecendo:

— Não sou ninguém para julgar, mãezinha, mas, às vezes, a energia no trato com os nossos semelhantes é uma manifestação de caridade. Jesus foi enérgico, por vezes, até mesmo com os próprios discípulos. Creio que o paizinho tomará direção oposta na vida, precisamente agora, depois que a senhora, talvez sem o querer, lhe demonstrou seu erro, por enveredar pelos caminhos da irresponsabilidade moral.

— É um alívio, minha filha, a sua opinião. Dormirei tranquila. Boa noite.

Lisiane retribuiu a saudação e aquietou-se para dormir, rogando a Jesus que iluminasse o espírito de Demenciano, a fim de que pudesse aproveitar bem os anos que ainda lhe restassem viver.

....

Enquanto se desenrolavam essas cenas em casa de Gervásia, outras tinham lugar na pensão em que residiam Consuelo e Marília, bem assim Sileno e Lívia.

Ao deixarem a casa de Gabriel, Lívia e Dor-sem-fim, de braços, tomaram a dianteira, deixando um pouco para trás Marília e Sileno.

— Você fez o Major nos dar preciosas lições de Espiritismo, sua indiscreta — brincou Sileno.

— Sim, meu amigo, a gente frequenta essas aulas de evangelização espírita com a nobre finalidade de se tornar menos imperfeita.

— De fato, Marília, esse o elevado objetivo que nos congrega nos templos de Espiritismo Cristão.

— Mas...

Capítulo 3

— Mas... o quê?

— Não ficou com pena de não ter podido acompanhar Lisiane? — indagou intencionalmente.

— Mentiria se negasse...

— Ama-a muito, então?

— Naturalmente. Somos velhas almas conhecidas e que a misericórdia de Deus acaba de unir nesta romagem que estamos vivendo.

— Quer dizer que se casarão?

— Creio que sim. Casaremos se o Senhor o permitir.

— Que judiação... — falou Marília, sorrindo.

E, num desabafo, sem qualquer vislumbre de maldade:

— E eu que tinha minhas pretensões — disse, rindo gostosamente —, mas como Lisi chegou primeiro, cedo-lhe o lugar, embora muito a contragosto.

— Não sabia que também era candidata — respondeu Sileno, rindo a seu turno.

— Não sabia o quê, seu malandrim... Qual é o homem ou a mulher que não sabe quando alguém gosta dele? — retrucou Marília, dando-lhe um beijo, ao virarem uma esquina. — Ao menos isso levará você como lembrança minha.

— Obrigado, Marília — disse sério, Sileno —; não preciso do beijo como advertência de que não a devo esquecer. Basta nossa amizade, não é mesmo?

— É sim, mas um beijo nunca é demais na vida dos moços, e até mesmo na vida dos velhos. Não vê como Spoletto e Licurgo gostariam de beijar Dor-sem-fim e Lisiane?

— Pois que percam as esperanças — sentenciou Sileno.

— Definitivamente.

Já à espera dos retardatários estavam, à porta da pensão, Consuelo e Lívia, sorridentes.

— Vamos entrar, "crianças"? — convidou Lívia.

No instante em que entravam, o telefone chamava Consuelo.

— É com você, Consuelo — informou D. Margarida, a proprietária da pensão, uma robusta senhora de 40 anos, viúva, portuguesa, que não tinha tempo para descansar e muito menos para assistir a um filme no cinema do seu bairro, mas que gostava muito de rádio e televisão, para ouvir e ver os acordes dolentes do fado da "santa terrinha" e seus intérpretes. — Para cantar, com sentimento, lindas canções de amor — dizia entusiasmada —, ninguém melhor que os brasileiros, é verdade, mas depois dos portugueses. Ai! meu Deus, como eles sabem lembrar os velhos costumes de Aveiro e Trás-os-Montes.

E, por vezes, chorava de saudade, mas afagando a esperança de morrer em seu distante e saudoso Portugal, jardim da Europa à beira-mar plantado.

— Obrigada, D. Margarida — agradeceu, dirigindo-se para a sala onde se achava instalado o aparelho.

— É você, Consuelo? — indagou a voz.

— Sim, Sérgio, sou eu, meu amigo.

— Não posso tranquilizar-me sem saber se chegou bem...

— Cheguei, Sérgio — respondeu, rindo baixinho.

— Acha que é uma criancice de minha parte, querida?

— Não, meu amigo. Pelo contrário, desvanece-me sobremodo o seu reiterado interesse por mim.

— Amo-a.

— Muito lhe agradeço por isso.

— E você?

— Sabe que lhe quero muito. Seu nobre coração revela a beleza de seu espírito. Somos velhos conhecidos da Eternidade.

— Vivendo o doce sonho de um amor que não acaba nunca.

— Somos eternos.

— Tanto quanto o nosso amor — insistia Sérgio.

— Diria, as nossas almas.

— Não fuja do tema.

— Estou indo ao encontro dele; será que não percebe, Sérgio?

— Percebo agora...

Capítulo 3

— Então, vamos descansar para não diminuirmos, amanhã, o rendimento de nosso trabalho na fábrica.

— Gostaria de ficar conversando assim, até o mundo se acabar.

— Não chegaria até lá, porque a Companhia Telefônica cortaria a ligação... Boa noite, Sérgio. Belos sonhos.

— Se puder dormir...

— Conte até cem que dormirá... Até logo.

Sérgio ouviu o clique do aparelho e ficou, sorridente, olhando para os lados, desconfiado de que alguém tivesse ouvido a sua conversação com Consuelo.

— Ande, vá dormir, Sérgio, porque amanhã é outro dia — falou o Major, que se levantara para servir-se de uma homeopatia, e tomara conhecimento da palestra do filho.

— Estava aí, pai?

— Não. Vim agora para uma dose de meu remédio dos rins e ouvi, sem querer, o namoro... telefônico. A mocidade é assim mesmo, pensa que o mundo vai acabar-se.

— E o senhor não era assim?

— Tanto era que acabo de dizer como a mocidade é apressada. Até logo, vamos dormir.

— Até logo, pai.

....

Saindo de casa arrebatadamente, Demenciano perdeu-se noite adentro, sem saber que destino seguiria.

Sentia a cabeça estalar de dor, e um indefinível estado de espírito o impulsionava para frente, obrigando-o a distanciar-se o mais possível da casa de Gervásia.

Ninguém o faria voltar à residência da irmã. Não se dava conta dos acontecimentos. Tudo era confusão. O que queria era afastar-se para bem longe. A pé iria até o fim do mundo.

E, a passos estugados, quase a correr, fugia dali e tudo daria para ausentar-se de si mesmo.

Não atinava com o gesto de Lisiane, procurando-o tarde da noite, em seu quarto, de roupas íntimas, acariciando-lhe a cabeça ardente.

Quê? Será que sua filha — a levar em consideração o que lhe dissera, antes, quando aludiu ao amor de Licurgo por ela — era uma sublime criatura fugida do Céu ou um demônio desertado dos alcouces mais abjetos?

Aproximando-se de um bar que ainda estava aberto, entrou e, assentando-se a uma mesa discretamente colocada ao canto da sala, pediu uma bebida violenta.

Enquanto o empregado não lhe trazia o conhaque, acendia um cigarro, puxava com gosto a fumaça e voltava a pensar no que havia feito.

Martelava o assunto que o preocupava, que o torturava, e sentia-se no passado distante.

Seu casamento com Malvina. Sua vida de bebedeiras e vagabundagem. Os amigos das noitadas alegres. Sua mulher, a sacrificar-se para manter vida digna longe do esposo, que só a procurava para a satisfação dos vícios que alimentava.

Sem o querer, reviveu Lisiane, delicada criança, meiga e doce, um anjo que o beijava sempre, sem nunca indagar-lhe por onde andara, por que não vinha todas as noites para casa. Por que não ia com ela à igreja... Por que nunca lhe dera um brinquedo como o faziam os pais de suas amiguinhas...

"Como Lisi mudou, meu Deus!... Não teria sido Gervásia quem a arrastara para a degradação e a corrupção moral? Está tão diferente, embora aquela aparência de criatura santificada pelo trabalho e pelas provações..."

"E aquele indecente do Licurgo" — continuou, agora sorvendo copos sobre copos —, "a pedir-me a filha em casamento, prometendo-me cem mil cruzeiros se a obrigasse a casar-se com ele. Talvez ainda possa fazer alguma coisa nesse sentido. Não. Meu destino é o mundo. Aqui cometeria o meu crime monstruoso. Não resistiria mais. Vamos, Demenciano, teu destino é andar. Vamos, judeu errante, para o fim do mundo. Aqui, perto de minha filha e de Gervásia, morreria mais depressa."

Levantou-se, pagou a despesa, saiu, já cambaleando, e entrou por uma viela que se abrira à frente, naquela noite desesperada.

Quando se deu conta, estava na Praça da Bandeira. Sentou-se em um banco, arrancou o chapéu violentamente, enxugou o rosto com um lenço sujo que já trazia há dias no bolso posterior da calça e murmurou:

— Vamos pensar, Demenciano, no que te cumpre fazer agora, longe dos acontecimentos.

Despiu também o casaco, pois a noite estava quente e, assim, à vontade, falou ainda consigo mesmo:

"As ideias estão se arrumando cá dentro. Os pensamentos já galopam bem, e eu quero tomar uma resolução inabalável. Para onde ir? São Paulo? Minas Gerais? Espírito Santo? Convém escolher com calma."

Retirou a carteira de cigarros, pegou num e o acendeu, mãos em concha. Tirou algumas baforadas com volúpia, bom fumante que era, e entregou-se às cogitações.

De novo, reviveu o passado, rapidamente, examinando-se a si mesmo e os acontecimentos.

"Antes de viajar, poderia dar um golpe no palhaço do Licurgo, arrebatar-lhe os cem mil e fazer uma viagem de recreio pelos países do Norte, até o Amazonas. Talvez a sorte esteja por lá."

E riu baixo, mas com muita alegria.

De repente, a figurinha de Lisiane cruzou seus pensamentos. Contraiu o cenho, atirou uma cusparada para um lado e pôs-se a analisar os fatos que precederam sua saída da casa de Gervásia.

"Nem quero pensar mais nisso. Esses miseráveis pesadelos não me deixam em paz."

Silenciou. Nesse estado de espírito permaneceu longo tempo, que não soube precisar. A claridade do dia é que o chamou à realidade. E aí, já havia tomado uma decisão. Levantou-se, ajeitou-se mais ou menos, para disfarçar a vigília, e uma hora mais tarde estava no gabinete de Licurgo.

— Dê-me a metade da importância prometida como sinal de negócio. Creio que não será fácil a concordância de Lisi, mas já a trabalhei, podendo assegurar-lhe que tudo vai de vento em popa. Aliás, em todo e qualquer negócio dá-se sempre um sinal, não é verdade?

— Sim, é verdade, Demenciano. Mas, diga-me uma coisa — pediu Licurgo, olhar brilhante na esperança de conseguir Lisiane —, ela não se importará em viver comigo, mesmo sabendo, como sabe, que sou casado?

— Ora, Licurgo — retorquiu Demenciano, sorrindo, e refestelando-se na poltrona em que se sentara a convite do funcionário da Indústria Aprígio —, você bem deve compreender que o importante do negócio e o preço pelo qual ajustamos a transação — e sorriu de novo — é o seu estado civil, como lá dizem os advogados. Se fosse solteiro, seria uma barbada, nem você apelaria para mim, porque o empecilho não existiria. E agora, meu amigo, vamos ao dinheiro, à "mola real"...

Terminando a frase, enfeitou-a com uma sonora gargalhada.

Licurgo abriu a gaveta de sua escrivaninha, retirou um livro de cheque, preencheu um deles com cifra de cinquenta mil cruzeiros e passou-o a Demenciano.

O beneficiário do título olhou-o meticulosamente, a ver se não havia Licurgo omitido alguma formalidade.

— O cheque está revestido das características legais e não sofre da falta de fundos — esclareceu o emitente, meio agastado.

— Negócio é negócio, Licurgo. Não me leve a mal.

Dobrou-o com cuidado, sepultou-o no bolso interno do casaco, apertou a mão do candidato a Lisiane e saiu calmamente do escritório.

Capítulo 3

— Ai de ti, Demenciano, se me chegas a ludibriar! — exclamou Licurgo, de punhos fechados, na direção da porta por onde havia saído o seu cúmplice.

Já na rua, próximo à fábrica, encontrou-se com Lívia, com quem travara relações por ocasião de suas visitas ao pretendente de sua filha.

— Bom dia, Lívia.

— Bom dia, Luís. Que anda a fazer por aqui, tão cedo?

O verdadeiro prenome do pai de Lisiane era Demenciano Luís. Quase sempre se fazia passar apenas por Luís. Era um homem ainda relativamente moço, com 40 anos. Insinuante, de palestra atraente, nos poucos encontros com Lívia fez-se admirador da empregada da Indústria Aprígio. Embora muito recentes as relações entre ambos, Lívia apreciava-o bastante e — coisa rara em homens do porte moral de Demenciano — ele, a seu turno, estava apaixonado pela moça.

— Vivo sonhando noite e dia com você, Lívia. Não posso viver longe de você — galanteou.

— Se é verdade o que você está dizendo, acho que não se encontra nunca em estado de vigília...

— Ora, Lívia, o que disse significa que você está sempre em meus pensamentos.

— Agora, sim, parece que estou compreendendo.

— Não quer ir ao cinema comigo, logo à noite?

— Creio que não será possível, pois hoje temos sessão em casa do Major.

— Deixe-se de tantas sessões espíritas, Lívia. Duas por semana já bastam para santificá-la...

Sorriu. Lívia também. Esta, depois de alguns momentos de reflexão, explicou:

— Luís, irei, mas não desejo que ninguém nos veja juntos, por perto da pensão. Às vinte horas me espere à porta do bar. De lá iremos ao Glória.

— Combinado. Não quero detê-la mais. Até logo.

— Até logo.

Demenciano, rápido, encaminhou-se para um hotelzinho de ínfima classe que ficava nas imediações, onde se instalou.

No quarto, sem roupa para mudar, sentou-se em uma cadeira, que quase o jogou ao solo, e passou a recapitular os últimos fatos.

Tirou do bolso o cheque que guardara com tanto cuidado, desdobrou-o sobre uma mesinha à frente da cadeira e entregou-se à análise de sua situação.

Aquele pequeno pedaço de papel, que representava para Demenciano um modesto começo de vida, passou a atormentá-lo, mordendo-lhe a consciência.

"Sempre fui um canalha e um ladrão" — iniciou uma autocrítica, rememorando sua vida desde o falecimento de Malvina — "e desde que deixei Lisi entregue a Gervásia atirei-me a uma vida de dissolução, de deboche e vigarices. Nunca levei a sério qualquer compromisso e jamais permaneci no trabalho mais de uma semana. Recebendo aos sábados o salário, dissipava-o em bebida e nos vícios repelentes. Nunca pensei em Lisi nem em Gervásia. Aqui voltando, de novo o vício me impele a reiterar os mesmos abusos e os mesmos propósitos. Encontro a filha e, por uma circunstância toda especial, descubro na alma negra de Licurgo o pecado que pretende envolvê-la, maculando-a para sempre."

Olhou para o cheque e sorriu amargamente.

Fitou o título e lembrou-se de Lívia.

Sentiu um estremeção na alma.

Se Lisiane não teve o poder de chamar-lhe a brios a personalidade, Lívia, entretanto, exercia sobre seu espírito uma atração perturbadora, mas que o transportava a uma afeição nobre e reabilitadora.

Alma bondosa, confiante, serena e altruística, Lívia, narrando-lhe os trabalhos em casa do major Gabriel, era bem a figura meiga de uma santa pretendendo salvar um condenado.

Capítulo 3

"Não sei por que essa criatura me quer, sem o saber, arrebatar ao sorvedouro de paixões que me envilecem. Sou um homem vulgar. Um ente sórdido e moralmente repugnante."

Novamente deitou o olhar sobre o cheque.

Levou de manso a mão àquele pedaço de papel que representava dinheiro, de que estava precisando muito.

Tomou-o em ambas as mãos.

Ao contato daquele bilhete bancário, lembrou-se de Lívia, e fosse porque estivesse nela pensando, ou fosse porque, àquela altura de sua vida, sentia que amava uma jovem pura e santificada pelo trabalho, rasgou violentamente, em mil pedaços, o cheque assinado por Licurgo e, chegando à janela, atirou-os em plena rua, num gesto nervoso, sorrindo como um homem que se derrota a si mesmo dentro de seu mundo interior.

Lívia ganhara a batalha de redenção de Demenciano.

Tomada a resolução inabalável, Demenciano voltou aos seus pensamentos.

"Sou mais velho que ela. Lívia veio me salvar. Preciso de vida digna."

Continuou a construir frases em torno de seu amor.

Atirou-se na cama, vestido como estava, e procurou coordenar as ideias.

Era urgente conseguir trabalho honesto, abandonando, desde logo, todo o passado, para entregar-se a uma atividade que lhe garantisse os meios de subsistência, mas em bairro distante, afastado da casa de Gervásia.

Queria distanciar-se, de momento, de sua filha.

Tinha vergonha de si mesmo, ante as lembranças de seus desatinos.

Pensou muito, até que lhe ocorreu que, sendo prático em refrigeração, era possível empregar-se, como tal, em estabelecimento do gênero.

Levantou-se, alisou os cabelos e a roupa, fechou o quarto e saiu.

Meia hora depois encontrou a casa que lhe convinha.

Pediu para falar ao gerente, que, de imediato, o atendeu.

Expôs o seu desejo de trabalhar. Tinha trabalhado para outra firma — indicou-lhe o nome e nomeou o endereço — e gostaria de exercer o seu ofício para a firma que procurava.

Depois de uma série de perguntas, o gerente contratou-o. Podia desde logo, ou no dia imediato, começar o trabalho.

— Agora mesmo, Sr. Romão, se o permitir.

Levado ao chefe das oficinas, daí a minutos Demenciano começou a exercer sua antiga profissão, na base de um salário que lhe cobria, inicialmente, as necessidades mais prementes.

Quando voltou à humildade de seu quarto, já trazia consigo uma roupa nova, artigos de uso diário, sapatos. Empregado, não lhe fora difícil abrir um crediário para aquisição desses objetos.

À noite foi ao cinema com Lívia.

Para Demenciano foi o seu primeiro dia feliz.

— Receio ter quase a idade de ser seu pai, Lívia — disse a medo, em caminho para casa.

— Tenho 26 anos — respondeu a companheira.

— Que, subtraídos de 42, apresentam-nos uma diferença de 16 anos. É uma enorme desvantagem para você, não acha?

— Não acho nada...

Demenciano sorriu feliz e perguntou:

— Tem muitas amiguinhas na fábrica?

— Tenho poucas: Consuelo, Marília, Lisiane... Deixe ver... não, é só. Conhece algumas dessas que mencionei?

Demenciano levou um susto, mas refez-se e respondeu:

— Não. Isto é, Lisiane, vagamente...

— Qualquer dia destes o apresentarei a elas.

— Não, querida. De momento, deixe-me incógnito. Estou me refazendo em minha profissão. Quando estiver habilitado, pode apresentar-me a todas.

— Está bem. Como você preferir.

— Muito lhe agradeço. E não veja nisso nada de estranho. Depois você saberá por que lhe peço tal coisa.

— Se você quer guardar o segredo, não indago dos motivos.

— Sempre bondosa...

— Compreensiva, diria...

Com um beijo na face de Lívia, Demenciano despediu-se.

— Deus está me ajudando — comentou, a caminho para o hotel.

Sentiu-se feliz por ter trabalhado o dia todo, sem pensar em outra coisa senão em Lívia.

No dia seguinte, porém, a surpresa encabulou Lívia.

— Então, de cinema com um homem, sua marota? — falou Marília, rindo à vontade. — Aqui, quem menos anda voa, pessoal!...

Lisiane e Consuelo que, coincidentemente, se achavam na sala de trabalho da colega, cercaram Lívia, curiosas.

— Verdade, Lívia? — perguntou Lisiane.

— Um amigo que me quis levar ao cinema — respondeu ruborizada.

— Tinha um amigo e não nos disse nada, hein?

— Um assunto tão comum... — respondeu acanhada.

— E pelo visto é bem mais velho que você, companheira — comentou Marília, atormentando a colega.

Lívia sorriu e não disse nada.

— Vamos deixar Lívia em paz, minhas amigas. Não sei por que comentar coisa tão corriqueira na vida de uma moça — advertiu, delicadamente, Consuelo.

E abraçou e beijou a companheira.

Lívia, diante daquela bondade de Dor-sem-fim, lançou-se-lhe nos braços, olhos molhados de pranto silencioso.

Marília foi logo abraçá-la, murmurando ao seu ouvido:

— Perdoe-me, Lívia, não foi por gosto. Ofendia-a?

— Ora, não pense nisso. É que sou muito emotiva, e qualquer coisa me faz chorar. Por que ficar zangada com você, se sei que quiseram apenas brincar comigo?

As amigas rodearam-na e clamaram:

— Parabéns a você, Lívia...

Depois, soltaram-na de seus braços, quando Consuelo advertiu:

— Está na hora do trabalho. Seu Aprígio nos paga para trabalharmos.

E cada uma rumou para o seu lugar.

Quando Lisiane começou a dispor alguns papéis que devia examinar, aproximou-se Licurgo, que a cumprimentou:

— Lisiane, será que não pensa mais em mim?

— Penso sempre em todas as criaturas de Deus — respondeu, com um longe de tristeza na voz.

— Mas devia pensar mais particularmente em mim, pois tenho sido confidente de Demenciano nestas últimas horas, e de quem sou amigo.

— Agradeço-lhe de todo o coração o interessar-se por meu pai.

— Faço-o em atenção a você, a quem tanto amo e desejo.

— Mas faz mal assim, senhor Licurgo. É casado e sua senhora não merece esquecida.

— Ela não está ligando muito à minha amizade. Cada um de nós vive a sua própria vida. Assim, não tenho medo de complicações com ela...

— Tenho medo é de complicações comigo, senhor Licurgo.

— Nada receie, querida — afoitou-se —, eu estarei aqui para defendê-la contra quem quer que seja. Já estou providenciando o meu desquite.

Lisiane silenciou.

O assunto a enervava, ao mesmo tempo que a alarmava.

Licurgo tornava-se audacioso, e era urgente pôr fim àquela situação, que não podia nem devia perdurar.

Capítulo 3

— Senhor Licurgo, rogo-lhe que me deixe em paz e faça-me a bondade de permitir que eu possa trabalhar. Viva para sua esposa e para seus filhinhos.

E ignorou a presença do chefe, entregando-se ao serviço, febrilmente.

Licurgo, grosseiro e autoritário, não se conteve e disse-lhe baixinho:

— Comprei-a de seu pai por cem mil cruzeiros, dos quais já lhe entreguei cinquenta mil. Possuí-la-ei, custe o que custar. Casar-nos-emos no Uruguai.

Lisiane recebeu a revelação como uma punhalada em pleno coração.

Desmaiou, caindo, desamparada, entre a escrivaninha e a cadeira, com estrépito, enquanto Licurgo a deixou logo após proferir a injúria, sem mesmo voltar-se para sua vítima.

Os funcionários, de imediato, correram a acudir a colega em delíquio.

Marília, Sérgio, Consuelo, Clóvis e outros levantaram Lisiane e, enquanto as amigas a colocaram sobre o sofá de uma pequena sala contígua à de trabalho, Consuelo ministrou-lhe, ali mesmo, um passe eletropsíquico, e dentro de alguns minutos Lisiane despertou, passando as mãos nos olhos.

Olhou em derredor e, abraçando-se às amigas, falou:

— Uma bobagem... Não me levem a mal.

— Mas que foi, Lisi? — indagou, apreensiva, Marília.

— Uma indisposição, naturalmente...

— Vão ver vocês que foi aquele sapo do Licurgo, que vive às voltas com Lisi, querendo conquistá-la. Mas isso não fica assim, não. Hoje mesmo falarei ao seu Aprígio, contando-lhe minuciosamente as aventuras desse velho ridículo.

— Muito bem! — exclamaram todos a uma voz.

— Pelo amor de Deus — pediu ela, com a mão de Consuelo entre as suas.

— Mas isso não tem cabimento, Lisi. Você está a martirizar-se, ignorando as indignidades de Licurgo...

— Concordo, mas deixem para mais tarde. Por enquanto, ainda tenho o que fazer nesta casa.

Ninguém retrucou. Todos calaram. Compreendiam a santidade daquele coração generoso.

Lembraram que ela sempre estava a repetir que viera ao mundo para dar testemunho de sua devoção à causa de Jesus, e o Divino Amigo ensinara que se deve perdoar ilimitadamente. Ele dera o exemplo edificante.

— Muito obrigada a todos vocês. Vamos trabalhar. Não foi nada.

Todos retornaram a seus postos. E Sileno, que acorrera tão logo soubera do ocorrido, afastou-se juntamente com Clóvis, que lhe falou:

— Sileno, Consuelo sofre o mesmo mal. Persegue-a o velho Spoletto, tão repugnante quanto Licurgo.

Confidenciando:

— Cheguei mesmo a estimulá-lo, mas vejo que andei mal. Essas duas criaturas, Consuelo e Lisiane, não é possível permaneçam assediadas por esses espíritos inferiores.

— Muito bem, Clóvis. De minha parte, agradeço-te a colaboração.

— Que teria feito Licurgo à pobre moça?

— Deveria ter sido muito grave a ofensa, para que Lisi desmaiasse. Certamente a injúria foi tremenda, mas Lisi não fala, não acusa, nada revela. Sempre achou que os sofrimentos devemos aceitá-los em silêncio, confiando em Deus.

— Que sublimidade, Sileno!

— Tens razão, Clóvis. Só mesmo um ser espiritualizado pode comportar-se tão superiormente.

— Ultimamente, Sileno — e eu nunca prestei —, tenho assistido a algumas sessões de Espiritismo Cristão numa

Capítulo 3

sociedade do meu bairro, e estou gostando tanto que o meu maior desejo é reformar o mundo.

Sileno riu, satisfeito e compreensivo, e comentou:

— Quando ingressamos na Doutrina Espírita, achamo-la tão bela e consoladora que a nossa vontade é precisamente essa: a de melhorar o homem. É a ânsia da libertação das almas pecadoras como nós.

— Não imaginas, Sileno, como me alegram as esperanças que me acalentam. E olha que um dia desses visitou-nos, com D. Maria, o seu Aprígio. Foi uma alegria para todos. Vê tu, um homem com a fortuna que sobe a bilhões, não desdenha ombrear-se conosco, pobres serventuários e operários, ao lado de sua esposa, a qual, sem cerimônia, abraçava miseráveis mulheres e crianças de pé no chão. Nessa noite, fui dormir tarde, Sileno, fazendo uma comparação entre nós e os visitantes. A gente, às vezes, Sileno, pensa que os ricos não prestam, são uns egoístas, uns "tubarões", uns exploradores sem escrúpulos, incapazes de um gesto de caridade...

— Os juízos humanos nem sempre acertam. Por isso, Clóvis, lá diz o Evangelho do Reino: "Não julgueis para não serdes julgados."

— Ninguém sabe julgar. Só Deus o sabe. Mas, a propósito, seu Aprígio nos prometeu uma grande festa, agora pelo Natal. Uma festa a seu modo, disse ele. Dona Maria, que acompanha sempre o esposo, nos disse, longe dele, que a surpresa vai ser muito grande.

— Eles a farão grandiosa, tenho certeza. Mas vamos trabalhar, Clóvis, porque estamos ganhando para servir o senhor...

Sorrindo ambos, cada qual se dirigiu para a sua sala.

Interrompeu Clóvis o seu caminho, e, antes de entrar em sua sala, dirigiu-se a Consuelo:

— Desejava interpelá-la sobre o filho de seu Aprígio. Que há com o filho de nosso chefe?

— Então não sabe?

— Nada sei a respeito.

— Pois o nosso bom amigo tem um filho já moço, de uns 25 anos, que de um momento para outro ficou paralítico. Pernas e braços não se movem. Há seis anos que vive numa cadeira de rodas. É um belo rapaz, bom coração, espírito esclarecido e viva inteligência. Mas, como tudo que Deus faz é bom, não o lamentemos, porque, quase sempre, a doença é um prêmio.

— Que filosofia, Consuelo!

— Consoladora, meu amigo. Deus, invariavelmente, nos fala pela dor, quando nos rebelamos contra a Lei. Não é castigo nem punição, porque Deus é bom. É o sofrimento uma resposta aos nossos desatinos.

— E dizer-se que seu Aprígio, um homem tão bom e tão caridoso, tem um filho doente, sem esperanças. Será que Miguel ainda se recuperará? Será que isso pode acontecer, Consuelo?

— Por que não? Deus é misericórdia, clemência e amor. Confiemos no Divino Pai.

— Como eu gostaria que tal acontecesse, Consuelo. Que alegria para aquelas almas generosas, seu Aprígio e D. Maria.

— Há de acontecer. Devemos orar pelos nossos dignos benfeitores.

— Ai! Consuelo, como eu desejaria conversar com você mais à vontade, porque sairia dessa tertúlia menos imperfeito e mais decidido a combater-me a mim mesmo, diuturnamente. Preciso do estímulo da bondade, porque Deus nos socorre pela bondade dos nossos semelhantes.

— Você já tem o roteiro, meu amigo. Não acredite na minha bondade nem na minha santidade. Somos velhas almas a resgatarem as loucuras do passado, sofrendo e penando.

— Seja como for, minha amiga, a compreensão dos outros nos alivia muito os padecimentos.

— Sim, mas não esqueçamos que devemos aprender a voar com as nossas próprias asas.

— Mas as minhas asas estão quase paralíticas pelos crimes que cometi e tenho cometido nesta reencarnação. Graças a Deus, Jesus não me abandonou. Ó felicidade!

— Agora, Clóvis, vamos trabalhar.

— Deus lhe pague, Dor-sem-fim.

Não tinha dado dois passos quando surgiu Spoletto, que falou alto:

— Para o trabalho! Isto não é sala de palestra. Venha cá, Srta. Consuelo.

— Deixe-a para mim, Spoletto — objetou Aprígio, que entrava no preciso instante em que seu auxiliar advertia os colegas.

Dirigindo-se à moça, convidou-a:

— Preciso de você, minha filha. Venha comigo.

Tomou-a pelo braço e conduziu-a ao escritório. Fê-la sentar-se a seu lado, e expôs-lhe:

— Sei, Consuelo, que ministra passes com bastante proveito para os pacientes. Se não fosse pedir-lhe muito, gostaria que atendesse meu Miguel. Hoje, o coitado está nervoso. Ordinariamente mantém-se calmo e resignado. Maria está apreensiva. Incumbiu-me de solicitar-lhe a assistência caridosa. Posso contar com a sua ajuda, Consuelo?

— Honra-me muito o seu convite, e, por isso, disponha da humilde serva do Senhor.

Tomaram o automóvel, encaminhando-se para a residência de Aprígio, um belo palacete em uma das ruas de Copacabana. À frente da casa, esperava-os D. Maria, que, vendo Consuelo chegar com o marido, apressou-se a recebê-los. Beijou o esposo e a moça, dizendo comovida:

— É uma felicidade tê-la nesta casa.

— Eu é que me julgo feliz em saber que me consideram digna de aqui ser recebida tão gentilmente.

— Vou levá-la ao nosso doente — disse a esposa do industrial.

Instantes depois, achavam-se nos aposentos de Miguel.

Este, à chegada da visitante, inclinou-se em sua cadeira de rodas.

— Feliz por sua visita, Consuelo. Foi certamente Jesus quem a enviou pelo braço de meu pai. Quando a senhorita assomou à porta — perdoe-me o dizer-lhe isso —, senti que consigo veio um Espírito de elevada hierarquia. Não concorda comigo, meu pai?

— Consuelo é uma alma nobilíssima e, como tal, não pode viver senão em companhia dos bons.

— Obrigada pelo juízo; mas não nos detenhamos em conjeturas, meus amigos. Lutando contra as minhas imperfeições, quero apenas não enterrar os talentos que Deus a todos confiou. Precisamos fazer que eles produzam alguma coisa em benefício de nossos semelhantes.

Silenciosamente, acercou-se da cadeira do doente, enquanto este comentou os fatos que levaram os pais a solicitar os serviços da incansável intérprete dos abnegados mensageiros do Bem.

— Meus pais são notáveis e robustos espíritos que tutelam, nesta oportunidade, por misericórdia de Deus, a minha alma imperfeita e rebelde. Vendo-me hoje meio nervoso, estado que eu mesmo não sei explicar, deliberaram incomodá-la, trazendo-a aqui para ministrar-me um passe.

— Agradeço-lhe, meu bom Miguel, tanto quanto aos seus generosos genitores, a bondosa recepção que me tributaram. Feliz de quem reencarna num lar como este, cuja direção Jesus confiou a tão abnegados obreiros.

E sem dar tempo a qualquer manifestação dos presentes, Consuelo inclinou-se e beijou, silenciosamente, as mãos paralíticas de Miguel.

A cena foi bela pela humildade evangélica de seu divino conteúdo.

O enfermo sentiu um estremeção e agitou braços e pernas como se houvesse recebido uma descarga elétrica.

Capítulo 3

Aprígio e D. Maria levantaram-se, como que tocados por estranha influência desconhecida.

Consuelo viu que uma figura sombria como que se destacara de Miguel, assustadiça e apressada, e, rápida, ganhava a porta da rua, desaparecendo, apavorada, no torvelinho da rua movimentada. Era o espírito de Lourenço.

Espalmando suas mãos — duas rosas de luz — sobre a cabeça ardente do filho do milionário, orou:

— *Senhor,*

a imensidade de tua misericórdia acorda-nos sempre o espírito para as tarefas sacrossantas que a cada passo da vida nos deferes;

sinto que teu celeste Amor transborda das taças de tua Munificência, e leva-nos todas as culpas que sedimentamos nos escaninhos da alma pecadora, nos dias escuros do passado impenitente que nos atormenta, e nos recorda o dever do trabalho redentor;

sei que vais levantar este filho que cumpriu silenciosamente a sua prova temporária, porque nunca te esqueces de nós, nem das lágrimas de compunção que nos limpam o mundo do coração e da consciência;

e porque sinto que estás conosco sempre que contigo permanecemos, rogamos-te, Deus, Senhor e Pai, nesta hora em que mais uma vez a tua bondade, ignorando a nossa impureza e a nossa indigência, se espraia na sublimidade de tua piedade: devolve a Miguel os movimentos de seu corpo, se em teus santíssimos desígnios estiver consignada a sua cura por Jesus, o Divino Advogado.

A voz do petitório silenciou, e uma luz difusa se derramou em torno daquelas criaturas mergulhadas em sublime confiança.

E mal terminara tão bela quanto comovedora oração, na qual Consuelo pusera toda a sua alma adamantina e valorosa, Miguel movimentou-se na cadeira de rodas.

Aprígio e D. Maria estavam de ânimo suspenso, olhares fitos no filho, observando-lhe a conduta, os gestos, aguardando o que aconteceria.

Consuelo orava no silêncio de sua alma generosa.

Miguel mexeu com uma perna e depois com a outra, e procurou firmar-se fora da cadeira.

Com um ligeiro impulso, firmando-se nos braços do móvel que o retinha há longos anos, Miguel achou-se de pé, ao lado de Consuelo, cujas mãos tomou entre as suas, beijando-as, num gesto de respeito e gratidão.

Depois, deu alguns passos e abraçou-se aos pais, que choravam.

Ficaram os três assim entrelaçados, mudos, quietos, alheios completamente ao que se passava em derredor, enquanto Consuelo permaneceu orando, também distante, a pensar somente na Infinita Munificência de Deus.

Mas a seguir os três membros da família docemente se desvencilharam e voltaram-se para Consuelo.

Ela sorria para eles.

— Não tenho palavras... — aventurou Aprígio.

— Nem eu, Consuelo — murmurou, profundamente comovida, a mãe de Miguel.

— A palavra, nesta hora de sublime manifestação do Divino Poder e da Excelsa Misericórdia, talvez fosse uma profanação. Regozijemo-nos com a longanimidade de Deus, devolvendo-nos as injúrias de nossos pecados na alegria de sua eterna visitação.

Feito novo silêncio, prosseguiu após segundos:

— Esse acréscimo de sua bondade deve-nos alertar a alma para os trabalhos sacrificiais que nos serão pedidos em troca. Agora, mais do que nunca, estamos vinculados ao Serviço do Divino Senhor. Oxalá possamos sempre compreender a sua incomparável vontade nos fatos e acontecimentos que ocorrerem em torno de nossos passos. O mundo exerce sobre nós estranho fascínio. Perigosa atração abismal. Tenhamos invariavelmente presente que somos almas convalescentes e, por isso, o ORAR E VIGIAR do Evangelho não nos deve ser letra morta e sem expressão.

Capítulo 3

Voltando-se para Miguel, acresceu:

— Meu nobre amigo: hoje Deus o visitou mais ostensivamente, se tal me é permitido afirmar. E como o mundo que nós criamos está sempre em antagonismo com o mundo de Deus, aquele irá forçar as portas de seu coração e de seu espírito, solicitando-lhe a solidariedade e o serviço, naturalmente em detrimento do outro. Guarde constantemente consigo que o passado de erros de nossos espíritos é um eterno convite a novas quedas.

Novo silêncio, e depois outros pensamentos:

— Espero que me perdoem essas palavras. Não tenho, nem de leve, qualquer autoridade para falar assim a criaturas tão dignas quanto generosas. É que os amo, e porque assim lhes quero, assim lhes falei. E que Deus nos abençoe nesta hora em que devemos dar o testemunho de nossa gratidão ao Pai amantíssimo, mediante a mais sincera obediência aos seus sapientíssimos desígnios.

— Deus nos há de oferecer, em todas as horas e em todos os tempos, a compreensão justa de sua vontade — falou, humilde, Miguel.

— E Ele nos tem dado tudo — confessou, olhos nublados pelo pranto, o seu Aprígio. — Esse acréscimo do Divino Amor mais aumenta a minha dívida para com os Tesouros da Sublime Munificência.

— Deus está no meu coração — disse D. Maria, sincera e humilde. — Só sei dizer isso na hora em que Ele atende a rogativa duma mãe aflita e dum anjo que desceu do Céu ao nosso lar.

Falando assim, voz embargada, abraçou-se a Consuelo, e a custo pôde dizer:

— Deus a abençoe, minha filha, e a Mãe Santíssima vele por seus passos enquanto dure seu degredo nas sombras deste mundo doloroso.

Consuelo abraçou-se à esposa de Aprígio, também chorando. Depois:

— Sr. Aprígio, já que terminou aqui a missão para a qual fui convocada, permita que volte ao trabalho, porque é ainda o trabalho que santifica as nossas horas.

— Consuelo — convidou D. Maria —, fique para o nosso almoço.

— Meu trabalho, dona Maria...

— Hoje é uma exceção, um dia de festa nesta casa. Jesus também abençoou os júbilos familiares nas Bodas de Caná. Peço-lhe que fique.

— Se ousasse contrariar sua vontade, reforçaria o pedido de minha mãe — corroborou Miguel, dirigindo-se à visitante.

— Eu também — confirmou Aprígio.

— Todos conspiram contra uma pobre moça indefesa — disse, sorrindo, Consuelo, dando um beijo na face de D. Maria. — Fico, já que não tenho outra alternativa.

— Muito obrigada por todos, minha filha — agradeceu D. Maria.

Só à tardinha voltou Consuelo à pensão onde morava.

Depois do almoço, Miguel, grande apreciador de música, fez as delícias de Consuelo, pondo-a a ouvir discos escolhidos. Não a deixou um minuto.

— Ele está apaixonado por Consuelo, Maria — afirmou Aprígio.

— Ela é de verdade sedutora. Mas, meu velho, Consuelo não é criatura para casar...

— Por que você diz isso?

— Tem uma missão difícil a cumprir, creio eu. Quem faz o que Consuelo faz, qual a que presenciamos hoje, nesta casa, não se prende a uma missão que lhe não foi destinada.

— Como é que você sabe?

— Ora, como sei, meu bom Aprígio! Cada alma é colocada, por Deus, e por seus merecimentos ou culpas, no lugar em que possa dar à Vida o seu maior rendimento. Ademais, tenho a impressão, segundo me disse Marília, que ela ama demasiadamente Sérgio, empregado na tua firma, e com ele pretende trabalhar na Seara do Divino Mestre, unindo, para isso, as suas almas num conúbio verdadeiramente celestial.

— Você tem cada ideia, para mim inconcebível, querida Maria.

— Sempre, na marcha eterna da evolução, os sagrados pioneiros, que escreveram os seus romances com o sangue e as lágrimas de seus martírios, sofrem as consequências de sua própria evolução.

— Não discuto mais, porque você sempre leva a melhor.

— Almas como a de Consuelo não se podem prender a determinadas obrigações, desde que vêm ao mundo com objetivos diferentes dos nossos.

— Seria, entretanto, um casamento ideal para Miguel, não acha você?

— Certamente, mas são outras as metas daquele nobre espírito.

Enquanto o casal se entregava a essas cogitações de ordem transcendental, Dor-sem-fim palestrava animadamente com Miguel.

— Gostaria, nesta nova fase de minha peregrinação pela Terra, que me fosse você um guia e um protetor — pediu ele.

— Obrigada pela escolha, mas temo que não lhe possa servir de grande coisa. Sou uma alma sem qualquer mérito.

— Entretanto, com a simples imposição de suas mãos misericordiosas, readquiri a saúde perdida.

— Não interprete assim o fenômeno. Sua prova, naturalmente, atingia o término, e tanto era verdade que você, nestas últimas horas, começou a sentir-se nervoso, inquieto, preocupado. Experimentou mesmo uma espécie de agitação nos membros paralisados. Foi quando alguém se lembrou de pedir o concurso de um médium, e fui eu o instrumento procurado. A utilização de minhas faculdades medianímicas obedeceu, evidentemente, à vontade do Alto. Desde que devo muito à família Aprígio, permitiu a Bondade Eterna fosse eu o veículo de seu Divino Poder, de sua Excelsa Presença, resgatando, destarte, uma dívida para com a casa que tão generosamente me acolheu.

— Mas você foi um instrumento de Deus, e seu deve ser o mérito.

— Ninguém tem mérito neste mundo, quando nada tem para dar. Eu de mim nunca tive nada. Deus é que se apiada da gente, para exercer sobre o mundo os seus sacrossantos desígnios. Ninguém pode dar do que não tem, não é verdade, Miguel?

— Você é uma santa. Feliz de quem puder viver a seu lado por toda a eternidade...

— Feliz de quem puder viver ao lado de Deus, pelo pensamento e pelos atos, por toda a eternidade, pela consumação dos séculos.

— Mas você, como espírito, é deus, porque somos deuses no ensinamento evangélico, não é verdade?

— Entretanto, enquanto não alimparmos o conteúdo incrustado nesta argila impura, seremos, a duras penas, deuses de lama...

Miguel fitou-a dentro dos olhos e retorquiu:

— Você, Consuelo, é uma perfeição.

— Somos, pelo menos no que tange a mim mesma, um infinito de imperfeição e de miséria.

Silenciaram, para depois Consuelo anunciar:

— Eu já vou indo, Miguel, tenho alguns deveres a cumprir ainda hoje.

— Espere, que papai irá conduzi-la à pensão.

Consuelo renovou seus agradecimentos à família Aprígio, despediu-se carinhosamente de D. Maria, e alguns minutos depois, em companhia de seu Aprígio, rumava para casa, silenciosa, orando como sempre.

Capítulo 3

Chegando a seu destino, Consuelo viu, à porta, Marília, Clóvis, Sileno, Lívia, bem assim D. Margarida, a proprietária da pensão, que assumia ares de quem comandava uma expedição.

Foi um reboliço infernal, vendo-a no luxuoso auto do seu Aprígio.

Quando se despediu de Consuelo, beijou-lhe as mãos, delicadamente, num gesto gentil. E já de dentro do auto, dirigiu-lhe um cumprimento com a mão espalmada.

Os circunstantes, logo após, bombardearam a colega com perguntas indiscretas.

— Como é, que foi que aconteceu?
— Você foi dar passes no filho do patrão?
— A vida está para você, Consuelo!
— Sabe que na fábrica todo o mundo ficou fazendo conjeturas?

Eram desse teor as perguntas que se sucediam na sabatina a que submeteram Dor-sem-fim.

Esta conservava-se calada, sorrindo, esperando que amainasse a "tempestade".

Entrou e, quando resolveram silenciar, falou de mansinho, com um sorriso puro a emoldurar-lhe o semblante seráfico.

— Vocês todos — começou, já na sala de visitas —, como discípulos do Evangelho, certamente compreenderão quando eu disser que houve uma cura. Porque vocês sabem que o único ser que, de verdade, curava, curou e cura é Jesus, o Divino Benfeitor.

— Entretanto — interrompeu Marília, a trêfega colega que tudo queria saber tim-tim por tim-tim —, Ele afirmou que poderíamos fazer prodígios, desde que tivéssemos fé.

— Marília — retorquiu Consuelo, grave —, não interpretemos as sentenças do Divino Mestre ao pé da letra. Esta mata; só o espírito vivifica. Quando o Excelso Modelo nos transmitiu aquela máxima, afirmando que se tivéssemos fé como um grão de mostarda podíamos transportar montanhas, não se referiu a curas, senão acidentalmente, pois não era concebível que o fundador do Cristianismo viesse ao mundo para ensinar os homens a curar-se de suas chagas físicas, ou ensiná-los a curar os outros. A cura a que Jesus aludia era a das enfermidades e doenças da alma, origem daquelas que assaltam o vaso carnal. O Divino Amigo referia-se às realizações soberbas do espírito no campo do Amor, da Bondade, da Vida Triunfante, que devem um dia fazer da Terra um mundo feliz, pela inauguração dos caminhos da mais santa fraternidade, da paz, da justiça e da verdade, que era Ele próprio.

Olhou em torno, demoradamente, como quem perscruta, e recomeçou:

— Ele não veio, como um taumaturgo, ensinar-nos a levantar paralíticos de seu leito de dor. O alívio ao padecente foi um acidente em sua vida. Se Ele mesmo se proclamou o Caminho, a Verdade e a Vida, devia dar, como deu, em diversas oportunidades e circunstâncias, o testemunho do Caminho, da Verdade e da Vida. E deu-o como ninguém jamais o dera, porque só Ele podia fazê-lo como fez. Espírito e coração puros, muitas vezes Ele chorou sobre as nossas dores e as nossas tristezas, curando a filha de Jairo, o filho da viúva de Naim, ressuscitando Lázaro, à frente de cujo túmulo chorou antes de proferir aquela frase que revelou, no Filho do Homem, todo o imenso poder de que o revestira o Pai: "Lázaro, levanta-te, que te mando Eu!"

Os amigos fitavam, assombrados, a companheira que falava, tocada de elevada inspiração:

— O caso de Miguel também ostentava, ao lado da parte física, a influência deletéria de entidades infelizes. Esta sobrepujava aquela. Os divinos desígnios são imperscrutáveis. Não se pode afirmar — e eu não o faço — se a prova terminou, ou se o Mais Alto, à vista dos créditos de seu Aprígio, intercedeu por seu filho, condicionando a cura à conduta posterior do nosso amigo Miguel. O que nos cumpre é aceitar os fatos e deles

Capítulo 3

extrair o ensino do aproveitamento sério das oportunidades de servir e ajudar, ajudando-nos a nós mesmos. Nunca devemos esquecer que as restituições da vida correspondem invariavelmente à natureza daquilo que lhe ofertamos. É por isso que o vulgo, com muito acerto, repete a surrada frase: Viver, todos vivem; saber viver é que é.

— Consuelo, nobre amiga — aventou Sileno —, a cura — vou me servir do termo, na falta de outro que melhor traduza meu pensamento — do filho de nosso chefe foi instantânea ou precedida de alguns fenômenos indicativos de que algo ia acontecer?

Consuelo sorriu e, sempre de boa vontade, respondeu:

— Quando o Sr. Aprígio, no escritório, me solicitou fosse à sua residência ministrar um passe em Miguel, adiantou-me que seu filho se mostrava, ultimamente, muito nervoso, inquieto, diferente nos gestos e atitudes. Ao defrontar-me com o doente, percebi que sombras imprecisas e disformes contornavam o móvel em que o fomos encontrar. Com meus pensamentos sempre voltados para Jesus, pedi-lhe permitisse que Entidades amigas me inspirassem naquele transe. A resposta do Alto não se fez esperar, e ouvi que alma bondosa me aconselhava preceder o passe com um gesto de carinho, no estilo daqueles que só os corações maternos sabem dispensar ao filho bem-amado. Beijei-lhe as mãos paralíticas, e eis que, no instante mesmo, Miguel agitou os braços e as pernas, enquanto observei, nitidamente, a debandada de seres escuros, fugindo para longe daquela casa. Fiz, em seguida, o passe, como sempre faço tudo na vida, pensando em Deus e suplicando o auxílio do Divino Mestre, mediante seus sublimes mensageiros. Os resultados não se fizeram esperar. Alegrei-me com o ocorrido, não só porque Jesus não me desdenhou a colaboração na oportunidade, servindo-se do mais inútil instrumento de seu divino poder, como servi a criaturas que me consideram como se sua filha fosse. A gente se sente paga regiamente com o lembrar-se de que Deus nos chama ao testemunho de nossa fé. Glória a Deus nas Alturas!

— E paz na Terra aos homens — concluiu Sileno, beijando-lhe as mãos, gesto que foi imitado por seus companheiros.

— Deus te dê muitos anos de vida, minha filha — falou D. Margarida, chorando e limpando os olhos nublados com o avental muito branco que trazia atado à cintura.

— Assim seja — disse Sérgio, que naquele preciso instante chegava.

— Você perdeu a melhor aula dos últimos tempos, Sérgio! — exclamou Marília à chegada do colega.

— Outras virão depois — respondeu, cumprimentando cordialmente a todos.

Em seguida dispersou-se o grupo, e Sérgio foi ter com Consuelo, que o recebeu sorrindo e visivelmente contente.

— A notícia espalhou-se rapidamente pela cidade. Só se fala em você e em Miguel. Como foi isso, querida? — perguntou, beijando-lhe as mãos.

— Exageram muito, Sérgio. Ministrei um passe em Miguel e, como, naturalmente, estava em seu término a prova, ele readquiriu os movimentos. Não acha você a coisa mais simples deste mundo, do ponto de vista espírita, de vez que no Espiritismo não há milagres?

— Sim, Consuelo, no Espiritismo não existem milagres, mas há pessoas com faculdades mediúnimicas, aliadas à pureza do coração, que operam coisas inusitadas.

— Os divinos desígnios é que nos respondem. Não podemos perscrutá-los. Submetamos-lhes, portanto, a nossa perquirição curiosa.

Sérgio sorriu e acresceu:

— Deus não se serviria de ignaro instrumento para manifestar a sua sublime vontade, não é verdade?

— Deus não faz exceções de pessoas, precisamente porque todos somos filhos de sua Misericórdia. Às vezes, a verdade nos

Capítulo 3

chega pela boca de um louco, e a bondade pelas mãos maculadas de um criminoso. Sérgio, Deus é bom.

— Você tem sempre um argumento poderoso...

— Não diga poderoso, mas procedente, que é o termo exato.

— Mas...

— Que é, Sérgio?

— Vai aos trabalhos lá em casa, esta noite?

— Iremos. As colegas estão ansiosas pela hora.

— Vim até aqui somente para vê-la e pedir-lhe que vá até lá. Papai fica satisfeitíssimo quando você nos dá o prazer da sua presença.

— E você também não fica?

— Que pergunta, Consuelo... Quando você resolver unir sua alma pura à impureza da minha, a felicidade será deste mundo...

— Não esqueça que a Vida Triunfante é renúncia e sofrimento nos níveis inferiores em que fomos lançados a exercer atividades salvadoras.

— Sei, Consuelo...

— Está preparado para o sacrifício?

— Estou — respondeu Sérgio com convicção.

— Não basta dizer. E eu não quero ser responsável por alheias desventuras.

— Acha que é desventura viver ao seu lado?

— Não interprete mal as minhas palavras nem os meus raciocínios, meu bom amigo. Às vezes, supomos poder fazer face a situações difíceis, mas, quando nos surgem, quase sempre observamos que a tarefa foi superior às nossas forças. Tenha presente isso, Sérgio. Temos em nós mesmos velhos inimigos que nos espreitam a hora da decisão crucial.

— Entretanto, eu conto com você, Consuelo...

— Cooperarei.

Sérgio despediu-se e, logo adiante, deu algumas palavras a Lisiane, que se encontrava com Sileno, sentados ambos num banco no pequeno jardim da casa da tia Gervásia.

— Boa tarde ou boa noite? — cumprimentou-os.

— Boa tarde — disseram. — Sente-se um pouco, Sérgio, e aproveitaremos a companhia para irmos à sessão.

— Aceito.

— Fiquei maravilhada com a notícia sobre o caso de Miguel — começou Lisiane. — Foi um fato que nos encheu de contentamento.

— Aliás — falou Sileno —, quando você chegou, acabávamos, precisamente, de comentar o ocorrido.

— Consuelo, entretanto — esclareceu Sérgio —, persiste e teima mesmo em negar qualquer participação no sucesso, afirmando que foi meramente um instrumento passivo das Forças do Bem.

— Consuelo tem razão — concordou Lisiane.

— Até você? — indagou, admirado, Sérgio.

— Que temos para dar a nossos semelhantes nesse particular?

— A boa vontade.

— Às vezes, nem esta.

— Consuelo deve saber as razões pelas quais não quer aceitar referência que envolva o mérito que todos lhe reconhecemos — disse Sileno.

— Mas a hora urge, meus amigos — declarou Lisiane, levantando-se. — Vou buscar titia para irmos à sessão. Tenham paciência e a bondade de me esperar. Volto já.

Sérgio e Sileno ficaram à espera da amiga, enquanto esta se dirigiu ao interior para chamar Gervásia.

A tia estava dando a última demão aos arranjos caseiros, a fim de preparar-se para sair.

— Os rapazes estão esperando-a, titia, e aqui estou para honrar-me com a sua companhia.

Gervásia sorriu e respondeu:

— Sempre adulando, hein, formosa criança?

— E fazendo justiça a essa alma caridosa a quem devo...

Capítulo 3

Gervásia interrompeu, momentaneamente, seu trabalho para, enxugando as mãos grossas no avental, tomar da cabecinha formosa de Lisiane e beijá-la muitas vezes.

— Não disse!? — exclamou, perguntando. — Titia é a criatura mais carinhosa do mundo.

E beijou-a tanto que ela exclamou:

— Não me dê todo o sortimento, querida, guarde alguns para Sileno.

Lisiane enrubesceu e Gervásia anotou o fato.

— Bobinha — disse, passando-lhe a mão calosa pelas faces acetinadas. — Sabe como gosto de mexer com você, santinha. Ande, venha daí mais uma dúzia de beijos.

Percebendo que Lisiane voltara a brincar depois de bastante beijada, a irmã de Demenciano falou mais gravemente:

— Sabe você, filhinha, onde anda seu pai?

— Não. A senhora o viu?

— Eu não o vi, mas a vizinha disse-me que ele está trabalhando num estabelecimento de refrigeração, não sei se em Copacabana ou Ipanema.

— Quer dizer — continuou em suas indagações — que papai não viajou para fora do Rio de Janeiro?

— A ser verdade o que me contou D. Matilde, ele permanece na cidade.

Lisiane ficou apreensiva, ao mesmo tempo que satisfeita, pois de um momento para outro seria possível vê-lo.

Não lhe guardava qualquer ressentimento. Levara tudo à conta de seu estado de espírito, pois se havia excedido um pouco no álcool.

O mais curioso da notícia, entretanto, era saber que estava trabalhando, tão arredio que era ao trabalho.

Algum acontecimento importante em sua vida se dera para que procurasse e achasse serviço honesto.

Fosse como fosse, estava satisfeita com a informação de tia Gervásia.

— Será que papai irá avante no emprego, titia?

— Ora, Lisi, Demenciano compreendeu que ninguém pode viver à margem do trabalho e da decência. Todos nós temos o nosso dia D. Entretanto, para tomar essa resolução, deve ter-lhe ocorrido algo de estranho.

— Tenho uma ideia — lembrou Lisiane.

— Qual é?

— Se fosse uma questão de amor aos 40?

— Era o que eu desconfiava, minha filha.

— Estou certa de que ele fez relação com alguma moça, e vai daí essa mudança na sua vida.

— As mulheres sempre servem para alguma coisa neste mundo — comentou Gervásia.

— Procurarei saber quem é a fada que realizou o milagre. Mas vamos ou não vamos à sessão? A dupla está lá fora esperando.

Gervásia tratou de arrumar-se, e saíram.

— Pensamos que não viessem mais — disseram, ao mesmo tempo, Sileno e Sérgio.

— Pretendíamos deixar tudo em ordem para não termos muito que fazer na volta.

E encaminharam-se, apressados, rumo à sessão do Major.

Ainda não eram oito horas da noite quando penetraram no salão.

Já lá estavam Consuelo, Marília e Clóvis, que receberam, alegres, os amigos.

Ao lado do Major, que já se sentara à cabeceira da larga mesa das sessões, achava-se o tenente Pompeu, um velho policial reformado que de vez em quando comparecia aos trabalhos experimentais e doutrinários que se realizavam na casa do Major.

Era um homem muito magro, de óculos escuros, muito conversador e não raro meio inconveniente em suas apreciações. Entretanto, era muito prestativo e sincero.

Capítulo 3

Muitas vezes afirmava, ao longo de suas palestras doutrinárias, para a assistência que gostava de ouvi-lo, que muitas almas só enveredam pelo caminho certo quando o destino lhes aplica a chibata da dor, como os homens fazem com as bestas.

Tenente Pompeu orçava pelos 68 anos e era veterano da Primeira Guerra Mundial. Servira no exército italiano, pois nascera na península, e só mais tarde viera para o Brasil.

Aqui chegando em 1920, conseguiu pouco depois naturalizar-se brasileiro, e como tal sentou praça na Polícia Militar do Distrito Federal (antigo), onde era mais conhecido pela alcunha de tenente Pompeu Macarrão, dada sua predileção por aquele prato, genuinamente italiano.

— Na frente de uma panela, ou lata mesmo, de macarrão, esqueço meus sofrimentos, até as torturas que sofri como prisioneiro de guerra, porque o quitute, feito a preceito, à moda lá de casa, é um verdadeiro manjar dos deuses.

Nessa noite estava ele lá, muito magro, muito espigado, solteirão inveterado, óculos bem escuros, metido numa roupa de alpaca, olhando a uns e outros que chegavam, e alegremente correspondia aos cumprimentos que os companheiros lhe dirigiam.

Quando Consuelo e outros deram entrada na sala, e o Major, cumprimentando-os afavelmente, fez as apresentações, pois era a primeira vez que a moça o via nos trabalhos, tenente Pompeu curvou-se nos seus 68 anos, dirigiu um galanteio sóbrio a Consuelo e, fitando-a por mais tempo do que permitiam a delicadeza e a conveniência, murmurou para dentro de si: "Conheço essa moça, mas não sei de onde e de quando."

— Tenente Pompeu — explicou o Major —, nossa irmã, Srta. Consuelo, tem faculdades mediúnicas verdadeiramente poderosas. Tem-nos ajudado e servido a quantos lhe solicitam os bons ofícios.

— Creia-me, meu caro Major, que isso muito me alegra, ainda mais porque a suponho minha conhecida, não sei de onde.

— Penso que está enganado — retrucou o Major. — Consuelo, a quem os nossos rapazes também chamam Dor-sem-fim, não...

O Tenente pulou da cadeira como se tivesse sido mordido por algum inseto venenoso e exclamou, ante a admiração de todos:

— Dor-sem-fim? Não estão enganados?

— Por que enganados?

Tenente Pompeu se deu conta de que praticara uma inconveniência, desde que Consuelo era, a bem dizer, uma criança, moça de 18 anos, quando muito, e, em assim sendo, não poderia conhecê-la.

— Perdoem-me. É que a guerra me deixou com alguma neurose e, à evocação de um nome de que não me esquecerei, sobressalto-me.

— É natural — justificou o Major. — Mas conheceu alguém com esse nome ou apelido?

— Sim, conheci uma irmã de caridade, uma freira, com esse nome, numa prisão da Europa, na Primeira Grande Guerra Mundial.

— Em que país? — indagou, curioso, Clóvis.

Tenente Pompeu tornou-se fechado e declarou:

— Vamos esquecer o mal e a fraqueza de nossos semelhantes. O que passou passou...

E fitando o alto, talvez perdido em seus pensamentos ou em suas reminiscências dolorosas, falou triste:

— Após a sessão conversaremos sobre aquela santa criatura que suportou, com a alma voltada para o Divino Mestre, anos de martírio inconcebível.

Fez-se silêncio na sala.

O Major pediu a Sérgio para orar.

O filho adotivo comoveu a todos improvisando uma prece tocante e sentida.

Finda esta, Gabriel considerou aberta a sessão.

Capítulo 3

Foi uma longa e maravilhosa viagem pelos campos da espiritualidade, com cujos proveitos abundantes todos se reconfortaram.

Após o encerramento dos trabalhos, Clóvis, não contendo a sua impaciência, indagou do Tenente.

— Como é, Tenente, não nos vai contar o resto da história do que se passou na prisão de guerra?

— O diretor dos nossos serviços evangélico-espíritas é aqui o nosso bondoso major Gabriel. Ele é que sabe se não haverá inconveniente em relatarmos fatos dolorosos praticados por infelizes irmãos ainda não devidamente esclarecidos pelo Evangelho do Reino.

Todos fitaram o Major.

Este, depois de alguns minutos de silêncio, concordou:

— Não creio haja inconvenientes, tendo-se em vista que estamos no aprendizado do bem, com vistas ao esclarecimento de nossas almas tão imperfeitas e atrasadas quanto aquelas a que se referiu o nosso amigo tenente Pompeu.

Este circunvagou o olhar pela assistência, àquela hora já reduzida, e, esforçando-se por ser fiel no relato, continuou:

— Foram três longos anos de sofrimento. Padecimento moral e físico. Nunca soltou uma queixa e nunca teve uma palavra menos delicada para os seus algozes. No dia em que faleceu — e faleceu em meus braços — o seu verdugo acabava de lhe infligir um castigo como nunca concebi pudesse alguém praticá-lo, e muito menos engendrá-lo. Raspou-lhe inteiramente a cabeça com uma navalha cheia de dentes. De vez em quando a navalha cortava um pedaço do couro cabeludo. Irritado, e rindo histericamente, por ter feito um trabalho feio e imperfeito, tomou de um pequeno punhal de lâmina muito estreita, mas aceradíssima, e iniciou a extração dos pedaços que sobraram na cabeça de Consuelo — pois esse era o seu verdadeiro nome —, completando a sua carnificina. Para não desmaiar e poder suportar toda a dor possível, um acólito lhe chegava ao nariz um vidrinho que continha uma droga qualquer, durante a operação. Não contente, começou a arrancar-lhe os cílios, para que a vítima não pudesse fechar os olhos, dizia. Quando outro "cirurgião" começou, a um sinal do chefe, a arrancar-lhe a epiderme do rosto, a vítima desmaiou, mas divina energia levantou-lhe o bom ânimo para que ela tentasse, naturalmente, levar a efeito o que seu nobilíssimo espírito desejava. Caiu aos pés de seu algoz e, osculando-os, implorou de mansinho: "Peço me perdoem o não ter mais vida para dar por esse martírio, que Jesus talvez não desdenhasse. Obrigada pela oportunidade. Se não fossem os senhores, teria muito ainda que sofrer." Dizendo isso, noutro esforço tremendo, agarrou-se às mãos do verdugo, tintas ainda pelo sangue da própria vítima, e pretendeu beijá-las, mas faltaram-lhe as forças, e Consuelo caiu desamparada. Quando a segurei, ela morria, serena e doce, aos pés daqueles que, além de a injuriarem naquilo que de mais sagrado tem a mulher, tão cruelmente a martirizaram. Todavia no preciso instante em que Dor-sem-fim morria, abençoando seus algozes, o chefe deles, como que ferido por venenoso aguilhão, deu um pulo gigantesco para o alto e gritou: "Acudam-me, porque Belzebu está derramando sobre a minha cabeça todo o fogo do inferno! Acudam-me!" Louco, saiu a correr, sem rumo certo, e, agarrando-se à cerca elétrica que circundava o terreno da prisão, eletrocutou-se, preso aos fios, numa estranha posição, como quem fosse surpreendido pela máquina fotográfica quando pretendia ajoelhar-se, cabeça caída sobre o peito.

Ninguém ousou falar, findo o relato de Pompeu. Naquele instante, era bem provável que os espíritos dos poucos assistentes que restavam da sessão estivessem vivendo as cenas dantescas que lhes traçara a narrativa do Tenente.

Clóvis foi o primeiro a quebrar o silêncio:

— Mas que teria feito Consuelo para ser submetida a esses atrozes padecimentos?

Capítulo 3

— Espionagem. Denunciaram-na por levar no bolso do burel uma mensagem criptográfica cujo sentido não era o que se continha numa ordem da Irmandade a que pertencia, e na qual se determinava que se recolhessem todas as irmãs ao Convento de Madri. Apesar de negar que fosse espiã, recolheram-na à mesma prisão onde eu me encontrava havia vários meses.

"Creiam, meus amigos", prosseguiu Pompeu, "que meu coração não amolece por dá cá aquela palha. A guerra serve para despertar em nós as hienas e os jaguares, os tigres e os leopardos que já vivemos ao longo de nossa evolução. Tive um companheiro de concentração, de nome Demenciano, que, em dado momento, quando mais pungentes eram os sofrimentos de Consuelo, reuniu-nos a todos, longe das vistas dos tarados que nos excruciavam e, levando-nos à presença da humilde freirinha que nos fazia lembrar Teresinha de Jesus, ajoelhou-se à sua frente, gesto que instintivamente imitamos, e, fitando-a com lágrimas sentidas, falou: 'Irmã, o Vício — que somos nós, os homens — acaba de conceder-lhe o título de Nossa Senhora da Dor sem Fim.' E beijou-lhe os pés, num gesto de humildade e respeito. Consuelo não falou, chorou apenas e, ajoelhando-se entre nós, fez uma prece tão sentida e tocante que poucos foram os que contiveram o pranto.

"Olhando para a Srta. Consuelo, lembrei-me dela. O mesmo porte. A mesma sublime meiguice no olhar doce e puro, que lembra o da Mãe Santíssima, nas oleogravuras católicas. A mesma bondade que se descobre nos gestos e no aperto de mão. A mesma santidade dos sentimentos e a mesma beleza espiritual de sua figura que cativa por um magnetismo pessoal que só o possui, na pauta da espiritualidade, quem tenha deslocado o eixo de sua vida para os campos iluminados da Esfera Maior, vivendo aqui apenas as últimas sombras que se apagam no pórtico da perfeição."

— Uma coincidência — murmurou Clóvis.

— Haverá mesmo coincidências, Clóvis? — indagou Sileno.

— Digo isso na falta de outra palavra que traduza fielmente meu pensamento — respondeu Clóvis.

— Quantos anos já decorreram desde a desencarnação de Consuelo? — indagou a sua homônima, interessada.

— Quarenta e um a quarenta e dois. Foi lá pelos idos de 1918 — acudiu Pompeu. — Recordo os fatos como se os tivesse vivido ontem.

— Quem sabe se não é você a reencarnação de Dor-sem-fim, ou melhor, a Nossa Senhora da Dor sem Fim? — inquiriu, curiosa e risonha, Marília, que se sentara ao lado de Clóvis, por quem estava meio interessada.

— Não provoque palpites indiscretos, Marília — aconselhou Lisiane, que acompanhava interessadíssima o relato do tenente Pompeu.

— Isso aqui não é uma aula de estudos espíritos?

— É, sim — concordou Lisiane, calando-se.

— A senhorita também recorda uma doce companheira de Consuelo, que esteve, apenas uma semana, na mesma prisão, tendo sido retirada de lá por não ter ficado provado que era espiã.

— Não venha dizer-me, agora, que o nome dela também era o mesmo de nossa amiga — desafiou Marília, sempre irrequieta. — Como se chamava ela?

— Irmã Lisiane — respondeu sereno, calmo e indiferente.

Todos entreolharam-se, estupefatos, pois os acontecimentos que o Tenente narrava incluía nomes idênticos aos que usavam as duas moças da sociedade espírita presidida e orientada pelo major Gabriel.

— Como?!

O Tenente, atônito, perguntava:

— Mas que é que há de mal nesse nome que citei?

— É o mesmo de nossa irmã Lisiane — respondeu Gabriel, sério.

Desta vez foi Pompeu quem ficou aturdido, mas para logo reequilibrou-se e, com ótimo senso de humor, disse:

Capítulo 3

— Quase que ia dizer que estamos num cemitério...

— Procedendo a uma exumação — acrescentou, sorrindo com gosto, a irrequieta Marília.

— Somos duas ex-prisioneiras de guerra, Lisiane, minha amiga — falou, sorrindo, Consuelo, passando a mão pelos cabelos de sua companheira.

— Felizmente para nós, isso pertence ao passado — respondeu Lisiane, também sorrindo.

— E o fato talvez não seja como se diz nos livros e nos cinemas: "Qualquer semelhança é mera coincidência" — arrematou Consuelo.

As horas, porém, avançavam noite adentro, e os circunstantes não tinham outro recurso senão o de se recolherem a penates.

Foi o que fizeram.

Em caminho, Lisiane interpelou Gervásia:

— Quem será esse Demenciano a quem se referiu o tenente Pompeu?

— Posso garantir que seu pai não é, pois Demenciano nasceu precisamente em 1918, ano em que terminou a Primeira Guerra Mundial.

— Cheguei a pensar que fosse ele... Tia Gervásia — indagou Lisiane, saltando de um assunto para outro —, não sabe a senhora onde papai está trabalhando?

— D. Matilde soube apenas dizer-me que ele não saiu do Rio de Janeiro e trabalha como técnico em refrigeração num estabelecimento de Copacabana ou Ipanema. Uma coisa assim. Mas não se inquiete. De um momento para outro ele reaparecerá.

Não conversaram mais até chegarem a casa.

Lisiane queria contar-lhe a monstruosidade que Licurgo lhe revelara.

Pensou muito, porém, e, por fim, desistiu. Por que inquietar tia Gervásia, narrando-lhe fato que fatalmente a chocaria? De qualquer modo, Demenciano era seu irmão. Seria mais aconselhável sofrer sozinha. Tia Gervásia era uma senhora já idosa e cheia de precupações. Por que atormentá-la com um acontecimento que somente a ela, Lisiane, dizia respeito?

Aberta a porta, cada qual se dirigiu para o seu aposento.

No outro dia, depois do desjejum, despediram-se:

— Até logo, titia.

— Deus a acompanhe, minha filha — respondeu tia Gervásia, dando um beijo na sobrinha.

Mal havia alcançado a rua, Sileno colocou-se a seu lado, familiarmente, e encaminharam-se para a fábrica.

— Que achou você da narrativa do Tenente? — perguntou Sileno.

— Impressionante.

— Mas verdadeira, creio eu...

— Com certeza. O caso de Consuelo me fez pensar toda a noite... Imaginei coisas ligadas ao meu passado de alma imperfeita — comentou Lisiane.

— Não será pequena revelação reencarnatória?

— Acha absurdo?

— Não.

— Nem eu. Creio que podemos levar à conta de uma nova reencarnação de Dor-sem-fim. Uma intuição. Uma forte intuição a que não pude fugir desde o momento em que o Tenente narrou o ocorrido.

— Eu mesmo me senti mergulhado nos fatos, como personagem do drama, embora sem participação direta.

— Comigo é diferente — contraveio Lisiane —, pois entendo que tomei parte saliente na guerra, como assistente religiosa ou como enfermeira. Disso sobra-me certeza inabalável.

— Os nomes me recordam coisas do passado. Dor-sem-fim... Esse nome me ressoa dentro da alma, relembrando compromissos... promessas... deveres...

— Nós somos verdadeiros mundos, Sileno... Poderemos até saber quem fomos, quem somos, quem seremos... E olhe,

Capítulo 3

Sileno — aduziu Lisiane, apressada, como quem não queria perder a ideia que lhe aflorara à mente —, não é só o nome. Não. A pessoa, também. Nossa amiga Consuelo, vejo-a no passado, exatamente como vejo uma outra figura querida — Cornélia —, uma alma de eleição, sublimemente generosa e boa.

— E Demenciano?

— Se pensa seja papai, está redondamente enganado. Ele tem pouco mais de 40 anos. Nasceu quando a guerra terminava. Talvez seja algum comparsa, ou figurante, do mesmo drama...

— Mas, afinal, Lisi, quem é Cornélia?

— Penso que esposa de Gabriel, em uma recuada reencarnação...

— E Carlota, Lisi?

— Também esposa; nesta romagem, porém.

— E assim a evolução tece os fios que nos prendem uns aos outros, sem cuidar de nossas tolas particularidades... Não somos mundos, somos nebulosas... Em cada vida edificamos um pouco de nós mesmos. E no fim... Como será o fim, Lisi?

— O fim é a perfeição, você não acha?

— Então, fiz uma pergunta sem sentido...

— Não. Você fez uma pergunta muito interessante. Olhe, em cada existência a gente vai reunindo uma série de conquistas, no âmbito dos sentimentos, da inteligência, da cultura etc. E no fim... você já sabe.

— E pensar que ainda nos arrastamos por este mundo de Deus, agarrados ao nosso egoísmo, à nossa inferioridade, à nossa miséria...

— Mas chegaremos ao fim, Sileno, enquanto outras Humanidades virão depois de nossos passos, nas mesmas trilhas batidas por nós, como aconteceu conosco em relação àquelas que nos precederam. Nós e os mundos. Estes e os Universos que também caminham para Deus.

— Apagando os rastos que a noite dos tempos sepultou, quem sabe!

— Ou que a luz de outras alvoradas consumiu...

— Namorando, hein? — gritou de longe Marília, que se fazia acompanhar de Clóvis, aproximando-se.

Feitos os cumprimentos, acompanhados de doces risadas cristalinas, insistiu Marília:

— Apesar de estar com a minha alma gêmea ao lado, querida Lisi — gracejou Marília —, ainda não perdi as esperanças de arrebatar Sileno. — E deu uma sonoríssima gargalhada.

— Quando quiser, querida, faça a investida — respondeu Lisiane, rindo também. — Mas convém lembrar que você tem o seu Dirceu.

— Você diz isso porque sabe que é brinquedo, não é verdade.

— Mas eu não deixaria consumar-se o crime — interveio Clóvis, sorrindo cordialmente. — Esta Marília não é a reencarnação da outra... do Gonzaga.

— Bater-nos-íamos em duelo, não é verdade, Clóvis? — perguntou Sileno.

— Que dúvida! E à pistola, do tempo da Revolução Mineira. Nós, os inconfidentes...

— Duvido! — gracejou Marília.

Mais alguns passos, e ei-los chegados à fábrica.

Cada qual rumou para o seu serviço.

Lisiane já encontrou em seu posto o velho Licurgo, que andava de um lado para outro da sala, muito preocupado.

— Preciso falar-lhe, Lisiane — advertiu.

— Pois não.

— Tenha a bondade de vir ao meu gabinete.

Lisiane acompanhou-o.

— Sente-se.

— Muito obrigada. Estou bem assim mesmo, de pé.

— Mas a palestra vai ser um pouco demorada.

— Objeto de serviço?

Capítulo 3

— Você sabe que não se trata de assuntos profissionais.
— Neste caso...
— Mas terá que me ouvir.

Lisiane reuniu todas as suas forças para não cometer uma indelicadeza e retrucou com serena energia e dignidade:

— Sr. Licurgo, eu sei o que pretende de mim. Delicadamente, já lhe fiz ver que nada de comum poderá haver entre nós. Peço-lhe que me perdoe, mas meu serviço está atrasado e preciso atendê-lo. Desculpe-me e com licença.

Fez menção de sair, mas Licurgo, presto, barrou-lhe a saída, fechando a porta com a chave.

— Tenha a bondade de me deixar sair, senhor Licurgo.
— Hoje, resolveremos o nosso caso, mesmo à força. Não sei esperar.

Avançando resolutamente para a moça, pretendeu abraçá-la e beijá-la.

Ela, no entanto, defendeu-se bravamente, fugindo ao contato daquele homem que a pretendia infamar.

Licurgo, porém, àquela hora, estava alucinado em face da resistência que a sua vítima opunha aos seus lúbricos desejos.

Em dado momento, Lisiane, que usava sapatos de salto alto, resvalou no soalho brilhante, caiu sobre uma mesinha auxiliar e bateu com a cabeça no ângulo do móvel, ferindo-se.

O sangue jorrou.

Licurgo, porém, não via nada. Estava ensandecido, incendido por uma fúria lúbrica, animalesca, e, aproveitando-se da oportunidade, fechado a sós com Lisiane, atirou-se sobre a presa e pretendeu rasgar-lhe as vestes para cevar seus instintos na moça desmaiada.

Ocorreu, entretanto, o imprevisto naquele preciso instante.

Aprígio, desejando realizar uma sessão espírita íntima em sua casa, na noite daquele mesmo dia, procurou Lisiane em seu lugar de trabalho; não a encontrando, e informado de que a moça se achava com Licurgo em seu gabinete, para lá se dirigiu, encontrando-o fechado. Ouviu vozes e ruído de quem caía ou de algum móvel que tombara.

Depressa, contornou a sala, penetrando no escritório de Licurgo por uma entrada lateral, que este se esquecera de aferrolhar.

A cena que se lhe deparou estarreceu-o.

Afeito, porém, aos imprevistos da vida, venceu essa espécie de inibição locomotora e avançou, lépido, a despeito de seus 50 anos, para, num gesto violento, arrojar Licurgo — que o não vira chegar, tão dominado por sua fúria amorosa — como um trapo, para o meio da sala, onde caiu surpreso e tonto, exprobrando-lhe o gesto louco:

— Monstro! Que pretendias fazer de Lisiane, velho infame?

Não pôde continuar, porque Lisiane, perdendo sangue, sem sentidos, ao pé da mesa, precisava de assistência.

Aprígio levantou-a, cuidadosamente, depositou-a em um pequeno sofá e começou a pensar-lhe a cabeça ferida, tentando combater a hemorragia, que breve cedeu, de vez que o ferimento não fora tão grave quanto a princípio lhe parecera.

Decorridos uns poucos minutos, Lisiane descerrou os olhos, lentamente, assustadiça, mas, vendo ao seu lado Aprígio, sorriu e com certa dificuldade tomou-lhe as mãos, beijando-as.

— Está melhor, minha filha?

— Não se incomode, Sr. Aprígio... Já estou bem... Um pouco tonta... Nem sei como levantar-me para ir trabalhar...

— Vai para a minha casa agora mesmo, com Consuelo. Vou chamá-la para que a atenda convenientemente. Ninguém deve vê-la nesse estado.

Voltando-se para Licurgo, ou melhor, para o lado onde o deixara, não o viu mais. Certamente saíra, abandonara a casa, quando ele atendia a sua vítima.

Foi até a porta e fez sinal a um funcionário do escritório.

— Peça à Srta. Consuelo para vir aqui imediatamente.

Capítulo 3

Momentos depois a moça dava entrada no escritório, percebendo, de relance, tudo que ocorrera com a amiga.

— Consuelo, minha filha, atenda Lisiane enquanto vou buscar o carro para levá-las a minha casa, onde peço que fique até que Lisiane se restabeleça.

Dizendo isso, saiu.

Consuelo abraçou-se à amiga, beijando-a como uma mãe faz a uma filha desamparada.

— Já sabe, Dor-sem-fim?

— Ninguém sabe. Somente você, o Sr. Aprígio, o infeliz Licurgo e eu. Pobrezinha — falou suavemente, passando a mão pelos cabelos da amiga, reanimando-a. — Agora, Lisi, vamos pôr em ordem sua roupa, porque o Sr. Aprígio não demora.

Efetivamente, Aprígio assomava à porta.

— Tudo pronto, minha filha?

— Tudo, paizinho — respondeu Consuelo, com uma inflexão tão doce e carinhosa na voz calma e macia que Aprígio beijou-lhe as mãos e as faces, murmurando:

— Ai! Se Deus permitisse que eu pudesse ouvir sempre palavras como essas, que me enchem o coração de alegria...

— Deus permitirá que sim, paizinho querido — disse carinhosamente Lisiane, também beijando Aprígio no rosto.

Mas, como alguém que houvera esquecido dever indeclinável, ela pediu:

— Paizinho, o senhor sabe que moro com tia Gervásia, há muitos anos, e por quem tenho profunda afeição, sentimento que ela me retribui com a mesma intensidade. Assim, peço-lhe que não me leve a mal, deixando-me em casa, juntamente com Consuelo. Se tia Gervásia soubesse que estava em sua casa, doente, ainda que por excessiva generosidade daquele a quem hoje considero pai e amigo, é bem possível que ficasse ressentida comigo, ela que me recolheu quando minha mãezinha morreu.

Aprígio olhou-a, mal contendo as lágrimas, e respondeu:

— Tem razão, filhinha. Não me tinha lembrado disso. Fiquei atordoado e nem me dei conta de que você também possui uma alma que a ama. Vamos, então, para lá, e Consuelo ajudará D. Gervásia no que for preciso.

Deixando a sala, tomaram o automóvel e partiram, rumo à residência de Lisiane.

Lá chegando, quando Gervásia viu a sobrinha descer vagarosamente do carro, amparada por Consuelo, não se conteve, e, correndo ao encontro de Lisiane, ia gritando:

— Que foi, meu Deus? Que aconteceu, minha filha? Alguém lhe fez mal?

Não continha mais as perguntas que seu nervosismo multiplicava, vendo a sobrinha cambaleante.

— Não é nada, D. Gervásia — apaziguava Aprígio —, não é nada. Ela escorregou no escritório e bateu com a cabeça na mesa, ferindo-se, mas trata-se de coisa sem importância. Perdeu um pouco de sangue, e é só.

Mais calma, porém insistindo com Lisiane para que lhe contasse como se havia dado o fato, levou a todos para a sala e, aí chegando, fê-los sentar, conduzindo Lisiane para o seu quarto, onde a acomodou, fazendo-a deitar-se imediatamente, enquanto voltou a falar com Aprígio e Consuelo.

— Consuelo ficará aqui para ajudá-la, D. Gervásia — esclareceu Aprígio. — Ambas estão dispensadas de comparecer ao serviço na fábrica até que a nossa querida Lisiane esteja em perfeitas condições físicas.

Depois de mais algumas informações, Aprígio despediu-se de suas novas filhas, e, quando se achou a sós com Gervásia, retirou do bolso um envelope fechado e, entregando-lho, informou:

— D. Gervásia, Lisi acidentou-se em serviço, na fábrica, e a lei me determina que atenda as suas necessidades, indenizando-a. Neste envelope a senhora encontrará o montante da indenização. Use-o com largueza e sem constrangimento, pois é dinheiro que devo pagar à acidentada.

— Lisi não aceitaria dinheiro destinado a indenizações legais, Sr. Aprígio — respondeu Gervásia, humilde, delicada.

— D. Gervásia, tenha pena de mim e aceite o dinheiro...

Viu-lhe lágrimas nos olhos, quase a lhe escorrerem pelas faces.

Gervásia tomou do dinheiro e beijou-lhe as mãos.

— Obrigado, D. Gervásia. Logo mais virei aqui com Maria. Até logo.

De volta à fábrica, de seu gabinete mandou chamar Licurgo.

Este não estava, informaram.

Aprígio saiu, tomou o carro e dirigiu-se para a casa de seu empregado.

Bateu à porta. Veio atendê-lo uma senhora magra, macilenta, olhos pisados de chorar, vestido em desalinho, em companhia de uma criança de seus 8 anos, malvestida, com uma boneca de pano suja.

De relance viu que a miséria rondava aquele lar. A casa era de construção mista, pequena, paredes e portas e janelas sem pintura. Mobília velha, com cadeiras amarradas com fios de arame enferrujado.

— Bom dia, minha senhora.

— Bom dia, Sr. Aprígio — respondeu, passando as mãos pelos cabelos, procurando alisá-los com as mãos magras e quase diáfanas. — Tenha a bondade de entrar.

Abriu a porta e fê-lo sentar em uma velha cadeira ainda em condições de ser utilizada.

— Obrigado, minha senhora.

— Às suas ordens, Sr. Aprígio — disse, passando o lenço nos olhos e olhando para a filha pequena.

— Quantos filhos, D. Quitéria?

— Três moças, um rapaz e esta pequena. Ao todo, cinco filhos.

— E Licurgo?

— Não faz muito, recolheu-se a casa, alegando doença, e...

— Fale com franqueza, D. Quitéria...

— ...que o senhor o havia despedido.

Não pôde prosseguir. Começou a chorar convulsivamente, agarrando-se à filhinha, que a essa altura começou a choramingar.

— Agora que ando tão doente, dá-se isso, que o senhor sabe... Que vai ser de nós, sem trabalho para Licurgo, e, naturalmente, sem pão para os filhos. Só quem vive como nós, na penúria, sabe avaliar o tormento dos dias escassos de alimento, e as noites vazias de um copo de leite para as crianças...

— Avalio, minha senhora.

— Não, Sr. Aprígio, o senhor não avalia, porque é rico. Tem tudo. Deus lhe deu tudo na vida. Para mim não deu nada. Só me deu filhos e o martírio de não poder criá-los como o senhor cria os seus... Penso só em morrer, abraçada a essas almas desgraçadas que arrastam comigo o mesmo destino mesquinho e triste...

Aprígio não contestou nada. Pediu apenas:

— Posso falar em particular com o seu marido?

— Pode, sim, senhor — respondeu, levantando-se. — Venha comigo.

Levou-o a uma peça que servia de aposento para o casal. A miséria era a mesma. Senão miséria, pelo menos desconforto. Licurgo estava sentado à beira do leito, cabeça afogada nas mãos, e sobre a mesinha de cabeceira descansavam uma garrafa de bebida alcoólica e um copo vazio.

— O Sr. Aprígio, Licurgo.

Este teve um estremeção e levantou-se, fitando o chefe, que, sereno, bondoso, lhe estendeu a mão. Era a paz que aquele coração magnânimo ia oferecer-lhe.

— Deixa-nos a sós, Quitéria — pediu, numa entonação de homem derrotado.

Capítulo 3

Após a saída da esposa, Licurgo falou:
— Faça o favor de sentar-se. Sou todo ouvidos. Veio trazer-me a despedida do serviço por justa causa. Mereço-a. Aliás, já me considero demitido. Não voltarei mais à fábrica. Depois do que aconteceu, a solução é o abandono do emprego.

Aprígio, sentado, ouvia-o com atenção, sem qualquer gesto que revelasse sua disposição de ânimo. Escutava o funcionário, um homem com quase vinte anos de atividade no estabelecimento, chefe de família e honesto chefe de seção.

Custava crer que Licurgo, percebendo vinte e cinco mil cruzeiros mensais, afora comissões, gratificações e abono de Natal, vivesse naquela miséria, com os filhos rotos e famintos, e a esposa a queixar-se de falta de recursos.

Todavia o copo com algumas gotas de álcool no fundo e a garrafa ao lado diziam com eloquência da vida que ele levava, bem provavelmente com surtidas a lugares de fácil acesso à prostituição e ao vício.

— Licurgo — falou de manso e cordialmente Aprígio —, por que fez você aquilo com a moça que trabalha sob suas ordens? Sei que somos fracos, principalmente quando atingimos certa idade sem ter pago nosso tributo à mocidade, e por isso não vim aqui exprobrar-lhe a conduta injustificável. Desejo simplesmente saber o que houve entre você e ela.

Licurgo levou a mão à cabeça, num gesto característico, e respondeu:
— Apaixonei-me por Lisiane. Sabia que era uma loucura, mas nunca soube dominar os impulsos amorosos.
— Diga sexuais — interrompeu Aprígio.
— Sim, sexuais. Seja. Sempre fui assim. Hoje, enlouqueci e cometi aquela barbaridade. Se não fosse a sua chegada, ai de mim...

Respirou fundo para continuar:
— Tenho essa tara comigo. Acompanha-me de menino. Luto contra ela em vão. Luto contra mim, mas não me sei vencer.

Por isso, bebo e frequento bordéis, onde gasto todo o dinheiro que o senhor me paga. Minha família passa fome e anda sem roupa, sem remédio e sem conforto... Tenho pena de Quitéria e de meus filhos. Ela é uma mártir. Aliás, Sr. Aprígio, todas as mulheres são mártires. Sou um ente envilecido. Minhas filhas, se não fossem as bolsas de estudos que Quitéria consegue, por intermédio de sua santa esposa, não estudariam e, a estas horas, não sei o que seria delas.

Aprígio levou, discretamente, o lenço aos olhos quando tomou conhecimento do gesto caridoso da esposa bem-amada.

— Meu ideal são as mulheres. Em Deus nunca pensei. Agora mesmo é que o não farei, pois, sabendo tudo quanto a gente faz, certamente já me condenou aos infernos.

Calou-se e segurou a cabeça com ambas as mãos, retomando a mesma posição em que se achava quando Aprígio entrara em seu quarto.

O industrial fitou-o compadecido. Estava diante de um homem que reclamava mais pão para a alma do que para o corpo. Era urgente salvá-lo.

— Não reclamo que creia em Deus, e muito menos em mim, mas você não tem o direito de arrastar, na queda, sua mulher e filhos. Urge reagir. Eu posso, hoje, ser para você a sombra desse Deus que finge ignorar. Ele existe, Licurgo. Aprendi a senti-lo e a respeitá-lo, mas somos frágeis e miseráveis criaturas, e, por isso, nem sempre lhe ouvimos a voz amiga no recesso do coração.

Interrompeu-se por alguns segundos, e prosseguiu sereno:

— Não vim aqui senão para ajudá-lo. E para ser seu amigo. Retirá-lo, com a ajuda de Jesus, do báratro em que se acha vivendo. Sua família não deve sofrer as consequências de seus desatinos. Reaja, homem de Deus! Não lhe dá pena ver a caçula sem roupa, sem instrução, sem mesmo os brinquedos que todas as crianças do mundo reclamam, Licurgo?

— Custo a crer, Sr. Aprígio, que tenha descido tanto na vida. Sou um derrotado, e, por isso mesmo, um infeliz.

Capítulo 3

— Quer que o ajude?

Licurgo fitou, espantado, o seu benfeitor, mas respondeu presto:

— Se o merecer...

— Ninguém merece nada na vida. Deus é que tem pena de nossa miséria e, por acréscimo de sua infinita misericórdia, nos cumula de mil bênçãos. Na realidade, porém, não dispomos de qualquer mérito. Vou ajudá-lo mediante uma condição.

— Diga-me, Sr. Aprígio, em que consiste essa condicional, porque estou disposto a cumpri-la, ainda que tenha de arrastar-me a seus pés.

— Não exijo isso, nem quero que se arraste alguém aos meus pés. Está certo de que poderá cumprir o prometido?

— Sim.

— Vai voltar ao trabalho, Licurgo, hoje mesmo. Trabalhará com Lisiane às suas ordens, como antes. Respeitar-se-á, respeitando-a. Nós não merecemos o que temos: nem eu, o dinheiro; nem você, uma brava mulher como a sua.

— Se o senhor confia em mim, não serei eu quem vá desiludi-lo. Procurarei ser digno de sua confiança.

— Vista-se, e vamos para a fábrica. Não encontrará Lisiane, nem a verá durante o resto da semana. Recuperar-se-á fisicamente com alguns dias de repouso. Moralmente... ela é uma jovem espiritualizada. E agora, um conselho da experiência, Licurgo: ao coração de uma mulher nunca se chega pelos atalhos da maldade, mas pelos caminhos do amor. E para chegar por este, impõe-se que saibamos amar. Vamos!

Licurgo não disse nada, mas compreendeu a generosidade de Aprígio, que lhe renovava a oportunidade de recuperar-se.

Chegando à sala, Aprígio entregou ao seu empregado, para que ele passasse às mãos de Quitéria, um envelope em que colocara, disfarçadamente, uma regular soma em dinheiro.

— Dê à senhora, Licurgo, para que ela faça uso dessa pequena importância como entender. É uma lembrança do meu Miguel, que Jesus curou um dia destes.

Licurgo cumpriu o pedido e saíram.

Quitéria não se conteve, mal ouvira os últimos passos do marido, e abriu o envelope. Continha dez mil cruzeiros. Quase desmaiou.

Refeita da surpresa, contou as cédulas, com muita atenção, uma por uma, mãos trêmulas e dedos quase rígidos.

— E eu que disse aquelas barbaridades para o seu Aprígio... Até que um dia "um camelo passou pelo fundo de uma agulha"... — monologou alto.

Sorriu.

— Como é que um camelo passa por aí, mamãe? — indagou, espantada, Lisênia, a filhinha magra e doentia, a quem chamavam também Mininha.

— Eles custam a passar, mas de vez em quando passam. É de admirar... Hoje, aqui, passou um. Tu não o viste, mas passou facilmente...

Contou de novo o dinheiro. Pensou que tinha muita coisa para comprar.

— Compre uma boneca para mim, uns sapatos, um vestidinho, uma fita, uma bolsinha, umas meias e uns brincos.

Quitéria fitou-a, sorrindo, e respondeu:

— Pelo preço em que andam as coisas, eu gastaria tudo contigo, mas não há de ser nada, eu te darei uns sapatinhos, umas meias e uma fita. E contenta-te com isso, porque Papai Noel nem sempre vem antes do Natal.

Riu.

Lisênia também.

Enquanto isso, Aprígio, de automóvel, chegava à fábrica.

Deixou o empregado da firma em seu escritório, mas, antes de sair, advertiu:

Capítulo 3

— Confio em você, Licurgo. É a sua última oportunidade. Tenha juízo e lembre-se de que tem uma esposa e filhos a quem deve prestar contas de seus atos, pelo exemplo. Não lhe falo em Deus, agora, para deixar a você o mérito de encontrá-lo pelos caminhos acidentados da vida.

Ia pôr a mão no trinco da porta, mas voltando-se, como quem esquecera uma coisa importante, atirou para Licurgo a pergunta que este já esperava:

— Levou a cabo a sua perversidade?

— Felizmente o senhor chegou a tempo — respondeu cabisbaixo.

— Que Deus o abençoe por isso.

Abriu a porta e saiu.

O chefe do escritório tornou-se pensativo e conversou consigo.

"Nunca me foi possível dominar esses impulsos que me assaltam amiúde. Esforço-me desesperadamente por consegui-lo, mas tudo em vão. Quem sabe se frequentando sessões espíritas não atingiria meus objetivos? A própria Lisiane me aconselhava o Espiritismo quando lhe fazia propostas indecentes. Hoje sou um bêbedo, um mau marido e um pai sem coração. Se Aprígio fosse outro, eu estaria desempregado, na cadeia, e a família passando fome."

Olhou para os papéis que estavam sobre a mesa, desordenadamente, como os havia deixado quando enlouquecera.

Pensando no gesto de magnanimidade do chefe, quase maquinalmente colocava em ordem a papelada e orava como podia, de si para si, enquanto suas mãos retiravam documentos de um monte para outro, mexiam nas pastas e arquivos, ajeitavam os utensílios de escritório:

"Deus, muito obrigado por me teres mandado a tempo o Sr. Aprígio, que deu dinheiro para Quitéria, continuidade no emprego para mim, e perdão para o meu crime. Se ele é tão bom assim, como será a tua bondade, Senhor? Será que ainda me queres bem, meu bom Senhor? Não sei rezar, mas esta é a minha prece, Senhor."

Fez pequeno interregno em seu solilóquio.

"Não sei que é feito de Demenciano. Dei-lhe um cheque sem fundos e, por isso, esperei que o banco comunicasse o fato ao seu Aprígio e à polícia. Tudo é silêncio. Será que ainda terei maiores incômodos? Que leviandade, meu Deus... Certamente, Demenciano desistiu de vender a filha e rasgou o documento. É a hipótese mais viável. Enquanto isso, vamos trabalhar, Licurgo. Deus me ajudará. Serei um novo homem. Seu Aprígio não se arrependerá de me ter perdoado."

Enquanto encerrava sua íntima conversação consigo mesmo, Lívia, Marília, Clóvis e outros funcionários comentavam a ausência de Lisiane e Consuelo.

— Houve coisa grave, ninguém me convence do contrário — aventurou Clóvis.

— Concordo que sim, pois são muito pontuais — ponderou Lívia.

— Aliás, o seu Aprígio foi visto, pela manhã, entrando no gabinete de Licurgo e de lá saindo com Consuelo e Lisiane, de automóvel. Imagino tenha de fato ocorrido qualquer coisa de muito importante — revelou Marília.

— Ah! — acudiu Clóvis — agora me lembro bem de uma coisa que me chamou a atenção de manhã.

— Que foi? — perguntaram todos a uma voz.

— Logo que Lisiane chegou, Licurgo mandou chamá-la, ou veio buscá-la aqui, dirigindo-se os dois para o seu escritório. Demoraram um pouco, tendo eu ouvido barulho de luta na sala do velho. Não dei maior valor ao caso, e como tivesse necessidade de falar ao Gonzaga, na portaria, vi o Licurgo, sem chapéu, espantadiço, sair quase a correr, portão afora. Coisa de quinze minutos depois viram o seu Aprígio sair de automóvel, conduzindo as duas moças. Aí há dente de coelho, como lá diz o Demenciano...

Capítulo 3

— E o interessante é que Licurgo voltou, meio ressabiado, olhando-se a cada passo, nervoso, meio aéreo e cuidando-se de alguma coisa — contou Lívia.

— Eu encontrarei a solução do problema — arriscou Marília. — São as nossas melhores amigas, e criaturas incapazes de qualquer deslize.

— Licurgo fez alguma das suas... — lembrou Clóvis.

— Seja como for, ele está no escritório, entregue ao trabalho, absorvido no serviço. A consciência culpada empurra a criatura para o esquecimento de seu crime — sentenciou Lívia.

— Arre, que você já é uma criatura que observa, Lívia! — exclamou Marília, rindo-se.

Lívia corou e começou a trabalhar, sorrindo depois.

Nesse comenos, Sérgio e Sileno, que se haviam ausentado, voltaram a seus lugares, mas aparentemente despreocupados.

Ambos já haviam tomado conhecimento do assalto sofrido por Lisiane.

Clóvis observava-os com o canto dos olhos, e sorria de vez em quando para Marília, que trabalhava em mesa próxima.

Esta compreendia a "perversidade" de seu pretendente e sorria também.

※

Em casa, Gervásia insistia com Lisiane:

— Mas como foi isso, minha filha? Há tarados na fábrica?

— Quem lhe falou isso, titia? Não disse que resvalei e caí, batendo com a cabeça na mesa? Nada de assalto. Lá, tudo é gente educada.

A tia fitou demoradamente a moça, meio sorridente, meio grave, para alfim contestar:

— Você não me engana, Lisi. Sei de tudo. Nós, as mulheres, somos difíceis de aceitar as versões de certos fatos, minha filha.

Não estranho que Licurgo tenha tentado ofender-te. Geralmente, os velhos nunca se convencem de que são velhos mesmo. Coitados! É uma lástima...

E saiu para atender quem tocara a campainha.

Era Miguel, o filho do seu Aprígio.

— Boa tarde, D. Gervásia.

— Boa tarde, Sr. Miguel. Faça-me o favor de entrar. Por aqui. Sente-se, por obséquio.

— Muito obrigado.

— E como estão os seus? Do Sr. Aprígio nada pergunto, pois não faz muito esteve aqui com as meninas. D. Maria vai bem?

— Todos bem, graças a Deus. E Lisiane? Está melhor?

— Lisiane está bem melhor. A hemorragia foi, a bem dizer, diminuta. Está meio abatida, mas isso em gente moça é nada.

— Ainda bem que tudo se normalizou. E a senhora, trabalhando sempre?

— Ora, Sr. Miguel, pobre não pode descansar muito. A necessidade obriga, não é mesmo?

— Cada qual com a sua tarefa.

— Gostaria de ver Lisi?

— Se não fosse pedir muito.

— Venha comigo. Ela apreciará a sua visita.

Quando entraram no aposento, a nobre Lisi estava reclinada numa poltrona, com um livro na mão.

— Minha filha, o Sr. Miguel, filho do nosso benfeitor.

— Não, não, não se incomode. Esteja a gosto. Não se levante — falou Miguel, cumprimentando Lisiane, dando delicado beijo na mão que a moça lhe estendera num gesto amável.

— Muito contente com a sua presença, Sr. Miguel. Por que está a incomodar-se? Não vale a pena.

— Agradecido pela recepção — respondeu Miguel, sentando-se a um convite de D. Gervásia. — Tão logo papai nos contou o seu acidente, mamãe pediu-me viesse buscar notícias suas, pois de momento não lhe é possível sair de casa;

Capítulo 3

entretanto, promete vir logo à noite, de passagem para a sessão do major Gabriel.

— D. Maria é muito gentil.

No preciso instante em que Lisiane proferia a frase, Consuelo, que havia saído para atender um chamado telefônico em casa de D. Malvina, entrava, sobraçando um ramo de rosas vermelhas.

Miguel levantou-se, rápido, e respondeu, gentil, ao cumprimento de Consuelo.

Estava, como sempre, encantadora e espiritual, sorridente e dona de poderoso magnetismo pessoal que atraía as simpatias de quem de si se aproximasse.

Miguel demorou-se, mais do que lhe era permitido pela delicadeza, a fitar a bela Consuelo, que, após os cumprimentos, sentou-se à cadeira que a amiga indicara.

De imediato perguntou pela saúde do casal Aprígio, e de como o amigo passava de saúde desde o dia do passe.

— Graças a Deus e aos seus divinos emissários, em o número dos quais incluo o seu nome, Consuelo, estou muito bem.

— Não reclame para mim lugar que não mereço — ponderou, sorrindo, Dor-sem-fim.

— Merece, sim, senhora — advertiu D. Gervásia, aprovando, com um gesto significativo, a expressão de Miguel.

— Também concordo — acresceu Lisiane.

— Estou sozinha com a minha ideia... — conformou-se Consuelo.

A palestra, porém, tomou novos rumos, e dentro de meia hora Miguel despediu-se de todos, sendo acompanhado até o seu automóvel por Consuelo.

— Por que não aparece mais lá em casa, Consuelo?

— Não tenho tido tempo, Miguel. Meus deveres, e agora a doença de Lisi, me vêm impossibilitando de visitá-los. Entretanto, no instante em que puder fazê-lo, irei vê-los, pois aos bons amigos me ligam laços do mais profundo reconhecimento.

— Não fale em reconhecimento. Nós é que lhe devemos os momentos mais felizes de nossa vida. Mamãe não cessa de falar em você. Diz-me que sempre está a orar pelo anjo que um dia, de mão com a felicidade, entrou em nossa casa.

Estas últimas palavras Miguel as proferiu com voz trêmula, embargada pela emoção.

Consuelo percebeu naquele modo de falar a nobreza de espírito e de coração do filho do milionário português.

— Bondade de D. Maria, Miguel. Pobre de mim, que nada sou e nada valho. Só Deus é bom, meu amigo. Façamos-lhe sempre a divina vontade.

— Não a interrompo mais, Consuelo — disse Miguel, despedindo-se. — Não desejo tomar-lhe mais tempo. Sei que está ansiosa por estar ao lado de Lisiane.

— Sempre o ouço com muita satisfação. É um amigo sincero, e a presença dos amigos nos traz boas horas de prazer espiritual. Muito grata por ter vindo, e prometo visitá-los muito breve.

— E não esqueça, Consuelo, que a sua bondade deu-me a liberdade dos movimentos do corpo físico, mas fez-me cair num alçapão de ouro, onde, prisioneiro, luto por conservar-me encarcerado pela eternidade...

Consuelo não respondeu. Sorriu apenas, apertando a mão do amigo que se despedia.

Caminhando, a passos lentos, de volta ao interior, pensava ainda na frase de Miguel, mas seu coração voltava-se para aquele amor puro e santo que unia sua alma à de Sérgio, de prístinos avatares.

— Não alimente muito os pensamentos de Miguel, Consuelo — advertiu, a sorrir, Gervásia, no momento em que ela dava entrada no quarto de Lisiane.

— Consuelo sabe o que quer, titia — esclareceu Lisiane, sorrindo com os seus lindos olhos castanhos.

Capítulo 3

— Mas Miguel é um tipo insinuante, simpático e dono de atraente conversação, coisas que bolem com as moças — insinuou Gervásia.

— Ela está vacinada contra essas artimanhas do sexo forte... — contraveio Lisiane.

— Bem, agora quem fala sou eu — interveio Consuelo, sempre a sorrir encantadoramente. — De fato, há muito fiz vacinas contra as artimanhas do mundo.

— Tivesse eu a sua idade, Consuelo — falou Gervásia, relembrando seus tempos de moça —, para ver se aquele lindo peixe ia escapar do anzol dos meus olhos e dos meus amores...

E todas riram à vontade.

— Dona Gervásia é uma criatura deliciosa — comentou Consuelo. — Mas a alma não envelhece, D. Gervásia. O corpo não interessa.

— No meu caso, minha filha, o que interessaria seria o corpo — respondeu, piscando os olhos para Lisiane. — Ora a alma, Consuelo... Deixe-se disso. A alma, por mais bonita que seja, formosa mesmo, metida num corpo velho como o meu, que sentimento despertaria na alma de Miguel?

— Arre! D. Gervásia, que a senhora está falando como uma materialista cem por cento — exclamou, sem perder seu sorriso bonito e cativante, a bela Consuelo.

— Temos que terçar armas, minha filha, neste mundo de Deus, contra os nossos próprios ideais, a ver se, de fato, estamos em dia com a nossa evolução — ponderou.

— Estamos brincando, não é mesmo, Lisi? — indagou Consuelo.

— Titia também está brincando com você — respondeu.

— Entretanto, advirto, Consuelo — tornou Gervásia, também sem perder seu sorriso bondoso e animador —, que Miguel é um pedaço de homem.

— Claro que é, D. Gervásia, e feliz da moça que o escolher para marido. Eu, não. Tenho minhas ideias e meus propósitos. Agrada-me bastante viver o amor por seu conteúdo de espiritualidade e de divina grandeza.

— Sérgio é o seu ideal de beleza eterna — arriscou Lisiane —, não é mesmo, Consuelo?

— Sim. E um dia destes, casar-nos-emos.

— Quê? — interpelou, de olhos esbugalhados, Gervásia.

— Acha estranho? — indagou Consuelo.

— Você acabou de dizer que divino é o seu amor por Sérgio...

— Não podem casar-se as almas perante as leis humanas, quando elas já se acham ligadas por Deus pela eternidade, mediante o amor mais santo e mais puro? Não se esqueça de que as leis dos homens, se unem os corpos, também pretendem ligar as almas, estabelecendo vida em comum com severos deveres, e, em muitos países da Terra, com a indissolubilidade do vínculo matrimonial.

— É uma tentativa?

— Sim. Uma tentativa da lei dos homens, pretendendo imitar a Lei de Deus.

— Vocês, almas espiritualizadas — comentou Gervásia, passeando pelo aposento onde tinha curso a palestra —, sempre têm algo a ensinar-nos.

Depois de dar mais de uma dezena de passos, estacou frente a Consuelo e, colocando as mãos na cintura, em atitude característica, interpelou:

— E a mocidade?

— Na mocidade é que se aprende.

— Quê?

— A viver os sonhos lindos que as nossas almas sonharam e sonham.

— Acha você, Lisi, que isso está mesmo certo?

Capítulo 3

— Claro que está, titia. Eu mesma sou candidata. Será uma revolução.

Tia Gervásia, de novo, arregalou os olhos e exclamou perplexa:

— Revolução de quê?

— A Revolução do Amor de Deus — contestou Lisiane, rindo.

A viúva de Rogério silenciou, mas prosseguiu em seu passeio pelo quarto.

Depois de algum tempo, voltou à fala:

— Deus queira que levem avante tão bonito projeto. Tenham presente, entretanto, que são muito belas e fascinantes para não porem a perder a cabeça dos escolhidos. Sei que os rapazes representam a mocidade de aqui a... sei lá quantos anos ou séculos. A semente que vocês pretendem lançar é bem possível germine, floresça e frutifique, não duvido, porque trazem essas mesmas sementes o germe de um sentimento soberano — o AMOR — que é o próprio DEUS.

Estacou e olhou em derredor, sorrindo:

— Quando passar desta para melhor — como dizia o meu bom Rogério —, vocês me ensinarão o segredo desse casamento de almas que vão tentar nesta altura da viagem do mundo, quando a dissolução dos bons costumes parece que alça o colo, pois pretendo, noutra andada por estas plagas do nosso pobre planeta, ajoujar-me ao Rogério, a ver se é possível viver com ele sem pecar... Ou melhor, sem romper o compromisso, o santo ajuste.

Riu com muito gosto, acompanhada por Consuelo e Lisiane.

— A senhora vencerá, titia, porque é um nobre caráter e um espírito valoroso. E creio que tio Rogério também o é.

— Você acertou, minha filha — respondeu Gervásia, limpando os olhos —, pois meu bom marido se revelou, em toda a sua vida, um homem às direitas, um tipo de envergadura moral respeitável e respeitada. Dou mais pelo meu bom Rogério do que por mim, que nada valho.

Sentou-se, cansada, passando pequeno lenço nos olhos fatigados.

Lisiane levantou-se, sem custo, e, ajoelhando-se aos seus pés, murmurou:

— Ninguém no mundo faria por mim o que a senhora tem feito. A sua bondade, a solicitude pela pobre criança que meu pai lhe confiou um dia, o exemplo de trabalho e renúncia de que tanto a senhora tem dado prova, falam mais alto que a minha gratidão. Só Deus poderá pagar à titia o seu desvelo por mim.

Abraçando-se, tia e sobrinha choravam.

Dor-sem-fim fitava-as, de pé, lágrimas correndo silenciosamente.

Capítulo 4

Licurgo, porém, não perdera tempo. Era forçoso agir. Precisava mudar os rumos de sua vida. Aquele ataque a Lisiane e a conduta de seu chefe impunham-lhe novo roteiro. Apesar de ganhar bem, a família vivia a bem dizer na miséria.

Com a importância que Aprígio dera a Quitéria, esta já havia feito uma verdadeira revolução doméstica.

Sempre considerara a Humanidade egoísta e perversa, mormente os endinheirados da vida.

O industrial, porém, demonstrou-lhe que o mundo guarda em seu seio reservas admiráveis de bondade e de amor, a despeito dos homens e de suas apreciações levianas.

Por isso, lá estava, na noite seguinte ao fato, em ampla sala de uma bela casa no Engenho de Dentro, meio oculto entre a enorme assistência, tomando parte na sessão de Espiritismo Cristão que aí se realizava.

Viu Demenciano, sorridente, ao lado de Lívia, que também sorria para ele. Teve vontade de falar-lhe, mas conteve-se. Mais tarde aproveitaria uma oportunidade para conversar a sós com Demenciano, que, certamente, noivara com sua colega de escritório.

Um pouco à frente, o seu Aprígio, acompanhado de D. Maria e de Miguel, o seu filho que Consuelo curara.

À esquerda, D. Margarida, proprietária da pensão onde moravam Consuelo e Lívia, e outros companheiros de trabalho.

Era a primeira sessão de Espiritismo a que Licurgo assistia.

Estava nervoso, inquieto, em sua cadeira. Olhava para todos os lados, procurando descobrir mais algum conhecido.

À mesa da sessão, à cabeceira, sentara-se distinta senhora, alto porte, cabelos abundantes, mas já bastante grisalhos, fisionomia simpática e bonita, gestos mansos e comedidos, palavra bem modulada e simples, que passou a organizar os trabalhos de direção do culto da noite.

À sua direita sentava-se Miguel, e à esquerda Aprígio e D. Maria. Sentaram-se também Lívia e Demenciano.

"Mas o Demenciano!..." — exclamou estupefato. "Quem diria!? Um homem que me vendeu a própria filha! É incrível, meu Deus."

Como se lhe tivesse apanhado o pensamento descaridoso, a diretora dos trabalhos olhou-o diretamente.

Quis crer houvesse no olhar daquela nobre mulher uns longes de censura, de piedade ou de advertência.

Baixou a cabeça e envergonhou-se de haver tido tão rudes pensamentos. Afinal, Demenciano poderia ter-se reconciliado consigo mesmo, com a sua consciência.

"Ele, Licurgo, também não era um réprobo? Sua conduta não era mais reprovável que a de Demenciano? Por que não ver a trave em seus próprios olhos?

"Não estava também buscando a paz de sua vida, naquela casa onde se pregava e exemplificava o amor de Deus e do próximo?"

Levantando o rosto, timidamente, com medo que a diretora ainda o estivesse espreitando, percebeu que toda a assistência e os componentes da mesa conservavam-se de cabeças baixas, como que fitando o chão.

Capítulo 4

Imitou-os, a seu turno, pensando em sua vida e nos seus erros, seus compromissos e seus deveres, sem perder de vista a generosa conduta de Aprígio.

E agora estava ali, numa sessão de Espiritismo, trazido não sabia por quem, mas viera *livremente*, sem atinar por quê...

Ergueu um pouco a cabeça e sentiu que a Diretora — Sra. Maria Amélia — pervagava o olhar pela sala iluminada.

Voltou à posição primitiva, quando ouviu que alguém falava em tom sereno, amorável, compreensivo.

Era uma lição de bondade e de amor.

Procurou, com o olhar, o orador.

"Miguel é quem fala...", disse, admirado, para dentro de si.

Prestando maior atenção ao que dizia o filho do milionário, encontrou-se consigo mesmo dentro da palavra que prendia a assistência sedenta de luz.

Uma história igual à sua. Quem sabe se não era a narrativa de sua reencarnação atual?

"Não é Miguel quem está falando, não. É um Espírito" — dizia Licurgo mentalmente.

Efetivamente. O paralítico de ontem, médium sem o saber, mas homem de boa vontade e que vinha, desde sua cura, ajudando a Sra. Maria Amélia em todos os serviços de caridade, instrumento dócil de elevado Espírito, transmitia, mediunizado, belíssima mensagem em que a nobre Entidade abordava assunto do mais vivo interesse para os aprendizes do Evangelho.

Licurgo estava encantado. Não se conteve, levantou a cabeça e passou a olhar o filho de Aprígio, àquela hora já meio transfigurado, mas sereno, olhar lúcido, gestos mansos, fitando o Alto.

Gostaria um dia de ser assim também. Receberia almas bondosas e trabalharia sem cessar em prol dos necessitados e sofredores. Sua hora soara, certamente. Seguiria as pegadas de Miguel. Terminada que fosse a sessão, procuraria D. Maria Amélia e lhe diria de seus desejos e de suas esperanças.

De vez em quando, Miguel compassava seu olhar límpido pela assembleia, detendo-se, um pouco mais, na figura humilde de Licurgo.

"O Espírito está me reconhecendo o passado umbroso, mas também deve conhecer a vontade que me anima de servir e ajudar ao meu semelhante, a começar pela pobre Quitéria e os meus filhos queridos", conversava consigo, ao mesmo passo que acompanhava com bastante interesse a preleção de Miguel. "Como me demorei no vício!..." — continuava em seu solilóquio. "Estou com quarenta e poucos anos, e ainda não fiz nada senão comprometer-me com a própria vida e com a Justiça de Deus."

E prosseguiu, atento, bebendo as palavras que o Espírito, por intermédio da mediunidade de Miguel, proferia com a mesma meiguice e o mesmo tom de sublime beleza com que iniciara sua edificante palestra.

Quando Miguel se sentou, tranquilo e reconfortado, outros médiuns recebiam, pela psicografia, páginas de conteúdo espiritual que comoviam até às lágrimas a assembleia silenciosamente concentrada e feliz.

Divagando o olhar pelo salão, após a audição do recado mediúnico trazido por Miguel, Licurgo descobriu, quase ao pé de si, um ente que de homem tinha apenas a forma, de vez que, no locomover-se, arrastava-se como um quadrúpede.

Somente ao sentar-se, o que apenas podia fazer encostando-se à parede, é que se poderia afirmar tratar-se de gente, pois o tronco, naquela positura, era igual ao de qualquer ser humano.

Discretamente, Licurgo observou-o penalizado.

Sua fisionomia doce e serena, resignada e calma, revelava uma alma aquietada humildemente à rudeza da prova escolhida.

Era um homem de 20 anos, cujos braços, quando sentado, avançavam para a frente, e as pernas, atirando-se no soalho, permitiam-lhe permanecer na posição bastante tempo.

Ao seu lado, um bornal, onde, naturalmente, carregava seus pertences de uso imediato.

Capítulo 4

Seus olhos brilhantes se fixavam em Miguel, e sentia-se que o comunicado psicofônico lhe inundara o espírito de suaves consolações.

A mensagem falava dos erros e dos crimes praticados pelo homem em reencarnações anteriores, e que as provas, as mais rudes e severas, representavam o preço dos resgates salvadores.

Referia-se, ainda, àquelas que reduziam mesmo as criaturas, no corpo físico, a verdadeiros monstrengos, na pauta teratológica, para se redimirem.

E embrenhava-se o ser comunicante em considerações de ordem evangélica, para concluir que se Jesus não viera revogar a Lei nem os Profetas, dera, todavia, aos homens a verdadeira interpretação do ensino de Moisés, no tocante ao "olho por olho, dente por dente".

Que na Justiça Eterna há sempre o espírito de sua Infinita Misericórdia.

Felicíssimo, tal o nome do monstrengo, estava como que fascinado pela dissertação do generoso mensageiro.

Terminada a sessão, Licurgo achou-se ao lado de Felicíssimo.

— Que lição, meu amigo! — exclamou, encostando-se bem ao lado da pobre criatura.

— Deus é bom demais... — murmurou, lançando um olhar amistoso ao companheiro que lhe dava o testemunho de sua humildade, de sua compreensão.

— Mas a sua justiça é tremenda — arriscou Licurgo.

O estranho homem não lhe deu logo a resposta. Olhou para todos os lados e, virando-se para Licurgo, disse, alegremente conformado:

— Não, meu amigo, não concordo com o senhor. A Justiça de Deus é a sua própria Misericórdia. Meu pai terrestre já me dizia isso, a partir do tempo em que eu comecei a compreender as coisas. Um dia, chamou-me a um canto da sala e disse-me que o homem que se revolta contra as dores do seu destino e as lutas cruentas de sua vida ainda está muito longe de ser homem.

"'Sabia e sei que um dia compreenderás isso, meu filho, e daí o ter-te dado o nome de Felicíssimo.'

"Mas acha o senhor que é felicidade o arrastar-se um ser humano pelo chão, à feição de ofídio ou quadrúpede? Gostaria de locomover-me como os meus semelhantes — respondi ao bondoso progenitor."

— E que lhe respondeu ele?

— Olhou-me, compreensivo e generoso, e redargiu, olhos nublados, e brincando com um escapulário que minha mãe me colocou ao pescoço quando comecei a rastejar.

Interrompeu-se, chorando no silêncio de sua saudade... ou de sua dor silenciosa. Licurgo não o soube nunca.

Retomando a narrativa, Felicíssimo continuou, limpando, discreta e disfarçadamente, uma lágrima só, uma só lágrima, mas que valia pela revelação de um mundo ignoto de sonhos desfeitos e de loucas esperanças fenecidas:

— "Meu filho" — dissera-me —, "ouve-me, com atenção, partindo do princípio eterno e imutável de que Deus é Bondade, Justiça, Perfeição..." E contou-me de como quitamos a nossa dívida contraída em reencarnações anteriores. Os nossos erros, os nossos crimes. Em certa altura de sua doutrinação, acentuou: "Felicíssimo, a tua prova não desperta em teu espírito lembranças dolorosas? Nunca procuraste saber a origem dessa tremenda expiação que te reduziu, fisicamente, a um monstrengo de carne?"

"Olhei-o, meu amigo" — continuou Felicíssimo —, "sem saber o que responder. Chorei apenas. Era e continua sendo o único recurso que Deus me deu para expungir o fracassado espírito de sua miséria e de suas mazelas que se estampavam no próprio corpo. Meu pai, diante de meu pranto silencioso e triste, calou-se, esperando que eu lhe dissesse alguma coisa. Que

Capítulo 4

lhe poderia dizer? Ele sabia, como eu o sei hoje, que a prova era proporcional à gravidade de minhas faltas."

Felicíssimo calou-se e espraiou o olhar dorido pelos que ainda permaneciam no recinto, que eram pouco mais de meia dúzia de pessoas.

Quando, por seu lado, Licurgo também levantou os olhos, percebeu que todos os fitavam, curiosamente interessados em sua palestra.

Seu "entrevistado", tomando do bornal, com uma agilidade incrível, colocou-o no pescoço, dando-lhe algumas voltas, de maneira que lhe não impossibilitasse os movimentos. Era um cão ostentando estranha coleira.

— Felicíssimo — segredou-lhe, abaixando-se —, quer que o leve a sua casa? Para mim será uma satisfação gozar de sua palestra e de sua companhia.

Olhou-o o companheiro e sorriu tristemente.

— Não tenho casa. De há muito que moro numa estrebaria abandonada, longe daqui, onde me entrego à fabricação de bonecos de pano, que as crianças me compram, e com isso vou vivendo a prova que Deus, por sua bondade, me conferiu para o resgate de alguma coisa de meu passado.

— Quem sabe se você não conseguiria melhor trabalho, com melhor salário, na fábrica de seu Aprígio, onde sou empregado?

— Para que sirvo eu?

— Não tem habilidade para fazer bonecos?

Pensou um pouco e decidiu-se:

— Meu tugúrio fica a menos de 100 metros da fábrica.

— Então, aproveitemos a oportunidade. O Sr. Aprígio ainda está conosco. Venha, Felicíssimo.

Encaminharam-se os dois rumo à mesa onde ainda se achavam a família de Aprígio e D. Maria Amélia.

— Peço licença, não só para cumprimentá-los, como também para apresentar o meu amigo Felicíssimo, com quem travei relações nesta sessão.

Aprígio foi o primeiro a levantar-se e dar a mão ao visitante.

— Já o tenho visto nas proximidades de minha fábrica, numa bela concorrência aos meus produtos — disse, sorrindo, batendo amigavelmente no ombro do fabricante de bonecos.

Felicíssimo sorriu, contrafeito, e respondeu com humildade:

— Ganho minha vida assim, fazendo uns bonecos que as crianças compram e me pagam até muito bem. O senhor vai ter que me perdoar.

— Não, Felicíssimo, não me peça perdão. Gostaria que fosse empregar sua habilidade em nossa fábrica. Quer me ajudar, trabalhando para nós?

— Seria uma caridade — murmurou, encostando-se a um dos pés da mesa.

— Não diga caridade, porque digno é o trabalhador de seu alimento.

Depois de ligeira pausa, indagou:

— Mora ali mesmo, onde o vejo sempre?

— Sim, senhor, instalei-me naquela estrebaria abandonada, desde que meu pai morreu, pobre e desamparado, não da bondade de Deus, mas de meus semelhantes. Nunca ninguém me reclamou a estada aí, e fui ficando, ficando... Não pago aluguel.

E sorriu com tristeza, mas uma tristeza conformada, resignada.

— Bem, Licurgo se encarregará de instalá-lo, a partir de amanhã, em uma dependência do edifício da fábrica, já destinada a essas emergências, e cuidará de seu aproveitamento na seção especializada. Esta noite não pernoitará mais em lugar tão impróprio.

Chamando Licurgo a um lado, e depois de pedir notícias de D. Quitéria e dos filhos, recomendou-lhe que levasse Felicíssimo ao seu automóvel e lá o acomodasse, pois pretendia, logo a seguir, ele mesmo, indicar-lhe a sua nova moradia.

Capítulo 4

Daí a meia hora, estavam confortavelmente sentados em acolhedora peça de um pavilhão da fábrica. Felicíssimo se instalara em ampla cadeira moderna, enquanto seu amigo escolhera cômoda poltrona de molas.

— É uma alma de elite, pura e santa. Devo-lhe a minha vida e o bem-estar de minha família — confessava Licurgo, enquanto seu novo amigo lhe contava:

— Via sempre aquele homem alto, gordo, alegre e simples passar pela estrebaria e olhar-me amistosamente, de igual para igual. Nunca pensei que fosse tão bom como é.

Só muito mais tarde Licurgo soube por que abrira a Felicíssimo o seu coração. Contara-lhe tudo. Precisava desabafar. Não escondeu um pormenor que fosse de sua vida.

Felicíssimo ouviu-o com a maior atenção, interrompendo-o, de vez em quando, para esclarecer determinada circunstância.

Chegando ao fim de sua narrativa, Felicíssimo chorava juntamente com o amigo.

Foi uma confissão ampla, minuciosa, verdadeira e sincera.

Sentiu-se, após, aliviado, coração desopresso, alma mais otimista e cheia de vontade para trabalhar, ajudar e servir.

— Hei de redimir-me dos erros, dos crimes e dos pecados. Jesus me ajudará, estou certo disso, Felicíssimo.

Felicíssimo, porém, estava como que alheio ao que se passava em torno. Mergulhado em profunda meditação, parecia ausente, pelo espírito, por um fenômeno de desdobramento tão conhecido dos espiritistas.

Licurgo não o interrompeu. Deixou que ele vivesse seus pensamentos, e sua imaginação galopasse por plagas remotas e diferentes mundos.

Não demorou, contudo, a abstração de seu novo colega de serviço e confidente.

Quando Felicíssimo, como quem desperta de um sonho triste, fitou o companheiro, chorava silenciosamente.

Era uma figura dolorosa, extraviada de regiões fabulosas.

Com seu bornal pendente do pescoço, seu rosto enorme como grande a cabeça, cujos cabelos falhavam em duas ou três regiões do crânio, onde se percebiam visivelmente profundas reentrâncias, como se tivessem sido feitas a escopro, Felicíssimo era um homem extremamente feio.

— Sei que me acha feio — disse, humilde —, todos me fitam insistentemente quando me veem.

— Não o estou achando feio, Felicíssimo — respondeu —, estava esperando que você descesse de seu mundo.

— Estou brincando, meu amigo. Quando, depois de sua história, mergulhei em meu passado, que o sinto demoníaco e infernal, resolvi também contar-lhe a minha dolorosa via-crúcis, neste vale de lágrimas. Sei que meu aspecto físico, que deveria inspirar piedade ou simpatia, desperta, nas pessoas que me veem, repulsa, horror e medo.

— No crime está o castigo, dizem. Daí, Felicíssimo, o nosso sofrimento quando nos afastamos da estrada do bem. Digo-lhe isso porque também sou um réprobo, ou...

Interrompeu-se a um sinal de seu amigo.

— De minha história, conto-lhe apenas, Licurgo, um capítulo que é o mais triste e pungente de todos os que escrevi. Por que um monstro como eu devia sonhar, alimentar esperanças, construir castelos, pensando no amor? Quem poderia amar-me hoje, amar a um ser repelente e ascoroso? Quem, Licurgo?

— Deus!

— Sim, Deus, meu bom amigo. Deus, porque me amando, o mundo me amaria.

Silenciou, limpando indiscreta lágrima.

— E a quem ama você, Felicíssimo?

— Amei a essa divina criatura, como a célebre personagem do romance de Victor Hugo. Somos os monstros humanos, por forças tremendas que nos forjam os destinos, porque as provocamos ao longo da vida, arrastados quase sempre, pelo amor, para junto dos seres a quem ferimos e maltratamos.

Capítulo 4

— Quem é ela, Felicíssimo?

Sorriu melancolicamente, fitou o amigo e falou:

— Espere. Quando souber o seu nome, certamente se tomará de espanto.

De novo calou-se, olhando todo o conforto que os cercava.

— O seu Aprígio é uma bela e grande alma. Quem, como ele, fabulosamente rico, se lembraria de um cão que nasceu homem, por misericórdia de Deus? Ninguém, meu bom Licurgo. O mundo é ainda o paraíso dos egoístas e dos avarentos. Retificando, também posso dizer: um homem que nasceu cão...

— O Sr. Aprígio é tão bom que conseguiu, por seus créditos espirituais, mediante um passe espírita, ministrado por uma santa, que é a Consuelo, entre nós também conhecida por Dor-sem-fim, a cura de seu filho Miguel, que há anos se encontrava imobilizado numa cadeira, atacado de estranha enfermidade que zombava dos recursos da ciência médica.

— Dor-sem-fim? — quase gritou Felicíssimo, sem esconder sua estupefação, e deixando que as lágrimas lhe lavassem, abundantemente, as faces.

Quis erguer-se à pronunciação daquele nome, mas a tremenda prova escolhida esmagava-o na mesma positura, castigada na imitação dos cães.

Licurgo percebeu, num relance, o drama daquela criatura e falou comovidamente:

— Sim, ela mesma, a doce e espiritual Consuelo, a quem você ama, do mesmo modo que amo Lisiane.

— Entretanto, você curou-se, embora pudesse aspirar ao amor daquela criatura, porque, pelo menos, é um homem, ao passo que eu sou...

— Um espírito resignado na formidável provação recuperadora — atalhou Licurgo. — Aprígio me chamou precisamente na hora da debacle aterradora. Dei-me conta de mim. Sem deixar de amá-la, mas passando a amá-la com aquele sentimento que dignifica as almas, estou decidido a mudar radicalmente de vida, concentrando nos meus deveres de pai, de esposo e de homem cristão todas as energias da minha personalidade.

"Felicíssimo" — falou arrebatadamente Licurgo —, "nós é que, desviando-nos dos retos caminhos do Senhor, açoitamos, para longe do coração, o sublime sentimento do amor mais santo que Deus, por misericórdia, verteu em nossa alma, ao longo da marcha evolutiva que vimos realizando, desde que, faísca de luz desprendida da Mente Infinita, encetamos a caminhada rumo às conquistas do espírito, que nos poderão transformar em deuses, como ensina o Evangelho do Reino. Hoje sofremos na escravidão, e amanhã gozaremos dos frutos da suprema libertação. Soframos, amigo! — exclamou como que empolgado por estranho fenômeno. Na dor está a liberdade, tanto quanto no amor, a felicidade."

Com um profundo suspiro, Licurgo recostou-se, como quem se refaz de grande esforço, na poltrona macia em que estava.

Felicíssimo encarou-o, admirado, e comentou a seguir:

— Esteve mediunizado, Licurgo?

— É bem possível, não sei. Mas... voltando ao assunto, ama-a muito?

— Desesperadamente, Licurgo... Um dia, quando ela passou pela estrebaria onde fazia meus bonecos, a caminho do escritório, fitei-a, e só para ter a felicidade de ouvir a sua voz, que deve ter os acentos e a maciez dos córregos rumorejantes por sobre alfombras de seda e de arminho, perguntei-lhe se não queria ajudar-me, comprando um boneco. Ela fitou-me com doçura, meiguice e santidade, e inclinando-se para alcançar o engonço, sua mão tocou-me de leve, naturalmente sem o querer, os dedos aleijados. Ai! meu amigo, foi o mesmo que aconteceria se Deus tocasse de mansinho um coração dorido e sofredor. Os desertos da alma, Licurgo, também ostentam, de distância em distância, os oásis imaginários da felicidade que ficou para trás... ou que estará adiante... "Dê-me esse que é muito bonito", pediu-me ela, escolhendo o mais feio de quantos bonecos tinha feito.

Capítulo 4

E entregando-me uma cédula que daria para comprar a produção de dez anos, retirou-se, olhando-me com um olhar que lembra o olhar da Virgem Maria numa tela de Rafael.

— Felicíssimo — perguntou-lhe —, não a tem visto mais?

— De onde em onde, ela passa por lá, dirige-me um "bom-dia" ou "boa-tarde". Ela deve saber que a sua presença é, para o espírito sofredor do rude fabricante de engonços, uma esmola celestial que só as almas angelizadas sabem ofertar aos desgraçados da Terra.

Calou-se, limpando as lágrimas, para depois retomar o fio de sua confissão.

— Um dia, quando terminava um de meus trabalhos, olhei-me fixamente e senti que um ser monstruoso me vertia na alma atormentada frases incoerentes, de sentido dúbio ou figurado, obrigando-me a encarar de novo a minha produção artística. Quando mais me concentrei nela, o "Gigante do Inferno", como qualifiquei a Entidade apocalíptica que me visitava pela primeira vez, segredou-me, sarcástica, irônica e ferina: "Modela o teu próprio 'eu', carrasco que tingiste as mãos no sangue de criaturas inocentes, nesses engonços que são a lembrança e o saldo de todas as carnificinas que executaste! Anda, maldito, multiplica monstros pelo mundo, para que te perpetues pelo horror de tuas máscaras e de teus manipansos!"

— Verdade, Felicíssimo?

— Verdade, sim, Licurgo. E sabe o que logo adiante me disse ele?

— Não sei. Adivinho talvez.

— Pois bem, meu amigo, confesso ter-me revelado que Consuelo ou Dor-sem-fim foi a vítima da minha crueldade, num campo de prisioneiros, na Primeira Guerra Mundial. Será mesmo?

— Creio que sim. Você não guarda nada em seu coração quando a vê?

— Só sei que a amo. Amo-a como ninguém jamais amou no mundo. É o castigo maior que se pode conceber.

— Continue amando-a, Felicíssimo, mas espiritualize esse amor.

— Pretendo fazê-lo a cada passo, porém, de vez em quando, pensamentos de posse e de desejo me atormentam, escaldando-me o cérebro, queimando-me a cabeça, como as lavas de mil vulcões.

— É urgente reagir, Felicíssimo.

— Reajo a cada investida do ente perverso que adormece em mim. Gostaria de saber dominar-me, mas o passado me pesa como uma condenação, meu bom amigo.

— Quando nos habituamos a viver no pecado, difícil é o esforço de retomarmos o caminho do Bem — considerou Licurgo, relembrando o seu caso.

— Feliz de quem a desposar.

— Muito feliz será Sérgio quando se unir a Consuelo.

— Quem é Sérgio?

— Um colega nosso da fábrica, mas ele será feliz muito mais do que possamos imaginar — esclareceu Licurgo.

— Como assim?

— Seu casamento com Consuelo, pelo que sei, será apenas o cumprimento de uma formalidade de lei, para que possam coabitar sob o mesmo teto sem dar que falar ao mundo e aos homens. A união, seu Felicíssimo, será só de almas, não tomando parte nela o corpo, com os seus apetites por vezes insopitáveis.

— Mas isso é loucura, é absurdo, é contra a própria Natureza! — exclamou o fabricante de manipansos.

— Para nós, Felicíssimo, que ainda não aprendemos a amar sem egoísmo e a olhar para uma mulher sem desejá-la. Por sermos assim, não significa dizer que todos também o sejam. Não. Quem se espiritualizou pode prescindir do exercício do sexo, sem que isso importe em seu menosprezo. Afinal, Felicíssimo, convenhamos em que um olhar, um gesto, um movimento de

Capítulo 4

suavidade e carinho do ente amado — para quem já aprendeu a viver pelo e para o espírito —, importam na revelação de um amor que com isso se satisfaz. Ai! Felicíssimo amigo, como estamos longe da espiritualidade: eu, você e Spoletto.

— Quem é Spoletto?

— Um velho fauno debochado, ridículo e pegajoso.

— Um tipo como eu?

— Não. Moralmente, um tipo mais parecido a mim. Se ainda não assaltou Consuelo em seu gabinete de trabalho, na fábrica, é porque não tem a coragem que a lubricidade me dá.

— Meu Deus, que coisa repugnante!

— Sim, meu pobre amigo. Você terá oportunidade de conhecê-lo amanhã. Eu lho mostrarei, na primeira ocasião. Não irá arrepender-se de o examinar de perto.

— E Spoletto ama Consuelo?

— Gente dessa espécie não ama, porque nem mesmo sabe o que é amor. Spoletto, como eu antes, apenas deseja a posse daquela nobre criatura que lhe povoa os sonhos bastardos e repulsivos.

— Sim, Licurgo, você tem razão.

— E agora, meu bom Felicíssimo, vou deixá-lo. Quitéria, a estas horas, já deve estar imaginando coisas com a minha ausência do lar. Você sabe, quem foi rei sempre é majestade...

Levantou-se, deu alguns passos pela sala, sacudindo as pernas, como para lhes dar elasticidade e flexibilidade, e parou na frente de seu amigo:

— Amanhã, muito cedo, à hora do início do serviço, estarei aqui para mostrar-lhe a sua seção, se é que o Sr. Aprígio já não o fez, junto a Spoletto, que é uma espécie de superintendente.

— Ele me disse que eu ficava à sua disposição, trabalhando com o amigo...

— Tenha bons sonhos, Felicíssimo — despediu-se Licurgo, fechando a porta.

Ficando a sós, o fabricante de bonecos voltou a pensar em Consuelo.

Era uma felicidade senti-la por intermédio de sua escaldante imaginação.

Experimentava ainda aquele toque de seus dedos aristocráticos em sua mão, quando da venda do primeiro brinquedo.

Vivendo o instante maravilhoso, deteve-se, por muito tempo, na contemplação mental da criatura a quem tanto amava.

— O mesmo tipo repelente, fisicamente repelente, da personagem de *O Corcunda de Notre Dame*, reencarnado na forma de um quadrúpede a perseguir uma falena... — considerava, sorrindo tristemente, escarnecendo de si mesmo. — O homem nunca sabe esconder o seu amor, e muito menos os feios e os deformados. Eu sei que a conheci antes... na lonjura dos milênios... Há reminiscências aflorando à consciência, na tortura das recordações dolorosas. Amei-a, mas sacrifiquei-a por não me ter amado... Seus sonhos deveriam ser, como até agora, uma divina ascensão para a Luz, num voo para o Amor de Deus. Sei que a amo. Insânia!... Loucura!... Sonho inatingido!...

Delirando, na obsessão mais atroz:

— Morreria por ela! Ai! se Deus permitisse meu sacrifício por ela, era a glória do meu espírito, no tormento de um amor de salvação.

Não falou mais. Continuou pensando... pensando... pensando, até que, exausto, adormeceu, espírito voltado para Dor-sem-fim. Mas, de repente, estremeceu e deu um pulo, caindo sobre o tapete, aos pés do sofá.

Sentiu uma dor aguda na espinha, mas logo se refez e, com dificuldade, galgou, depois de ingentes esforços, o leito improvisado.

Reacomodado, começou a recapitular o pesadelo que o fizera despertar violentamente, do qual Consuelo era uma das figuras principais.

Capítulo 4

"Estava cortando-lhe os cabelos... não, raspando-lhe a cabeça com uma navalha, na Europa Ocidental. Num campo de prisioneiros. Ela, meiga irmã de caridade, enquanto eu lhe feria a cabeça, orava e acariciava as minhas mãos."

Olhou para as mãos aleijadas, disformes, mas que ainda assim lhe permitiam os movimentos dos dedos.

— Consuelo! — gritou desesperadamente na sala vazia.

Lá adiante, respondia-lhe o eco: Consuelo!

Repetiu-se o mesmo fenômeno de acústica: Consuelo!... Consuelo!... extinguindo-se a seguir.

— Matei-a! Sim, matei-a, não porque fosse uma espiã. Ai! meu Deus, sacrifiquei-a por não querer submeter-se aos meus desejos. Hoje, meu contato lazara, infecta, apodrece... Consuelo, perdoa-me. És uma alma purificada por todos os martírios. Compadece-te de mim. Sei que me estás ouvindo. E porque me ouves a estas horas, e me perdoas, amanhã me salvarás com o teu perdão.

....

No dia seguinte, foi um espanto o aparecimento de Felicíssimo na fábrica.

— Chama-me aquele quadrúmano, rapaz, depressa! — ordenou Spoletto a Gonçalino, o meninote que servia cafezinho aos funcionários que trabalhavam na Superintendência.

— Quem é esse, seu Spoletto? — indagou o rapaz, atrapalhado com a significação da palavra.

— Esse sujeito que anda de quatro pés, Gonçalino!

— Ah! o Felicíssimo...

— Sim, rapaz.

Instantes depois, arrastando-se quanto lhe permitiam os braços e as pernas, estava ele diante de Spoletto.

— Onde conseguiste aprender a andar assim? — perguntou, sarcástico e irreverente.

— Deus é quem lhe pode responder, senhor. Cumpro a sua vontade.

— Mas agora é comigo, e não com Ele. Daqui por diante deverás obedecer à minha vontade e não à dele, estás ouvindo?

— Estou ouvindo, sim, senhor. Estou às suas ordens, no que me for possível.

— Sim, no que for possível, pois, pelo que vejo, nem tudo te será possível.

Sorriu. Olhou demoradamente para Felicíssimo, analisando-lhe a positura, e ordenou:

— Teu serviço será o de colocar os cartões nas bonecas que deverão ser acondicionadas nas caixas. Lá dentro — e indicou com o braço estendido uma sala onde diversos empregados empilhavam brinquedos destinados ao encaixotamento. — Não sei se poderás fazer alguma coisa que preste, em todo o caso, arrasta-te para lá como puderes.

E deu-lhe as costas, dirigindo-se para seu gabinete.

Felicíssimo conteve-se para não chorar. Pensou que era melhor fazer seus engonços, na estrebaria, a ter que suportar aquele homem desalmado.

Voltando-se para cumprir a determinação do chefe, viu Consuelo que, inclinando-se para ele, lhe segredava:

— Não guarde ressentimento de ninguém, Felicíssimo, porque assim não se desincumbirá da prova que o trouxe a este mundo, para onde sempre voltamos para ressarcir os descaminhos do passado. Tenha paciência. Eu o ajudarei no que estiver em mim.

Batendo-lhe delicadamente no ombro, e sorrindo, disse-lhe baixinho:

— Recebi seu pedido de ontem à noite. Não desespere. Se acha que, ouvindo a palavra perdão, se sente melhor, eu a digo: perdoo-lhe, Felicíssimo. Conte sempre comigo. Trate com respeito o Sr. Spoletto, e cumpra-lhe as ordens sempre com presteza e boa vontade. Ainda irá gostar dele.

Capítulo 4

O pobre "Cão da Fábrica" olhava-a embevecido, sem poder proferir ao menos uma palavra. Seus olhos estavam nublados, erguidos para Consuelo, como se fitassem o céu.

Era uma noite que queria morrer, desmaiando nos lances da madrugada.

Nem se deu conta de que Consuelo já não estava mais ali.

Foi quando Spoletto apareceu à porta e, dirigindo-se a Felicíssimo, interpelou-o áspero e agressivo:

— Então, seu monstrengo, que estás ainda a fazer aí? Vais ou não vais trabalhar?

— Desculpe-me, seu Spoletto, mas estava recebendo umas informações da Srta. Consuelo, por isso me demorei um pouco em cumprir as suas ordens.

E arrastou-se para o local indicado pelo chefe, sempre com o bornal pendente do pescoço, como se fora um açamo dependurado numa coleira.

Mas a grosseria de Spoletto nem sequer a ouviu, arrebatado na felicidade de ter visto e ouvido Consuelo.

Toda a maldade do mundo podia agora esmagá-lo. Não a sentiria. Na profundeza de sua alma cantavam as palavras e o perdão de Dor-sem-fim.

— Que me açoitem e que me matem!... — exclamava, feliz, relembrando o gesto delicado, meigo e carinhoso da Irmã de Caridade, que tinha vindo ao seu encontro para perdoar-lhe, prometendo ainda que se interessaria por sua sorte.

Encaminhando-se para o seu posto, falava consigo, radiante, cheio de felicidade:

"Ela me ouviu ontem à noite. É uma santa. Eu viveria uma eternidade, contemplando-a. Obrigado, meu Deus! Por que me atendeste, se não mereço nada, Senhor? Enquanto ele me maltratava, ela descia do seu pedestal de luz para falar ao verme imundo e ascoroso. E sorriu para mim, que a matei no passado."

— Arreda! — gritou um empregado que passava, empurrando um carrinho de mão carregado de pesados volumes. — Quem não anda como gente, deve ter mais cuidado consigo.

Felicíssimo, no entanto, sorria na sua ventura, ignorando as palavras do homem do carrinho.

"Sou feliz, bobalhão! Tu nem podes imaginar como sou feliz! Sou o 'Cão da Fábrica', mas não me troco pelo homem mais belo do mundo... Loucos, sabem lá como sou feliz?"

Daí a instantes, encostado à parede, meio sentado em um banco tosco, dependurava no pescoço das bonecas as etiquetas que indicavam os preços e as referências de fabricação.

Seus pensamentos giravam em torno da doce e angelical figura de Consuelo.

À noite, tendo pedido a Licurgo que o levasse à sessão do major Gabriel, lá estava, perto da mesa, a um canto da sala, à espera de Consuelo.

Não podia mais viver longe daquela criatura que o fascinava.

O amor por Consuelo, que nunca pôde sopitar, mais crescia e elevava à medida que se convencia da distância espiritual que os separava.

"Mas somos imortais e evolutivos. Um dia poderei chegar aos seus pés para beijá-los e orvalhá-los com as lágrimas mais santas que então os meus olhos chorarão. Pode Deus esmagar o verme, e tenho pressa que o faça. Assim, atingirei a minha redenção", dizia mentalmente.

Minutos depois davam entrada, no salão, Aprígio e D. Maria, Sileno e Lisiane, Consuelo e Sérgio, Marília e Clóvis, o tenente Pompeu, D. Maria Amélia e Miguel, que se fazia acompanhar de Lívia, noiva de Demenciano.

Todos se movimentaram à presença dos visitantes.

Gabriel os recebeu amável e solícito.

Dor-sem-fim perscrutou o recinto como quem procura alguém.

Capítulo 4

Sentado ao chão, por não poder fazê-lo em uma cadeira, de olhar brilhante e feliz, lá estava Felicíssimo, com seu indefectível bornal, à espera que Consuelo lhe desse a ventura de descobri-lo.

Quando o viu, juntamente com Sérgio, dirigiu-se, discretamente, ao seu encontro e, inclinando-se, disse-lhe:

— Boa noite, Felicíssimo — e apertou-lhe a mão tremente.

— Boa noite, Srta. Consuelo — respondeu, curvando-se quanto lhe permitia o corpo defeituoso, e, num gesto de requinte e ao mesmo tempo de comovedora humildade, aproximou os lábios da mão acetinada de Consuelo, sem, contudo, a beijar.

Ela sorriu para o "Cão da Fábrica", num movimento de gratidão, e retirou-se, acompanhada de Sérgio, que também sorria, feliz.

Licurgo assistiu a tudo e, de longe, o cumprimentou, dando-lhe a entender que participava de sua felicidade.

Pompeu não perdera de vista Felicíssimo, desde o momento em que o avistara no canto do auditório.

"A mesma fisionomia do carrasco do campo de prisioneiros que martirizou Consuelo", dizia de si para si. "Os atores se reencontram no espaço e no tempo. Se não fosse pleonasmo, afirmaria que perfeita é a Justiça de Deus. O reencontro para ressarcimento de velhos débitos. Felicíssimo e Dor-sem-fim. A mesma fisionomia. A cabeça ostentando tudo quanto ele fizera na de sua vítima. O corpo apresenta a mesma posição em que ficara na cerca, pela eletrocução. Nas faces, sulcos aqui e ali, como se alguém houvesse arrancado pedaços à navalha. Agora o resgate. Sei que o crime de Consuelo não foi o de espionagem, pelo qual tanto sofreu. Era o de não tê-lo amado. Confessou-me sempre. Hoje, o castigo que ele mesmo se impôs. Se antes Consuelo não o amava, no sentido em que Felicíssimo queria, agora tomam vulto em seu espírito adamantino razões mais poderosas, porque de divina espiritualidade."

Felicíssimo, tocado talvez pelos pensamentos de Pompeu, que ali perto exumava o seu passado tinto de lama e sangue, de erros e de abusos, insensivelmente voltou os olhos para o Tenente, e sentiu que o tinha dentro de si mesmo, como uma testemunha de acusação, vigilante como o remorso, implacável como o destino.

"Conheço-o tanto quanto ele a mim" — disse mentalmente. — "Não importa. Tenho pedido a Deus me faça sofrer muito. Apresso-me a ir ao encontro da dor. Anseio pelo martírio. Quero aproximar-me de Consuelo, e o caminho que me leva à sua alma é o da renúncia e das supremas amarguras do coração."

Feita a prece inicial dos trabalhos pelo tenente Pompeu, a convite do major Gabriel, teve começo a sessão, sendo recebidas diversas mensagens por intermédio da mediunidade de Miguel, Consuelo, Lisiane e D. Maria Amélia.

Logo após, levantou-se o industrial Aprígio, que, com a permissão do diretor, falou deste modo à assistência:

— Meus amigos: alguns servidores desta casa deram-me a agradável missão de comunicar-vos que as obras de nossa instituição, Lar de Maria — nome que é uma homenagem muito humilde e muito pálida à nossa Mãe Santíssima —, acabam de ser definitivamente concluídas. Não era nosso propósito inaugurá-la com festas, ao gosto de muitos. Entretanto, o acontecimento terá a presença de bons companheiros que nos ajudaram a construir o edifício, aos quais devemos uma manifestação de reconhecimento, embora sem alarde e sem publicidade. Jesus também não desdenhou os júbilos familiares, transformando a água em vinho, nas bodas de Caná. Vamos transformar o suor de nossas canseiras no vinho do coração.

Aprígio demorou o olhar na assistência e prosseguiu:

— Na bela construção, que é obra de todos, abrigaremos crianças de todas as raças, crenças e cores. Temos capacidade para quinhentas criaturinhas. Nosso amigo Miguel — que Jesus

Capítulo 4

curou por acréscimo de misericórdia, por intermédio de uma santa que hoje ilumina esta casa — supervisionará os trabalhos, assessorado por uma plêiade de companheiros abnegados. A inauguração se dará por ocasião do Natal de nosso Senhor Jesus Cristo, quando contrairão matrimônio, no salão de nossas sessões, perante e segundo as leis do país, os nossos cooperadores Sérgio e Consuelo, Sileno e Lisiane, Clóvis e Marília... e outros amigos que pediram não enunciássemos de momento seus nomes, desde que lhes falta preencher algumas formalidades legais para a realização do grande passo. Miguel dirá mais alguma coisa relacionada com o esperado evento espírita-cristão.

Miguel levantou-se e dirigiu-se à assistência:

— Meus amigos, peço-vos me acompanheis numa prece de agradecimento a Jesus.

Todos se aquietaram e Miguel, alteando a voz, orou:

— *Senhor! Dispensaste-me há dias a bênção de tua misericórdia, permitindo que me locomovesse para o teu serviço. Nada faremos sem ti. Velhos compromissos nos ligam a todos que aqui nos encontramos sob tua égide. As ovelhas de teu amado rebanho, que assassinamos ou desviamos, nos reclamam proteção e amparo, límpidos caminhos na terra de nossos corações. Nosso passado se levanta hoje dentro de nós, impondo-nos os mais tremendos sacrifícios, a cujo encontro, pressurosos, corremos, na certeza de que não nos faltarás com a tua excelsa presença. Abençoa-nos os propósitos e alerta-nos os espíritos mediante teus sábios desígnios, quando pretendermos esquecer o divino depósito que nos confiaste.*

Feita a prece, o major Gabriel encerrou a sessão, entregando-se os presentes às doces emoções da hora.

Cumprimentos, abraços, sorrisos, votos de felicidade foram trocados entre todos, não só pela anunciada inauguração do Lar de Maria, como pela participação do noivado dos cooperadores da casa.

Licurgo fitava Lisiane, embevecido, e ao mesmo tempo envergonhado. Como quem procura proteção e amparo, achegava-se mais a Quitéria, cuja mão tomara entre as suas, apertando-a docemente.

Miguel fora o primeiro a dirigir-se a Consuelo e Sérgio, felicitando-os.

Não se contendo, mas em tom cordial e respeitoso, disse ao noivo:

— Se você demorasse mais um pouco, ou eu tivesse dado uns passos mais, eu seria hoje o homem mais feliz do mundo.

Dizendo isso, beijou a mão que Consuelo lhe estendera, sorridente:

— Casamento e mortalha, lá diz o velho rifão... — comentou Sérgio, radiante.

Quando estavam entregues a essa hora de felicidade, Felicíssimo, com enorme dificuldade, conseguiu aproximar-se do casal e murmurou:

— Srta. Consuelo, que Deus sele de felicidade a sua união espiritual com o nobre homem que o destino lhe acaba de oferecer.

Ela, tomada de surpresa, sentindo toda a sinceridade daquela frase, e recordando as lutas que vencera nos idos de seu passado para aproximar-se daquele dia feliz, inclinando-se, como sempre o fazia ao falar com Felicíssimo, e dando-lhe o testemunho de seu perdão — pois ambos se sabiam viajores de caminhos diferentes —, beijou-o na face que o destino retalhara, impondo-lhe o estigma do erro e do pecado.

Sérgio e Miguel limparam os olhos, e Felicíssimo, não suportando o "peso da felicidade", como mais tarde referira a Licurgo, chorou copiosamente, afastando-se a custo do local, não sem antes beijar a fímbria do vestido de Consuelo.

Todos que assistiram à comovedora cena não contiveram as lágrimas.

Capítulo 4

Pompeu fitou, com lágrimas a lhe molharem as faces, o "Cão da Fábrica", arrastando-se como um réptil por entre a multidão, em direção a Licurgo, que o chamava para levá-lo, em companhia das filhas e de Quitéria, aos seus solitários aposentos, em um dos pavilhões da fábrica. Este, de seu lado, caminhando ao encontro de Felicíssimo, viu Lisiane, que, ao lado de Sileno, conversava animadamente com Lívia. Foi ao seu encontro, cumprimentando-a respeitosamente:

— Lisiane, Jesus há de fazer de você a alma mais feliz desta Terra. Aceite meus votos de paz e de ventura, ao lado da criatura que a acompanhará rumo a Deus.

— Obrigada, meu amigo. Desde já o convidamos, bem assim D. Quitéria e meninas, para o grande dia.

— Não faltaremos, Lisiane.

Despediram-se, e, logo a seguir, reuniu-se a Felicíssimo, conduzindo-o a sua casa, a cuja porta o deixou, depois de abri-la e fazê-lo entrar.

Mal se arrastara para seu dormitório, eis que uma voz familiar o cumprimenta:

— Boa noite, seu "Cão da Fábrica".

Felicíssimo ergueu a cabeça e reconheceu Spoletto.

— Boa noite, Sr. Spoletto — respondeu humilde e respeitoso. — Tenha a bondade de sentar-se.

Enquanto, sorrindo, Spoletto se acomodava na mesma poltrona em que se sentara Licurgo, uma noite antes, ele, com dificuldade, subia para o sofá.

— O senhor me deu um susto.

— Um cão, quando se assusta, ladra, e não deste nem um gemido...

Riu-se com gosto.

— Então, terminou a tertúlia espírita?

— Disse bem, senhor, uma verdadeira tertúlia. O senhor, um dia, quem sabe, será dos nossos.

— Quando enlouquecer, é possível; mas vamos ao assunto que me trouxe aqui, à calada da noite. Conheces bem a Srta. Consuelo, "Cão da Fábrica"?

— Conheço-a, sim, senhor. É uma santa, pela pureza e pela bondade. Hoje, aliás, tivemos a notícia feliz de seu noivado com o Sr. Sérgio. A alegria foi geral quando o Sr. Aprígio nos comunicou o contrato de casamento, não somente dela, como também da Srta. Lisiane com o Sr. Sileno, e da Srta. Marília com o Sr. Clóvis.

Spoletto ficou como que abstrato, para, a seguir, explodir:

— Velho boçal, ignorante e fanático! Ele nunca me enganou com seus ares de santidade. Pensa que não sei que o velho Aprígio é um inveterado conquistador? Namora essas criaturinhas ingênuas e por ele mesmo fanatizadas e, depois de abusar delas, passa-as a esses frangotes sem eira nem beira. Mas o velho é rico... e sabe manejar os pauzinhos...

E deu uma risada histérica. Felicíssimo, boquiaberto, ouvia, de coração opresso, a acusação infeliz e falsa de Spoletto. Não se contendo, falou de manso:

— Perdoe-me, Sr. Spoletto, mas acho que não tem razão. O Sr. Aprígio é um homem decente, sincero e bom. Essas meninas são a essência da pureza e da dignidade, como os seus noivos, moços de caráter e incapazes de um deslize. O senhor está mal informado.

— Quem és tu, monstro, para me negares razão? Sei com quem lido. E se vim aqui não foi para te ouvir justificativas sem fundamento. Quem viu, como eu, com os próprios olhos, Aprígio sair de automóvel, numa manhã destas, com Lisiane e Consuelo, sabe Deus para onde, não pode negar a evidência dos fatos.

— Está certo disso, Sr. Spoletto?

— Certíssimo — respondeu convicto.

— E se eu lhe disser que Lisiane foi acometida de um mal súbito e, exatamente para não levá-la sozinha no carro, foi que

Capítulo 4

solicitou a companhia de Consuelo, conduzindo ambas para a casa de D. Gervásia, tia de Lisiane?

— Isso é o que dizem, "Cão da Fábrica". E se eu também te disser que Aprígio as levou para casa de uma mulher suspeita?

— Gostaria que provasse o alegado, como dizem os advogados.

— Ademais, "Cão", se Aprígio levou também a Srta. Consuelo, foi precisamente para coonestar a sua conduta, pois, enquanto namora uma, a outra ignora a rivalidade da colega. É assim que os tarados fazem.

— Não creio no que o senhor diz. Conheço bem essas moças e mais ainda o Sr. Aprígio.

— É porque te nomeou auxiliar do almoxarife desta casa, mas não perderás por esperar. São ídolos de barro. Revelar-se-ão um dia.

— Vá esperando...

Spoletto olhou para todos os ângulos do aposento, como quem procura alguma coisa, e falou depois:

— Felicíssimo — iniciou, mudando de tática —, eu vim aqui, antecipando-me à tua chegada, para propor-te um bom negócio, mas observo que, qual as moças, te deixaste fascinar pelo plutocrata Aprígio. Vejo que o meu tempo foi perdido.

— Se o senhor pretende subornar-me para praticar coisa feia — uma espécie de leva e traz —, perde mesmo o seu precioso tempo, Sr. Spoletto.

— Ganharias bastante com isso — retrucou.

— E quem é a vítima?

— Consuelo... É a mulher do meu destino.

— Mas o senhor é casado, idoso, funcionário de responsabilidade...

— Cala-te, seu atrevido! Que tens, "Cão", com a minha vida?

— Por que veio, então, pedir-me para cometer uma ação ignóbil? Também poderia dizer que o senhor nada tem com a minha vida.

— Vim oferecer-te uma oportunidade de ganhar dinheiro. É um negócio como outro qualquer.

— Mas um comércio ilícito e um negócio escuso, Sr. Spoletto!

— Não sei onde estou que te não parto a espinha, atrevido! Daí por diante andarias, não te arrastarias como uma cobra, que é precisamente o que és. Teu aleijão revela o que és e o que foste.

Levantou-se e deu alguns passos em redor, detendo-se, de quando em vez, diante de Felicíssimo.

— E quando casa Consuelo?

— Pelo Natal deste ano.

— Não importa. Providenciarei.

Encarando de frente o interlocutor, bradou:

— Ainda me pagarás, ao cêntuplo, o teu desrespeito e a tua insolência, «Cão»! Réptil! Quadrúpede! Aleijão!

— Graças a Deus sou tudo isso e... o Céu também — respondeu o auxiliar do almoxarife, rindo pela primeira vez.

— O Inferno que te carregue, monstrengo! — respondeu, violento, Spoletto, abandonando o aposento, cuja porta fechou atrás de si, com estrondo.

— Coitado do Sr. Spoletto! Velho é assim, quando se toma de paixão por uma criatura moça... Perdeu o senso da dignidade e do respeito a si mesmo.

E começou a imaginar como somos levianos e insensatos no julgar os nossos semelhantes.

— Falar mal de Aprígio, de Consuelo e de Lisiane! Que pecado, meu Deus. Jesus tenha pena desse pobre homem.

Pensou bastante em Consuelo e resolveu vigiar Spoletto, pois temia acontecesse com ela o mesmo que ocorrera com Lisiane, por parte de Licurgo.

Orou e adormeceu.

Viu-se, de imediato, ereto e firme, a caminhar fora do indumento carnal, a caminho da pensão de D. Margarida.

Era quase meia-noite.

Capítulo 4

Na sala de estar, de pé, como quem já se preparava para sair, Demenciano apertava a mão de sua noiva, a formosa Lívia, que lhe indagava:

— Por que você não quer, ainda, apresentar-se em público comigo? Algum motivo sério, Ciano?

— Tenho-o, sim, minha boa Lívia. Quero, antes de tudo, conciliar-me com a consciência. Não desejo levar para o nosso lar qualquer problema.

— Pergunto isso porque as minhas colegas e amigas, por ocasião dos trabalhos em casa do major Gabriel, quando o Sr. Aprígio anunciou nossos noivados, estranharam a sua ausência. Desculpei-o com elas e com o Sr. Aprígio. Eles são compreensivos e silenciaram.

— Ainda bem, mas posso garantir que casaremos pelo próximo Natal, quando farão o mesmo os nossos companheiros. E como presente de núpcias, ganharei um ótimo emprego nas Indústrias Aprígio, que nosso amigo Licurgo me conseguirá, tendo já, nesse sentido, falado com o chefe da firma, que, aliás, desejava que eu já fosse trabalhar na próxima semana.

— E por que você não vai? Iríamos juntos todos os dias, e quem sabe se não trabalharíamos lado a lado?

— Não posso. Fui muito bem recebido na casa onde exerço minha atividade, e não quero deixá-los em falta. Espero tão somente o meu substituto para assumir meu novo posto.

— Sim, você não deve proceder com ingratidão.

— Antes poderia agir desse modo, mas, desde que a conheci e me aceitou por futuro esposo, desejo e quero ser digno de você.

Lívia sorriu e, passando a mão sobre um pequeno sinal que Demenciano ostentava um pouco acima do lábio superior, falou:

— Não me leve a mal o gesto — pediu com carinho. — Descobri que você, além de ser muito parecido com uma colega de escritório, tem no mesmo lado do rosto uma pequena mancha escura, quase imperceptível.

— É? — indagou, sorrindo, e passando-lhe a mão pelo queixo benfeito e macio.

— É. E olhe que de fato é tão parecido com ela que chego a imaginar que lhe ficaria bem ser pai dela.

— Como você descobre coisas, Lívia. Mas quem é, afinal, essa bela criatura?

— Talvez não a conheça. É muito recatada e muito pura. Ela e Consuelo formam o mais belo par do mundo.

— Quem sabe se pelo nome... — tartamudeou Demenciano, meio alarmado.

— Mora ela com uma tia, viúva de um militar que pereceu na Itália, na tomada de Monte Castelo.

— E como se chama essa senhora?

— Quem? A moça ou a viúva?

— A viúva do militar.

— Gervásia.

— Hei de conhecê-la mais tarde. E vai ser uma surpresa.

— Por quê?

— Não seja curiosa, Lívia.

— Algum romance?

— Sim, mas não do gênero que você suspeita.

— Então, conte-me.

— Amanhã, minha amiga, pois está muito tarde e você precisa recolher-se.

Despediram-se.

Felicíssimo afastou-se, caminhar firme e porte desempenado. Era um ser normal, diferente, na posse plena de um corpo sadio.

Ia retornar à casa carnal, mas entendeu de passar pela casa do tenente Pompeu, indo encontrá-lo em meio a uma roda de amigos, narrando um episódio trazido de Mais Alto por companheiros desencarnados.

Capítulo 4

— O fato, inteiramente por nós desconhecido, traz-nos uma das mais belas e sublimes páginas vividas pelo Divino Mestre, pouco antes de seu martírio na cruz de nossas ignomínias.

Silenciou por instantes, aguçando a expectativa curiosa dos ouvintes, para prosseguir:

— O bondoso Instrutor Macário contou-nos, pela mediunidade do nosso dedicado irmão Daniel, velho funcionário aposentado da Prefeitura e incansável trabalhador do Centro Espírita Dias da Cruz, em Cantagalo, que Jesus estava, certa noite, no pátio da casa da sogra de Pedro, à luz das estrelas, sob um céu límpido e doce, olhar perdido na distância, mergulhado em cismas que os discípulos não ousavam interromper, quando uma mulher do povo, aflita e chorosa, penetrou no local, inesperadamente, ajoelhou-se diante do Divino Amigo e beijou-lhe os pés, agasalhados em rústicas sandálias.

"'Quem é? Como ousou entrar aqui?' — interrogou um dos discípulos.

"'Conheço-a bem' — revelou Bartolomeu —, 'é a mãe de Ben Barrabás.'

"'O celerado?' — indagou outro.

"'Sim, aquele mesmo que assaltava à mão armada nas estradas de Jericó, e que acaba de ser condenado à morte, no Monte da Caveira.'

"Postando-se diante do Amado Filho de Deus" — prosseguiu Pompeu a narrativa —, "suplicava:

"'Senhor, tem piedade de meu filho Barrabás, que foi condenado à morte. Ele foi arrastado ao crime por más companhias. Sempre foi um menino obediente, quieto, dedicado ao trabalho. Entretanto, atraído por companheiros desviados, integrou quadrilhas que assaltavam os viajantes que demandavam Samaria e Damasco. Tem pena de mim, que sou mãe desventurada, pois sei que tudo podes. Curaste o filho da viúva de Naim, o cego de Jericó, o servo do Centurião romano e ressuscitaste Lázaro, o irmão de Marta.'

"Jesus fitou amoravelmente a aflita mãe de Barrabás, e perguntou-lhe:

"'Que queres de mim, boa mulher?'

"'Peço-te que o salves da morte, pois dentro de alguns dias será crucificado no Monte da Caveira. Sei que és bom e podes impedir que ele morra. Faze um milagre' — concluiu, chorando e beijando os pés do Divino Modelo.

"Jesus, olhando-a com enternecimento, e pondo-lhe a mão sobre o ombro, consolou-a, dizendo:

"'Vai, mulher, porque Deus tem ouvido as tuas orações e as de todos os homens de boa vontade; por isso mandou seu filho ao mundo, para que se cumpram as escrituras.'

"A mulher" — continuou Pompeu, comovido —, "osculou as sandálias do Divino Mestre e saiu a correr dentro da noite alta e tranquila, gritando como quem fala para o mundo:

"'Jesus salvou meu filho! Barrabás não morrerá!'

"Repetindo a frase, perdeu-se além, deixando os discípulos boquiabertos, incapazes de compreender e justificar a conduta do Mestre. Este, fitando-os, levantou-se mansamente, a brisa a brincar com seus longos cabelos, e, despedindo-se, recolheu-se à pequena peça que a sogra de Pedro lhe destinara. Quando, mais tarde, diante de Pilatos, este lembrava à turba a tradição judaica de perdoar um condenado por ocasião da Páscoa, insinuando recaísse em Jesus o indulto, a quem julgava inocente, a multidão bradou, de punhos cerrados:

"'Solta-nos Barrabás! Solta-nos Barrabás!'

"'E Jesus?' — indagava Pilatos pusilânime.

"'Crucifica-o! Crucifica-o! Ele é contra César!'

"E Jesus" — continuou o orador —, "compassando o olhar límpido e sereno pela turba que acabava de o condenar à morte, soltando Ben Barrabás, descobriu, entre as mulheres, a mãe do jovem criminoso e, como quem confirma a realização de uma promessa, sorriu para ela. A mulher, vendo-o no mesmo

Capítulo 4

instante, falou de si para si, sem se dar conta que outros poderiam ouvi-la:

"'Ele vai morrer por meu filho...' — e começou a chorar baixinho.

"'Não é somente por Ben Barrabás... Jesus vai morrer por todos nós.'

"A pobre mulher voltou-se a ver quem assim falava" — concluía Pompeu a narrativa —, "era a figura humilde de Simão Pedro."

Felicíssimo pervagou o olhar pelos componentes do grupo, todos comovidos com a singeleza do comunicado, e murmurou para dentro de si:

"Decorridos vinte séculos, as Alturas guardam ainda trechos gloriosos da passagem do Messias de Deus pelas amarguras deste mundo impiedoso e ingrato. Sim" — continuou —, "preferimos a Ben Barrabás, porque Jesus estava muito distante de nossos corações, que ainda não aprenderam a amar, embora perto de nós, na abundância de sua misericórdia, no manancial da piedade com que está sempre a acenar-nos."

E deitando um último olhar aos que se retiravam da casa do amigo, comentando o ensino recebido de Mais Alto, Felicíssimo, em breve, se aquietava no corpo físico, para, daí a pouco, levantar-se, despertado pelas sirenas estridentes da fábrica.

Mal dera início ao serviço, eis que lhe surge, sorridente à porta do almoxarifado, o filho do industrial, o simpático Miguel.

Felicíssimo, tão rapidamente quanto lhe permitia a rudimentar locomoção, e a sorrir, dirigiu-se ao seu nobre visitante, saudando-o:

— Seja bem-vindo, Sr. Miguel, e disponha de mim e dos meus préstimos, como entender.

— Bom dia, Felicíssimo — respondeu. — Não se atrapalhe por minha causa. Vim saber como vai o seu trabalho e a sua saúde.

Sentou-se e pediu ao empregado que se sentasse também.

— Estou bem assim, Sr. Miguel, porque sentar, para mim, é quase um pleonasmo — agradeceu, sorrindo, humilde e atencioso. — Perdoe-me a brincadeira.

— Não há de quê, meu amigo. E como o tratam no serviço?

— Desde que o Sr. Aprígio me concedeu a felicidade de trabalhar, aliás como posso, julguei de imediato que meu saudoso pai nunca teria escolhido tão belo nome como o que ostento no registro civil da cidade. Sou felicíssimo, Sr. Miguel.

Este sorriu acolhedoramente e acresceu:

— Meu pai é um santo, Felicíssimo. Agora sou eu quem lhe pede perdão pela imodéstia da expressão.

— Nunca uma expressão foi tão bem aplicada como essa que o senhor acaba de pronunciar, Sr. Miguel. De verdade, o Sr. Aprígio, para mim, veio ao mundo com a antecedência de um século. Ele, D. Maria, o senhor, as Srtas. Consuelo e Lisiane, afora outros cujos nomes não me ocorrem no momento.

Miguel não disse nada. Ficou pensando no que Felicíssimo enunciara, ou, talvez, em coisas bem diferentes.

Entretanto, o silêncio não se prolongou por muito tempo.

— Gosta muito de Consuelo, Felicíssimo?

— Daria a vida por ela, muito embora não valha grande coisa a minha andada pelo mundo. Sou quase um inútil, mas reconheço que mereço a prova, e estou sempre agradecendo a Deus a oportunidade de resgate de crimes horrorosos cometidos em outros avatares. É uma felicidade a gente reconhecer os desígnios da Justiça Divina.

Arrematando, falou, meio longe dali:

— Consuelo vale uma vida.

— Ou um mundo... — interrompeu Miguel.

— Disse muito bem: ou um mundo — confirmou o outro.

Ambos silenciaram, entregando-se cada qual aos seus pensamentos e às suas cogitações.

Capítulo 4

— Amei e amo Consuelo, Felicíssimo; ela, porém, ama a outro, que é o nosso bom Sérgio. Nem por isso deixarei de amá-la sempre.

Felicíssimo compreendeu que aquele nobre coração viera rogar conforto a um outro que, a seu turno, a amava tanto, tanto, tanto... Mas o filho do Sr. Aprígio não poderia sair dali sem uma palavra de solidariedade, sem o conselho amigo, a consolação que seu coração poderia ofertar-lhe.

— O amor é assim mesmo, Sr. Miguel, assalta-nos de supetão, quando menos esperamos. Basta que os olhos se fitem para que as almas sintam no amor a presença de Deus. Às vezes, Sr. Miguel — perdoe o atrevimento do pobre diabo que lhe fala —, em presença da Srta. Consuelo, vêm-me à flor da alma dolorosas impressões, que me envergonham e me maltratam. É como se, num passado delituoso, Consuelo tivesse sido a vítima imbele dos meus horrores. Serão, Sr. Miguel, lembranças de outras encarnações?

— Só pode ser assim, Felicíssimo. Isso, para mim, seria uma graça, um acréscimo da misericórdia de Deus. A lembrança é o látego da consciência que desperta em meio à prova pedida e concedida. Acho que só têm essas reminiscências aqueles que se aquietaram no esforço da recuperação salvadora. Pelo que somos e sentimos, podemos surpreender os arcanos de nosso passado e as trilhas do futuro. Tudo depende de nós, meu amigo.

Calou-se. Olhou em derredor, distraído.

Felicíssimo olhava-o com interesse e admiração. Dera-lhe o tratamento de amigo. Nunca o consideraram assim.

— Tenho, por vezes, sonhos e pesadelos dos quais desperto transpirando abundantemente. O sofrimento é tremendo, porque vivo, quando isso acontece, cenas dantescas, nas quais estou zurzindo o corpo delicado de Consuelo com verdadeiros chicotes de fogo. Sou um monstro, Sr. Miguel. Não tenha pena do réprobo, e afaste-se de mim, por piedade.

Não pôde prosseguir a narrativa, porque chorava convulsivamente.

— E é ela quem me procura, sabendo, como deve saber, que sua bondade é um refrigério para minha alma calcinada pelo fogo do pecado — exclamou, ainda entre soluços.

Miguel contemplava-o com piedade. Quasímodo amava uma santa!

— Por que afastar-me de você, quando tanto precisa de nós? Ame-a, Felicíssimo, porque é esse o seu amor de salvação. Eu também a amo. Amei-a desde aquela hora divina em que, pondo-me as mãos sobre a cabeça escaldante, me restituiu os movimentos. Nunca a houvera visto antes. No preciso instante em que me curava, despertava na minha alma um amor que, parece, vinha da noite dos tempos, adormecido, à espera de um toque sagrado, para surgir e dominar meus pensamentos pela consumação dos séculos.

— E ela escolheu outro... — disse, a medo, o "Cão da Fábrica".

— De nós três, o melhor, porque, em verdade, Sérgio é um espírito superior e, possivelmente, ligado a ela desde tempos imemoriais. Feliz escolha.

— Mas diga, de nós quatro — contraveio Felicíssimo reticente.

— Quem é o outro?

— Spoletto! — revelou.

— Está gracejando? — indagou, estupefato.

— Spoletto, sim.

Miguel estava assombrado diante da revelação que Felicíssimo lhe acabava de fazer.

— Como soube disso? — inquiriu.

— Ele mesmo se traiu em conversa comigo.

— Mas Spoletto tem quase a idade de ser avô de Consuelo! Francamente, é de estarrecer.

— A Srta. Consuelo é demasiadamente espiritualizada para levar a sério as pretensões de Spoletto. Perdoou-lhe e trata-o com a mesma consideração e o mesmo respeito com que sempre o tem distinguido. É uma santa, Sr. Miguel.

— É. Meu pai e minha mãe a amam como se fora filha bem-querida.

Deu alguns passos pelo recinto, meio cabisbaixo, e mais adiante falou, confidenciando:

— Felicíssimo, cheguei a confessar-lhe o meu amor; entretanto, quando soube que é noiva e em breve se casará com Sérgio, nunca mais lhe fiz referência à minha afeição por ela. Contento-me com a sua amizade, e esta a conservarei para sempre.

O "Cão da Fábrica" conservou-se quieto. Respeitou a confissão de seu chefe e sentiu-se feliz por ter sido escolhido para recebê-la. Era uma distinção e uma prova de amizade que lhe testemunhava o Sr. Miguel.

— O senhor deve orgulhar-se de ter por amiga uma criatura tão digna e tão nobre como a Srta. Consuelo. Às vezes, chego a pensar por que Deus permite que sofra, entre almas bárbaras qual a minha, uma pessoa da elevação espiritual de Dor-sem-fim.

— Dor-sem-fim... — murmurou Miguel, olhos voltados para longe, através da janela aberta. — É um estranho nome. De onde lhe teria vindo a antonomásia, Felicíssimo?

— Diz o tenente Pompeu que a Srta. Consuelo ostenta o mesmo nome e o mesmo apelido de uma freira que sofreu horrivelmente num campo de prisioneiros existente na Europa Ocidental por ocasião da Primeira Guerra Mundial. Diz que a nossa amiga é a mesma bondade, a mesma divina resignação, a mesma pureza, o mesmo espírito daquela que eu sacrifiquei, na qualidade de um dos carrascos que martirizavam os prisioneiros.

— Você?! Você, Felicíssimo? — perguntou, alarmado, Miguel, apontando para o seu interlocutor, como quem acusa.

— Tenho quase certeza, e ela também, que fui eu, àquele tempo, o seu algoz. Acusei-a de espiã, mas, no fundo, o crime de Consuelo foi o de não ter aquiescido a meus rogos indignos.

— Não sei como você pode afirmar tão categoricamente que viveu naquela época, e ser Consuelo a mesma do campo de prisioneiros. Estranho essa lembrança, embora não seja impossível ao espírito, em determinadas circunstâncias, recordar trechos ou lapsos de tempo de anterior encarnação. Tenho impressão de que o fenômeno poderá ser comum mais tarde, dependendo, naturalmente, do grau de elevação de cada um. A espiritualização se processa quando conseguimos escoimar a alma da impureza e do atraso. O conhecimento nos chega à medida que a nossa capacidade de entender se vai espraiando, o que nos possibilita suportá-lo sem prejuízo de ordem intelectual e espiritual.

— O senhor tem razão. Apeguei-me ao trabalho de recuperação, e por isso posso suportar a revelação do meu passado, envergonhado, é verdade, mas feliz por me manter no caminho da própria redenção. Perdoe-me, Sr. Miguel, a indiscrição, mas diga-me, por favor, como recebeu ela a confissão de seu amor?

Miguel sorriu tristemente e respondeu:

— Um dia disse-lhe: — e como me lembro daquela frase, meu Deus! — "Não esqueça, Consuelo, que a sua bondade deu-me a liberdade dos movimentos do corpo físico, mas fez-me cair num alçapão de ouro, onde, prisioneiro, luto por conservar-me encarcerado pela eternidade."

— E ela, Sr. Miguel? — indagou curioso.

— Consuelo não respondeu. Sorriu apenas, apertando-me docemente a mão.

Deu mais alguns passos pelo aposento e, parando em frente ao funcionário, perguntou-lhe:

— Consuelo nunca se queixou de Spoletto?

Capítulo 4

— Não posso informar.

— Quero crer que a ofendeu cruelmente. Os homens, quando sofrem de uma paixão desesperada, são insolentes, bárbaros e mesquinhos. Ela se libertará, porém, dentro de breve tempo. Sairá daqui, já sei.

— Ir-se daqui, Sr. Miguel? — interrogou Felicíssimo, enormemente abalado com a notícia. — Como viverei sem vê-la? — inquiriu mais para si do que para Miguel.

Ao perceber, entretanto, que proferira uma inconveniência, baixou a cabeça, cheio de vergonha, dizendo:

— O senhor me perdoará, Sr. Miguel, o que acabo de dizer. Foi sem querer. Quem sou eu para me referir assim àquela sublime criatura? Ela só me olha e me fala porque é uma santa, e os santos sempre têm pena dos infelizes pecadores como eu...

— Não pense nisso, Felicíssimo, porque Consuelo não vai para longe. Ela e Lisiane, Lívia e Marília, bem como Sérgio, Sileno, Clóvis e Demenciano irão dirigir o novel Lar de Maria, a ser inaugurado no dia de Natal, quando se casarão.

— Ah!... — descansou Felicíssimo.

— Mas a maior novidade que lhe tenho a contar, meu amigo, é que ela vai levá-lo para ajudar no almoxarifado da Instituição. Que tal a notícia?

— Só as almas generosas sabem perdoar assim — respondeu, humilde, mas sem ocultar a satisfação íntima que a notícia lhe causava.

— É por isso, Felicíssimo, que alguém já disse que Deus castiga com o amor.

— E o senhor?

— Eu? o quê?

— Não irá também conosco?

— Serei o diretor externo do Lar de Maria. Diretor, propriamente, não. Farei o serviço de relações públicas. Nada mais do que isso. Ainda assim, é uma função de responsabilidade. Conto, porém, com o meu pai, que é uma figura que inspira confiança e respeito pela honradez e dignidade de sua vida, sem falsa modéstia.

— O senhor repete apenas o que todo mundo afirma de seu abençoado genitor.

— Obrigado, Felicíssimo.

Deu mais alguns passos pela sala, despediu-se e saiu. Antes de fechar a porta, voltou-se e dirigiu-se ao auxiliar do almoxarife nestes termos:

— Segredo...

— Não tenha cuidado, Sr. Miguel.

Mal acabara Miguel de deixar o recinto, eis que surge Licurgo, que, entrando, disse:

— Bom dia, Felicíssimo. Vejo que o seu "gabinete" anda muito frequentado. Bom sinal. Você é um repositório de confidências. É o maior elogio que lhe posso fazer.

— Todos me honram trazendo ao meu coração um pouco de seus sonhos e de suas esperanças. Entretanto, o mais beneficiado sou eu, desde que me consideram capaz de guardar uma confissão e me distinguem com essa flagrante prova de confiança, que não trocarei por coisa alguma deste mundo.

— É por isso que todos o procuram, meu amigo. Mas não venho agora ao "confessionário", pois em outra oportunidade já descarreguei a consciência em seu compreensivo coração.

— Estou às suas ordens, Licurgo.

— Venho convidá-lo para a sessão da noite em casa do Major. Não tem outro compromisso?

— Não.

— Aceita o convite?

— Com muito gosto.

— Ao que parece, teremos uma tertúlia bem movimentada, com preciosos ensinamentos, e, por isso, não podemos desprezar a oportunidade de recolher mais alguns ensinos.

— Na hora de sempre? Às vinte?

— Precisamente. Passarei para buscá-lo.

Capítulo 4

— Conte comigo. E agradeço-lhe o interesse que vem tomando por mim. Nada valho, mas disponha do servo imprestável.

— Obrigado. E até logo. E não esqueça que servos somos todos de Deus.

"Agradeço a Deus" — falou de si para si, logo que Licurgo o deixou — "tanta bondade. E se, às alegrias da vida espiritual, sucedem os testemunhos, Jesus tenha piedade do servo humilde, ofertando-me a dose de coragem indispensável à cobertura de minha covardia, na hora das agonias salvadoras."

Dizendo a frase, e a pressentir alguma coisa de alarmante dentro de si, saiu para o pátio, pretendendo verificar se o depósito do material estava em ordem.

O pavilhão para tal fim destinado localizava-se no meio de extensa área, circundada apenas por uma cerca de arame farpado, quase toda já desmanchada para dar lugar à construção de um muro bastante alto.

A criançada da vizinhança por vezes brincava ali, onde, também, as mães e empregadas costumavam estar vigiando-a.

Quando Felicíssimo rumou, penosamente, pelo terreno acidentado, as crianças assustaram-se e correram na direção das pessoas que as cuidavam, gritando, apavoradas:

— O "bicho" quer nos pegar! Socorro! Acudam!

Assustadas, algumas mães e empregadas saíram em defesa dos pequenos, armados de pedaços de sarrafos e pedras, e avançaram para o "Cão da Fábrica", que, sem perceber os motivos da gritaria, continuou seu caminho.

Antes, porém, de atingir a porta do depósito, viu-se cercado de mulheres que, sem atinar com o que faziam, começaram a surrá-lo desapiedadamente.

A cena durou alguns minutos.

Quando se deram conta, o pobre Felicíssimo achava-se ensanguentado, sem sentidos, como morto, trazendo ao pescoço, como sempre, seu bornal, em cujo interior guardava, de mistura com seus pertences de uso pessoal, um minúsculo retrato de Consuelo, embrulhado cuidadosamente numa tira de papel de seda.

E assim permaneceu por algum tempo, semimorto, ao Sol torturante daquela manhã abrasadora.

Consuelo, que necessitara correr as persianas da janela que ficava ao lado de sua mesa de trabalho, olhou para o pátio, "acidentalmente", e, tomada de espanto, reconheceu a figura de Felicíssimo estirada ao solo.

Abandonou o serviço que estava fazendo e, rapidamente, atingiu o local.

Enquanto chamou Licurgo para providenciar socorros ao ferido, foi em busca de água e algodão para limpar o sangue que secara no rosto do desgraçado.

Com aqueles extremos de bondade e carinho que soem sentir as almas de eleição em frente ao sofrimento humano, ajoelhou-se ao pé de Felicíssimo e deu início à tarefa, passando o algodão em suas faces cheias de sangue e pó.

Antes de chegarem as providências solicitadas, Felicíssimo soltou um débil gemido e a custo foi abrindo os olhos, também pisados e sangrentos. Quando reconheceu quem o atendia com aquela divina piedade, disse, chorando, lágrimas correndo pelo rosto desfigurado:

— Senhor, sempre colocas ao lado da dor mais atroz o anjo da piedade mais sublime. Bendito seja o meu martírio... — E desfaleceu pelo tremendo esforço que fizera, para despertar duas horas mais tarde no quarto da enfermaria da fábrica.

Cena diferente, na mesma oportunidade, ocorrera em casa de tia Gervásia, na ausência de Lisiane, que se encontrava no emprego.

— Julguei — dizia a viúva de Rogério, surpresa com a presença de Demenciano, visivelmente modificado na aparência e nos sentimentos — que andavas por longes terras, Ciano, desde a tua súbita e estranha partida desta casa.

Capítulo 4

— Não, Gervásia — respondeu calmo e tranquilo —, não acertaste. Sabes que sempre fui um homem inútil, perdulário, irresponsável. Viúvo, sem medir o alcance de meus deveres, deixei contigo a pobre Lisi e fui por aí além, vivendo de expedientes e de golpes, até que retornei, há pouco tempo, a penates, nas mesmas condições em que partira.

— E como se deu o milagre? — inquiriu, sorrindo.

— Todos nós temos um dia D, como dizem os filósofos, e eu não podia fugir à regra geral.

— Gostaria de saber quem operou o milagre, Ciano.

— Deus.

— Isso não é resposta.

— E quem mais seria capaz de pôr-me no bom caminho, senão o Pai Altíssimo?

— Está certo, mas é que Ele opera pelo homem.

— E também pela mulher.

— Logo vi que não serias a exceção.

— Nunca fui a exceção.

Depois de olhar para a rua deserta, falou grave:

— Vim penitenciar-me. Fui um louco, ou um estúpido, ou um irresponsável. Ou tudo, simultaneamente. Um dia vendi Lisi ao Licurgo, por cem mil cruzeiros, recebendo, como sinal do negócio, a metade, adiantadamente...

— Não digas disparates, Ciano! Enlouqueceste? Estavas com o diabo no couro? — perguntou estarrecida.

— Digo. Foi o que fiz depois que saí desta casa naquele dia. Envergonho-me de dizê-lo, mas preciso desoprimir a alma, confessando tudo.

— Mas Demenciano?!

— Escandaliza-te, minha boa irmã! Mas foi preciso descer tanto para que Jesus tocasse o meu coração, enviando-me uma alma nobre que me retirou do tremedal em que me chafurdava voluntariamente.

— Que horror, Demenciano!

— Agora, Gervásia, basta de exclamações, e ouve-me, pelo amor de Deus.

— Mas o que dizes dá para a gente ficar uma vida inteira escandalizada. Em todo caso, explica-te, meu irmão. Afinal, Jesus perdoou ao bom ladrão.

— Mas eu sou o mau... Entretanto, Deus teve pena de mim.

— Entra no assunto, Ciano.

— Quando recebi o cheque — continuou a narrativa interrompida —, dirigi-me a uma pensão de ínfima categoria, escolhi um quarto, fechei-me, e senti que aquilo estava errado. Sentei-me e abri diante de mim o título que me dava o direito de receber, em um banco local, a quantia de cinquenta mil cruzeiros. Súbito, imaginei que Licurgo, um perdulário como eu, e que deixava a família passar fome, pois o dinheiro que ganhava mal dava para as suas bebedeiras e disparates — tendo até, segundo soube posteriormente, dado um desfalque na fábrica, fato que o Sr. Aprígio, um homem extraordinário, esqueceu por possibilitar-lhe a recuperação, que, graças a Deus, se verificou —, imaginei, repito, que ele não dispunha sequer de um vintém no bolso, quanto mais em bancos. Sabes que fiz com o tal cheque? Rasguei-o, num ímpeto de vergonha e dignidade. Despertei, Gervásia! Quem poderia operar o milagre, senão Deus, minha boa irmã?

Retirou o lenço e limpou uma lágrima indiscreta.

Passados alguns instantes, menos emocionado, continuou Demenciano:

— Deixando a pensão, procurei um estabelecimento onde consegui emprego, trabalhando como técnico em refrigeração. Ganho para sustentar-me e vestir-me decentemente.

— E a moça por quem Deus te ajudou? — indagou, sorrindo, Gervásia.

— Vi-a uma vez, quando saía da fábrica onde trabalha Lisi. Segui-a, porque me olhou com boa vontade. Sou quase vinte anos mais velho que ela. Acompanhei-a até a casa onde mora

Capítulo 4

— uma pensão —, e pedi licença para vê-la de vez em quando. Permitiu. É órfã. Mais algum tempo, fiz-me noivo dela, e vamos casar em dezembro, pelo Natal, quando também casarão Clóvis com Marília, Sileno com a minha querida Lisi, e Consuelo com Sérgio. Uma festa e tanto, minha boa Gervásia, e foi para convidar-te a testemunhar o ato, como madrinha, que aqui estou, feliz e de alma tranquila. Aceitas o convite?

— Como não hei de o aceitar, Ciano? Para mim, é uma distinção que bastante me comove.

— Desde que me fiz espírita, minha vida sofreu radical transformação — confessou, alegre e prazenteiro.

— Espírita também, Ciano?

— Admiras-te?

— Sempre foste ateu impenitente!

— Sempre caem as muralhas de Jericó, minha boa Gervásia.

— Quem te converteu? E quem assoprou as trombetas?

— Deus.

— Por quem?

— Lívia.

Gervásia sorriu e comentou:

— Não resta dúvida de que Deus prefere, quase sempre, as mulheres para arrastar os homens ao bom caminho. Bendita seja a mulher.

— Entre os homens...

— Tristes de vocês se não fossem as mulheres, Ciano.

— Confesso que sim. Lívia é o meu anjo da guarda.

— E que o seja para sempre, Demenciano. E... não queres jantar conosco? Lisi vai morrer de alegria quando te vir. Espera, Ciano, e aceita o nosso jantar.

— Pois sim, Gervásia; e no reencontro com Lisi desfaço os meus quiproquós.

Enquanto Gervásia ativava os preparativos para o jantar, Demenciano levantou-se e foi até o pequeno jardim.

Caminhando de um lado para outro, recordava sua mocidade, seu casamento, o nascimento de Lisi, a morte de sua mulher, sua vida desordenada, o horror de tudo quanto fizera à filha; depois, o encontro com Lívia, que, com a bondade e o amor peculiares a criaturas espiritualizadas, o havia salvado do vício e da degradação moral a que se entregara.

Quando se revia nos dias percorridos e ainda bem próximos, tinha vergonha de si mesmo e não sabia como encarar a filha meiga e inocente, dedicada e pura.

Estava ansioso que ela chegasse. Gostaria que fosse já, sem perda de um minuto. Queria desoprimir-se, desabafar.

Esticou o olhar pela rua, na esperança de vê-la surgir na curva que se perdia além.

Lá de dentro lhe chegava a voz áspera da irmã, cantando uma canção popular em voga.

— Gervásia, sim — conversava baixinho consigo —, é uma heroína. Viúva e sem filho, não recebesse a pensão que lhe cabe por falecimento de Rogério, teria, quem sabe, fracassado. Não! Gervásia é um espírito bravo, heroico e decidido. Jamais conheceu o fracasso, porque viveu sempre pelo e para o trabalho, que enobrece e dignifica. Criou, a bem dizer, Lisiane, sem que eu lhe prestasse qualquer auxílio.

"Mulher como essa" — continuou, a passear pelas pequenas alamedas do minúsculo jardim —, "nos dias atuais, não se encontra, não. Pobre irmã, contente com seu destino, e ainda lhe sobra alegria para cantar."

Mirou-se, parando um instante diante do portão.

"Esbanjei tempo precioso, e eis-me agora no reinício da caminhada que interrompi, mergulhando a alma na charneca dos sentimentos mais sórdidos, mais repugnantes, a ponto de injuriar minha própria filha."

Continuou a passear, absorto em seus pensamentos de autorrecriminação, quando uma voz, que lhe acordava doces

Capítulo 4

lembranças sepultadas no imo do ser, o arrancou daquele estado de espírito.

Era Lisiane, que, retornando do serviço, reconhecera, de longe, a querida figura do paizinho que se ausentara.

Correra ao seu encontro, e, cansada e ofegante, atirava-se-lhe nos braços, como uma criança que abraçava um brinquedo lindo, beijando-o, ao mesmo tempo que chorava e reclamava:

— Paizinho, por que você demorou tanto? Quantas noites chorei por você, e quantos dias esperei vê-lo surgir naquela esquina, sorrindo para mim.

Nesse ínterim, Gervásia surge à porta da pequena casinha, limpando as mãos no avental muito limpo e muito branco, e, diante daquele espetáculo maravilhoso, murmurou:

— Só Deus poderia traçar, em plena luz da vida, quadro tão sublime como esse, que o gênio do homem jamais poderá imitar! Pai e filha choram na doçura do reencontro...

— Demorei, Lisi — disse, carinhoso, passando o braço pela cintura da filha e dirigindo-se para casa —, porque precisava acertar umas contas comigo mesmo.

— Acertou-as, então?

— Plenamente.

Entraram alegres e felizes, abraçando Gervásia, que limpava os olhos.

— Que satisfação vê-los assim, meu Deus! Esperei sempre esse dia. E agora que você, Lisi, não demora casar, e o Demenciano também se apresta para...

— Quê, titia? O paizinho...

— Sim, Lisi...

— Você?

— Estou tão velho assim, tão velho que não possa casar?

— Estupendo! Maravilhoso! Não está velho, não, senhor!

— Não me venhas dizer agora que estou conservado!

Riram-se todos, abraçados, formando uma tríade de criaturas felizes.

— Ainda há pouco — falou Gervásia, desvencilhando-se do grupo —, dizia eu, vendo-os abraçados no jardim, que só o Espírito Infinito de Deus poderia pincelar, em plena luz da vida, quadro tão sublime que o gênio do homem nunca poderá imitar. De fato, Ciano. Tu, abraçado a Lisi, era um símbolo de vida triunfante.

— Obrigada, mãezinha, e obrigada também por meu paizinho. E como quem se recorda de uma coisa, perguntou à queima-roupa:

— Quem é a criatura feliz que vai unir o seu ao destino do paizinho?

Demenciano sorriu, sentou-se calmamente na poltrona, seguido de Lisi e Gervásia, e, fitando a filha, disse:

— Tu a conheces bem. É uma criatura mais moça do que eu quase 20 anos. Tenho meus 40 e ela 26 a 27 anos. Acham vocês uma diferença muito alarmante?

— Não — responderam ambas, ao mesmo tempo.

— Eu seria um pouco mais exigente — confessou Gervásia, sorrindo —, e diria ao pretendente que, se fosse possível, preferiria um homem de 35. A diferença, aí, seria de todo aceitável...

— Neste caso — troçou Demenciano —, vou diminuir a idade.

— Afinal, quem é ela, paizinho?

— Estás com muita pressa de saber?

— Claro que sim. De mais a mais, você declarou que eu a conheço muito.

— Sim, conheces bem, tanto que trabalha contigo e, às vezes, ou quase sempre, é tua companheira de Espiritismo, em casa do Major.

— Será Lívia, paizinho? — indagou, curiosa, a filha.

— Sim, é ela, Lisi! — confirmou.

— Lívia! L-í-v-i-a! — exclamou Lisiane, batendo palmas de alegria.

— Que mau gosto teve a pobre moça! — exclamou, dando muxoxos, a tia Gervásia. — Além de pobre, velho e feio.

Capítulo 4

— Muito obrigado, mana; dizes isso de inveja! — retrucou Demenciano.
— Fui casada com o homem mais bonito e inteligente do mundo — contestou, rindo, com ar superior.
— Lá vens com o finado Rogério...
— Ele vive em meus pensamentos.
— Não vás obsidiá-lo.
— Bobo!... Prepara-te para jantar, porque teu mal é fome.
E foi pôr a mesa, ajudada por Lisiane.

※

Abrindo mansamente os olhos, Felicíssimo anotou a presença de Consuelo, que, a seu lado, lhe limpava o suor da testa.
Presentes, ainda, Clóvis, Marília, Lívia, Sérgio, Licurgo e Sileno, que conversavam baixinho.
O "Cão da Fábrica" olhou, reconhecido e feliz:
— A senhora a incomodar-se comigo, D. Consuelo. Estou bem agora, graças a Deus.
— Fiz apenas o meu dever, socorrendo-o. Nossos colegas também foram incansáveis. Entre aqueles que mais sentiram o lamentável fato, destacam-se o casal Aprígio e o Sr. Miguel.
— Sou grato a todos. Não sei mesmo como testemunhar o meu reconhecimento.
— Contente-se com o fazer interiormente — aconselhou Consuelo, sorrindo e levantando-se. — Agora vou deixá-lo com os amigos, a fim de atender a outros deveres. Deus o ajude, restabelecendo-o prontamente. Até logo.
Felicíssimo acompanhou-a com os olhos molhados.
Trocando algumas palavras com o enfermo e augurando imediato restabelecimento, retiraram-se os demais, com exceção de Licurgo, cuja simpatia por ele crescia à medida que mais o conhecia.

— Foi sempre um azar, não, Felicíssimo, a ida ao depósito? Não sei como praticaram aquela desumanidade. Quando reconheceram o tremendo erro, as senhoras foram pedir desculpas ao Sr. Aprígio, prontificando-se às indenizações.

— E que disse o nosso bondoso chefe?

— Que queria que fizesse? Agradeceu o terem confessado o doloroso engano, mas recusou-se, terminantemente, a admitir a hipótese de uma compensação em dinheiro. Que era seu dever assistir seu empregado em todo o período da doença, com os devidos pagamentos e outras vantagens legais, por acidente no trabalho.

— Que grande alma, meu bom amigo! Sinto-me, em presença do Sr. Aprígio, infinitamente menos que "Cão da Fábrica".

— As senhoras que acompanharam as empregadas e as crianças em seu "massacre" prometeram-lhe uma visita coletiva, ainda hoje. Vá, meu amigo, preparando-se para recebê-las. É sempre um conforto.

— Elas não tiveram culpa de nada. Eu é que carrego a minha, no físico que construí antes de vir resgatar meu débito descomunal.

— Ainda bem que você reconhece a dura necessidade do resgate, nesta fase muito árdua de sua reencarnação.

— Faço o que posso. É certo que, às vezes, o homem velho quer sair do estojo de seu mundo íntimo, e a luta por contê-lo na jaula só Deus sabe quanto me custa sustentá-la.

— Infelizmente, são muito poucos os que compreendem o imperativo do próprio renascimento, em pleno fragor da prova reabilitadora.

— Temos exemplos da afirmativa entre nossos companheiros.

— Spoletto, para citar somente um. Aliás, segundo ouvi, é ele uma espécie de personagem de lenda.

— Personagem de lenda? Como assim?

Capítulo 4

— Dizem que seus pais são do Pará. Se não me engano, disseram-me ter ele deixado a casa paterna, sem licença, ainda menino de 15 anos, vindo para o Rio de Janeiro, onde se pôs a trabalhar no comércio. Casou-se cedo, desinteressando-se inteiramente da sorte dos pais. Há quem assevere, contudo, que seus genitores se mudaram para cá, há alguns anos, muito doentes, gravemente doentes.

— E Spoletto nunca soube da mudança?

— Possivelmente, não. Seria desumano sabê-lo e não se importar com a notícia.

— Spoletto — falou grave, Licurgo, retomando o fio da narrativa —, conheço-o há alguns anos. É ateu confesso, materialista impenitente, um homem aferrado aos prazeres que a vida moderna proporciona aos epicuristas inveterados.

— O Sr. Aprígio — interveio Felicíssimo — tem nele absoluta confiança, pelos informes de Clóvis.

— No que se relaciona com a honestidade funcional, é inatacável — respondeu Licurgo —, mas é doido pelo sexo oposto.

— Então é um esteta...

— Ou um representante da velhice transviada — acudiu Licurgo, rindo a valer.

— Você tem cada uma...

Uma batida leve e delicada à porta interrompeu a palestra. Eram algumas senhoras e uma turma de meninos.

Depois dos cumprimentos, as senhoras e crianças fizeram entrega a Felicíssimo de diversos ramos de flores, dizendo:

— Já apresentamos nossas desculpas ao senhor Aprígio pelo lamentável incidente, e agora vimos solicitar-lhe nos perdoe, pois somos as primeiras a reconhecer a nossa culpa.

— A culpa, minhas senhoras, foi toda minha. Assustei as crianças, bem o sei, e neste caso quem deve pedir perdão sou eu, o que faço de todo o coração. As senhoras intervieram em defesa da petizada, que, diga-se de passagem, não merece censura alguma. Eu os assustei e recebi a repreensão. E muito grato pelas flores, que me lembrarão a bondade dos amigos. Muito obrigado.

Depois de reiterarem suas desculpas e desejarem o imediato restabelecimento de Felicíssimo, as senhoras despediram-se e partiram, acompanhadas dos pequenos.

— Gostei do gesto das senhoras, meu amigo, e felicito-o pelas rosas, já que, se vier a desencarnar, flores não faltarão sobre o ataúde... — disse, rindo, Licurgo.

— Por falta delas não se deixará de fazer o enterro — respondeu, também sorrindo.

Mantiveram-se ainda por algum tempo em agradável palestra, durante a qual não se fez ausente o bom humor de Licurgo.

No preciso instante em que este saía, deu entrada Spoletto.

— Bem-vindo seja o senhor — cumprimentou Felicíssimo.

— Obrigado — respondeu o visitante, aproximando-se. — Estás bem?

— Quase bom, graças a Deus. Tenha a bondade de sentar-se. Sua visita é uma atenção que muito me comove.

Spoletto sentou-se na cadeira indicada, ao pé do leito.

— Com que então quase te mataram? — indagou, sorrindo. — Que houve para que te pretendessem assassinar?

— Assustei as crianças. Uma brincadeira. Tomadas de pânico, a correrem e a gritarem, supuseram as empregadas e as mães que eu lhes pretendesse fazer algum mal. Daí o mal-entendido, com as suas consequências, que não pude evitar. Foi somente isso, Sr. Spoletto.

— E ninguém levou o fato ao conhecimento das autoridades competentes? Isso foi um crime, seu "Cão"!

— Crianças não sabem o que fazem...

— Mas as mães devem saber que, ferindo alguém sem motivo justificado, incorrem em sanções penais.

— Resolvemos melhor assim, amigavelmente, mesmo porque eu é que fui o culpado.

Capítulo 4

— Também com esse aspecto...
— É a minha prova, Sr. Spoletto.
— Está-se a ver, "Cão".
Mudando repentinamente de assunto, atirou a pergunta que o esgasgava:
— Tens visto Consuelo? É verdade que vai casar pelo Natal? Não falaste com ela a meu respeito?
Felicíssimo o encarou estupefato. Que queria Spoletto?
— Vi-a. Há pouco saiu daqui. E posso informar que, efetivamente, se casará com Sérgio, pelo Natal próximo.
— E quanto à terceira pergunta?
— Não falei com ela a seu respeito; achei que não devia fazê-lo, mesmo porque não sabia nem sei a que propósito citaria seu nome.
— És um animal. Apaixonaste-te pela amante de Aprígio ou de Miguel, sem olhar que não passas de um monstrengo horripilante, que assusta velhos e crianças. Ela te dispensa a esmola de sua falsa piedade e julgas que ela te ama... Ora, "Cão", quem poderá olhar-te? Ninguém.
Felicíssimo não disse nada.
"Sim" — pensou —, "só por piedade, por compaixão, alguém me poderá dirigir a palavra, interessar-se por mim. Spoletto tem razão."
— É assim mesmo. Sei em que te deténs. Só Deus, se existisse, poderia amar-te; mas uma criatura humana? Nunca, ó Quasímodo! Não te afastes da realidade, monstrengo!
E riu, às escâncaras, para depois continuar, agora com o olhar brilhante e gestos epileptoides:
— Se a mim ela repele, porque achegar-se a ti? És um visionário! Vi-a e amei-a, "Cão"! Amei-a e amo-a com todas as forças do meu espírito! Tenho-a em qualquer parte, em qualquer momento, a cada passo, a cada explodir do pensamento na câmara do cérebro, ó animal de estranha compleição! Se fora preciso morrer um milhão de vezes para obter uma só de suas carícias,

morreria sorrindo. Isso é amor, ó "Cão", e não esse amor irreal, platônico, espiritual, que alimentas pela concubina de Miguel! Isso não é amor, é doença perigosa de uma alma ensandecida pela paixão mais voraz, que se oculta numa aparência forçada de espiritualidade. Quem te poderia querer, ó tu que te arrastas qual ofídio por entre a multidão que de ti se afasta horrorizada?! Ninguém, absolutamente ninguém!

Interrompendo o discurso e achegando-se, inteiramente descontrolado, a Felicíssimo, fisionomia alterada pela paixão, curvando-se como quem vai revelar um segredo inviolável, dedo em riste, espuma a sair-lhe pelos cantos da boca sensual, bradou, vibrante:

— Amo aquela mulher de endoidecer! Beijo-lhe a imagem refletida no pensamento, silhuetada na tela da imaginação ardente e louca! Desejo-a, "Cão", como tu também a desejas, ainda que procures disfarçar esse sentimento maligno que queima as energias da alma! És um louco como eu! Todos somos uns dementados! Consuelo, és a minha alucinação de todos os instantes! Por que não vens aplacar a sede dos meus afetos? Ah! tu pertences a Miguel, a quem curaste com teus sortilégios de vestal! Sei que te encontras com ele, à calada da noite, como Lisiane se encontra com esse velho debochado que é Aprígio, a quem Deus deu tanto dinheiro e que vive a corromper mocinhas que precisam do emprego que ele lhes dá na fábrica!

Olhou em derredor e deu largos passos pela sala. Abriu mais a janela, que se fechara parcialmente. Fitou dali a cidade, que pulsava no trabalho, no dinamismo da produção. Num repente, avançou célere para o leito de Felicíssimo. Curvou-se sobre ele, olhar meio esgazeado e, sob a mesma influência alucinatória, gritou, rosto quase colado ao do doente:

— Vou raptá-la, "Cão"! Estou preparando a armadilha. Tenho Espíritos imundos que me ajudarão, mediante um fartão de velas e orações nas encruzilhadas, à meia-noite. Tê-la-ei em meus braços. Será minha também. Não a gozará mais o Miguel.

Capítulo 4

Tu te contentarás com apenas a sua alma, que encomendarei ao demônio, e também a Belzebu, ouviste? Fica tu com a alma dela! — prosseguiu, quase uivando, avançando e recuando, voltando-se para um lado e para outro, girando sobre si mesmo, olhos para o alto e para o solo, esquadrinhando o aposento.
— Para que quero alma no meu delírio? Não as vejo, apalpo corpos. Que faria eu duma alma? Nada! Quero Consuelo, ouviste, "Cão"? Consuelo! Consuelo!!

Felicíssimo teve medo que Spoletto enlouquecesse inteiramente, ali, em sua companhia, pois estava transfigurado, arrebatado, olhos esbugalhados, lábios trementes, gestos sem coordenação, desvairado, epiléptico.

Orou, enquanto ele continuou praguejando, transido de paixão.

Alfim, caiu em uma poltrona, cansado, ofegante, transpirando abundantemente, olhar perdido, vazio, inexpressivo.

Assim ficou durante quase um quarto de hora.

Depois, levantando-se, agora humilde e sereno, mal podendo ter-se de pé, caminhou até Felicíssimo e, ajoelhando-se à beira da cama, falou como uma criança desamparada, sem ninguém por si:

— Felicíssimo, ajuda-me neste transe. Sou um homem derrotado, incapaz de um gesto de independência em meu mundo afetivo. Não me governo, meus pensamentos é que me guiam, ora para aqui, ora para ali. Sou um pobre coitado, um desgraçado. Faze alguma coisa por mim. Já fui um homem religioso, mas perdi a minha fé. Nunca obtive nada pela oração. Pedi tanto a Deus que me acudisse nas minhas aflições, entretanto, nunca deu resposta às minhas rogativas. Consuelo pertence a outro. Quem é melhor do que eu, Felicíssimo? Responda!

— Sua esposa — respondeu abruptamente. — Quem o suporta resignadamente, ao senhor e às suas paixões, aos seus erros e aos seus pecados, mais do que ela? Quem o socorre tanto, esquecendo os gravames que a cada passo a martirizam, Sr.

Spoletto? Nunca se queixou, e jamais o acusou de estar sempre a ofendê-la com uma vida que não o recomenda, Sr. Spoletto! Tome a mesma resolução do Sr. Licurgo, um homem que, como o senhor, vivia entregue às suas imperfeições, deixando mulher e filhos na mais completa solidão, no mais doloroso abandono. Um dia, achou que devia também viver para a família e para os seus deveres: insurgiu-se contra o passado, e hoje é um exemplo de dedicação aos filhos e à esposa. Também viveu um drama igual ao seu. Um dia, perguntou-me: "Afinal, Felicíssimo, que tenho eu com a vida de Lisiane? Com que direito a requesto, se não lhe posso, em troca de seu amor, dignificá-la na minha convivência? Isso é uma monstruosidade! E os meus filhos? E a minha esposa, a quem jurei fidelidade perante Deus? Será que a minha família não é mais nada em meu coração? Que caminho pretendo eu abrir pelo futuro adentro?"

Spoletto não retrucou. Continuava ensimesmado, pensamento na distância daquela hora. Não era o mesmo homem. À crise sucedera a apatia e o desinteresse.

— Talvez tenhas razão, Felicíssimo, mas essa paixão maldita que me consome a alma voltará, não tenhas dúvida, e quando voltar serei o mesmo ser doente e desgraçado. E sabes quando fico assim, Felicíssimo? Quando me lembro que a tenho visto, à noite, no automóvel de Miguel, e Lisiane no de Aprígio, dirigindo-se para uma casa suspeita.

— Perdoe-me, Sr. Spoletto, mas entendo que não está raciocinando bem.

— Em que te apoias para dizer que não?

— Na pureza e grandeza moral de ambas e dos senhores que as acompanham.

— Quero provas concretas, irrecusáveis. As provas morais não me convencem.

— Então, a conduta, a honradez e a probidade não valem nada para o senhor?

Capítulo 4

— Valem, mas quando acompanhadas da certeza objetiva.

— O pior cego é aquele que não deseja ver, Sr. Spoletto.

— Eu me apoderarei da verdade, Felicíssimo, custe o que custar, e a despeito de suas convicções.

Levantou-se e começou a caminhar pelo recinto, já agora quase agitado.

Fora um interlúdio de lucidez. Uma apatia consequente à exaltação do momento. A paixão violenta por Consuelo já lhe era uma doença perigosa, a repontar nas tremendas crises a que estava frequentemente sujeito.

— Tenho-os espreitado, na tardada das noites, para vê-los entrar na tal casa suspeita, cujas janelas não se abrem nunca, e, assim, poder acusar com segurança.

— Não creio no que o senhor crê. Se os vê, a horas avançadas da noite, chegarem de carro à casa que já localizou, não acredito que aí vão para encontros indignos, senão movidos pela prática e exercício da caridade cristã. Nesta pauta, Sr. Spoletto, muita gente se tem enganado redondamente, sacrificando inocentes e conspurcando reputações ilibadas.

— Mas comigo não se dá o mesmo. Vejo-os quando chegam de auto, cautelosos, discretos, a perscrutarem os arredores silentes, e, certos de que ninguém os observa, abrem a porta com as chaves que já trazem em seu poder e entram, tomando as mesmas precauções para fecharem a porta da rua. Entendeste, "Cão"?

— "Não saiba a tua mão esquerda o que faz a direita" é um ensino evangélico, que os bons cristãos respeitam e praticam de todo o coração, senhor Spoletto. O mal está em o senhor julgar pelas aparências. Estas não valem em processo criminal. O que a lei quer é a verdade, a prova de certeza, sem as quais ruem as acusações estribadas na precariedade dos indícios. Olhe, Sr. Spoletto, eu digo como lá dizia meu pai quando alguém lhe afirmava como verdadeiras, positivas, coisas aéreas e sem consistência: "Meu amigo, não bote sua alma no inferno, afirmando fatos que não presenciou nem para os quais contribuiu de qualquer forma."

— No caso em análise, Sr. Felicíssimo — afirmou Spoletto, sorrindo com superioridade e convicção —, eu entrego a minha a Satanás, com muita vontade que a leve, e quanto mais cedo melhor.

— O senhor não perderá por esperar, desde que Satanás sempre anda a nos farejar os pensamentos. Estes, quando do teor daqueles que o amigo — permita que o trate assim, nesta altura de nossas confidências — acaba de exprimir, desprendem um cheiro gostoso de pecado que o faz andar em nosso encalço. Cuidado, Sr. Spoletto! Quem avisa...

— Não te incomodes por mim, porque sei me defender, principalmente contra os lobos devoradores. Ainda te arrependerás de tua ingenuidade.

— Nunca me arrependi de fazer bom juízo de meus semelhantes.

— Até de mim?

— Sim, até do senhor. Considero-o um homem honrado e digno. Apaixonou-se por uma jovem. É a coisa mais natural do mundo. É na luta que os homens são experimentados. É o que acontece atualmente com o senhor. Se puder vencer-se a si mesmo nesta peleja, sairá vacinado contra as paixões desse tipo. Tente, Sr. Spoletto!

— De momento não quero tentar senão a descoberta da verdade. Hei de desmascará-los. Se pudesses caminhar, eu te levaria comigo, e com teus próprios olhos, que a terra há de comer, convencer-te-ias da veracidade de minhas palavras.

— Quando julgar oportuno, irei com o senhor, para fazer-lhe o favor de mostrar a improcedência de sua acusação.

— Se não ocorrer o contrário...

Chegando-se mais a Felicíssimo, confessou:

— É que não viste como se passam as coisas, seu "Cão".

— Conheço os acusados e respondo por eles, Sr. Spoletto.

Capítulo 4

— Estás fascinado por Consuelo e seus amigos, e daí não raciocinares com isenção de ânimo.

— Do mesmo passo, o senhor. Não sei qual a diferença mais favorável: se a sua paixão pelo impossível, se o meu fascínio pela verdade. A sua doença é pior que a minha, convenhamos.

— Não discuto isso, porque tudo no fim é paixão. Continuarei a vigiá-los dia e noite, até surpreendê-los no flagrante delito. Olha, Felicíssimo, Licurgo capitulou em relação a Lisiane. Eu, porém, não renunciarei. Será minha ou de mais ninguém, ainda que haja de embeber-lhe um punhal em pleno coração. Já foi minha essa mulher! Como explicar a certeza de sua posse, é coisa que transcende à minha capacidade mental. Mas já me pertenceu. Sinto na própria alma, na essência do ser, o néctar de seus beijos. Nos refolhos do espírito, o perfume de seus carinhos e a suavidade de suas carícias.

Não se conteve mais e, dando dois ou três passos rápidos em zigue-zague, e estacando de improviso, gritou, alucinado:

— É minha! Toda minha! Ninguém a arrebatará de mim. Só a morte! É minha, loucos! Para trás, antes que os mate a todos!

Levou a mão à cava do colete, arrancou um, não, dois punhais ao mesmo tempo e, brandindo um em cada mão, flexionou as pernas, inclinou o tronco para a frente, estendeu os braços para diante como quem pretendesse alcançar o inimigo inopinadamente e fez o gesto de quem rasga o ventre do contendor, de lado a lado; a seguir, dando um pulo para o lado, com o olhar fixo de pessoa que espera perigoso ataque, repetiu o gesto rilhando os dentes, após o que, aprumando-se e atirando para um lado as armas, berrou estentórico, gargalhando histericamente:

— Matei-os! Foi uma gostosura a minha desforra! Quem leva os cadáveres? Telefonem para o pronto-socorro! Matei-os em legítima defesa! Explicarei tudo à polícia!

Ao contrário, todavia, do que Felicíssimo esperava, Spoletto, como uma casa que desmorona, abateu-se sobre uma poltrona e fincou a cabeça entre as mãos, em posição característica, arquejando, exausto, cansado, derrotado.

O silêncio que se fez era de chumbo.

Entrementes, assomou à porta um enfermeiro, que, em voz baixa, perguntou:

— Chamaram?

Felicíssimo fez que não com a mão espalmada.

Quando se fechou a porta, olhou para Spoletto e viu-o atirado para trás, olhos semifechados, como quem se prepara para dormir.

Deixou-o dormir. Que se recuperasse um pouco pelo sono.

Rogou a Jesus que amparasse aquele pobre homem, a pique da loucura irremediável. Mas Spoletto não tinha cura, porque não podia mais viver fora de sua paixão.

A seguir, comentou mentalmente a revelação de Spoletto.

"A que casa suspeita se referia? Em que zona da cidade?

"Como descobrira que Aprígio e Lisiane, Consuelo e Miguel, em certas noites da semana, de automóvel se dirigiam para local suspeito, e, aí chegando, abriam a porta de uma casa aparentemente desabitada, com as chaves que levavam consigo, nela penetrando, cautelosos?

"É estranho tudo isso", conversava consigo Felicíssimo, "mas essas criaturas deviam estar, certamente, a serviço do bem. Spoletto, arrastado por sua paixão, não se dera ao trabalho de verificar quem morava na casa, e indagar de seus moradores o motivo daquelas surtidas periódicas, à noite, dos visitantes. Talvez já estivesse de posse da verdade, se assim tivesse agido. Eu me incumbirei de esclarecer o caso ao Spoletto, tão logo esteja em condições de tratar do assunto."

Algumas horas depois, Spoletto despertou. Tinha se recuperado um pouco. Olhou em derredor, vendo Felicíssimo sentado em sua cama, a fitá-lo amistosamente.

— Muito bem, Sr. Spoletto! Tirou uma boa pestana. Que gostosura é uma soneca a estas horas...

Capítulo 4

Spoletto ajeitou a roupa, refez o nó da gravata, foi ao lavatório, banhou o rosto, alisou o cabelo e voltou-se para o doente:

— Muito obrigado por tua hospitalidade, meu amigo.

— Não agradeça nada, Sr. Spoletto, pois nem me foi possível acomodá-lo na cama. Ainda me doem muito as pisaduras.

Ambos silenciaram.

Tocou a sineta para a refeição.

Spoletto deu alguns passos pelo aposento, cabisbaixo, pensando, e por fim se dirigiu a Felicíssimo:

— Meu amigo, vou despedir-me. Já te aborreci bastante com as minhas misérias. Um dia tirar-te-ei da cegueira em que vives, e ruirão, de alto a baixo, os deuses de lama pelos quais nutres uma adoração búdica. Não te esqueças, Felicíssimo, de que essa gente ainda te vai causar descontentamentos e amarguras.

— Igualmente ao senhor.

Saindo da enfermaria, o veterano funcionário das Indústrias Aprígio procurava alcançar os escritórios quando se lhe deparou Clóvis, que levava o mesmo destino.

— Já viu o estado deplorável em que ficou o "Cão da Fábrica"?

— Fui dos que o visitaram a seguir — respondeu Clóvis. — Um fato doloroso. Atendeu-o imediatamente a Srta. Consuelo, sempre incansável com os sofredores. Que bela alma!

— Quem?

— Consuelo.

— Boa bisca...

— Já não a ama?

— Desejo-a, simplesmente. Possuí-la-ei qualquer dia destes.

— Ver para crer...

— Verá.

Spoletto deteve-se à entrada de seu escritório e, fitando o companheiro com firmeza, ia falar, mas conteve-se, dando de ombros.

Antes que Clóvis pudesse sentar-se para dar início ao trabalho, disse-lhe Spoletto:

— Tenho uma novidade a contar-lhe. Venha ao meu gabinete. Venho surpreendendo — começou, sentando-se e pedindo ao companheiro que o imitasse — , há algum tempo a esta parte, Aprígio e Miguel, Lisiane e Consuelo frequentarem uma casa suspeita ou desabitada, distante daqui, a horas avançadas da noite.

Clóvis arregalou os olhos e esperou que o interlocutor prosseguisse.

— Saem todos de automóvel: Aprígio, no seu, com Lisiane; e Miguel, em outro, ao lado de Consuelo, sorridente e feliz.

— Não diga, Sr. Spoletto! Deve estar enganado. Não é possível... São criaturas decentes.

— Pois sim, decentes...

— Como descobriu isso?

— Acidentalmente... Tenho para aquelas redondezas um negócio íntimo, que me rouba algumas horas de certas noites. Verdade é que meu destino está mais longe dali. Em uma noite destas — há seguramente mais de mês —, ao passar por lá, detive-me para acender um cigarro. Foi nesse preciso instante que vislumbrei dois carros pararem no lado oposto da rua e descerem, de um, Aprígio e Lisiane, e, do outro, Miguel e Consuelo. Fiquei boquiaberto, mas a perturbação não me impediu visse Aprígio retirar do bolso uma chave, com a qual abriu a porta, e entrarem todos na tal residência abandonada. Mas tudo isso com mil precauções e cautelas. Tenho certeza de que aquele pardieiro é um local destinado a encontros pouco recomendáveis.

— O senhor diz isso como se tivesse certeza inabalável.

— E tenho-a, Clóvis. De mais a mais, que vão eles fazer naquela tapera?

— Talvez haja habitantes.

— Não. A casa está em ruínas e, por isso, abandonada. E a luz, que só a vislumbrei depois que os pombinhos entraram? Se alguém morasse lá, é claro que haveria luz antes de eles chegarem.

Capítulo 4

— Não entendo nada do que me narrou. Entretanto, Sr. Spoletto, custa-me crer que motivos menos dignos levassem tão boas criaturas a se reunirem em tão estranho local. É de dar o que pensar, sim, senhor.

— É que vocês endeusaram de tal forma essa gente que não podem mais admitir uma fraqueza por parte dela. Eu admito, porque ninguém é santo. Aponte-me um só, e eu darei a mão à palmatória. Que diabo, por que não se curvam vocês à evidência? É por que quem lhes traz a notícia sou eu, o velho Spoletto? Qualquer dia eu os levarei até lá, e vocês se dobrarão à verdade dos fatos.

— Não desejo ir. Não tenho motivos para andar espionando criaturas que vivem a correr de um lado para outro, a distribuir caridade e benefícios.

— Caridade... caridade... Estranha caridade essa, seu idiota! Vocês vivem no mundo da Lua, pescando almas e recrutando Espíritos. Enquanto isso, a matéria faz as suas reclamações à calada da noite, em locais adequados para as materializações à luz das velas ou dos candeeiros fumarentos... Perdoe-me, Clóvis, mas você é um bobo igual ao Felicíssimo.

— Felicíssimo acreditou?

— Não.

— Ele tem bom-senso. A despeito de seu aleijão, é um espírito muito ponderado e, sobretudo, equilibradíssimo. Se não acreditou é porque não é verdade.

— Desmente-me, Clóvis?

— Não, Sr. Spoletto! Absolutamente. O que quero dizer é que, não tendo o senhor certeza do que vão fazer aquelas pessoas na tal casa desabitada, não deve veicular uma coisa dessas, de tamanha gravidade. Por isso, também não acredito. Se me mostrar Lisiane nos braços de Aprígio — o nosso chefe —, e Consuelo nos de Miguel, em atitude característica, aí, sim, acredito. Por enquanto, permita-me que duvide de sua história.

— Irei proporcionar-lhe o espetáculo que o estarrecerá, se não o fulminar, dada a pseudossantidade das personagens. Aí, você verá que neste pobre mundo sofredor tudo é relativo. Até as virtudes peregrinas dos partícipes da tragicomédia que o tempo está elaborando. Ninguém perderá por esperar um pouco mais.

— Às vezes, Sr. Spoletto, o feitiço se volta contra o feiticeiro.

— Gostaria de saber quem é o mago.

— O senhor é quem vai ter a surpresa. Nunca meça o seu semelhante com a medida da iniquidade ou da leviandade. Se o senhor ainda não viu a indecência dessas criaturas, poupe-as, por favor, até prova em contrário.

— Com que então pertence agora à irmandade? — interpelou Spoletto, rindo ironicamente.

— Ora, Sr. Spoletto, cansei da vida que vivia. A gente sempre tem uma hora em que se faz presente a compunção. Mudei para melhor.

— Não anda mais correndo atrás das moças? Não? Eu continuo. É o meu fraco.

— Vou ver se é possível casar-me agora pelo Natal.

— Quem é a eleita?

— Marília.

— Ótima moça. Gosto dela. Franca, sincera e trabalhadora.

— Obrigado, Sr. Spoletto.

— Não agradeça. Digo a verdade. Seja muito feliz e transmita-lhe, por favor, os meus cumprimentos.

— Ela vai ficar satisfeita. No mesmo dia se realizarão os casamentos de Lisiane, Consuelo e Lívia.

— Sérgio e Consuelo; Lisiane e Sileno; Lívia e Demenciano; Marília e... e você. Muito bem!

Mudando bruscamente a atitude mental, ponderou, meio grave, meio despeitado, ou meio rancoroso ou irônico:

— Pensei que Miguel tivesse as suas pretensões com relação a Consuelo, pois sei de fonte segura que a ama perdidamente. Não tem mau gosto.

Capítulo 4

— Quando Miguel soube que Consuelo amava Sérgio e com ele se casaria, retirou-se de seu caminho como pretendente à sua mão, mas permaneceu a seu lado como amigo dedicado, sincero e leal. O gesto do filho do Sr. Aprígio é de uma beleza moral incomparável! Como fiquei admirando esse valoroso rapaz! Também não acha isso, Sr. Spoletto?

— Tenho as minhas reservas a respeito do amor platônico. Duas pessoas de sexo oposto, convivendo no mesmo plano das relações amistosas, acabam fazendo bobagem.

— Então, afirmo que não conhece essas duas criaturas, Sr. Spoletto. São almas espiritualizadas, incapazes de um deslize na pauta em que o amigo situa o problema.

— Conheço-as, Clóvis, principalmente Consuelo. Se a conheço!...

— Não julgue em causa própria. Ela é uma santa, um anjo.

— Anjo, vá lá, ela o é pela beleza física, mas santa? Tenho as minhas reservas e as minhas dúvidas...

— É tão perfeita, ou melhor, tão perfeitos em relação à nossa miséria espiritual, que se casarão apenas para que, convivendo ambos sob o mesmo teto — na direção do Lar de Maria —, os espíritos desavisados que se preocupam com a vida alheia não disponham de espaço moral para lhes atassalhar a honra e a dignidade. Isso é sublime, Sr. Spoletto! Não acha?

— Acho simplesmente ridículo, e como não posso dizer que tal conduta seja um esnobismo, porque não está em moda, proclamo-a um atestado flagrante de debilidade mental, sobre ser incrível cabotinismo. Além de tudo, Clóvis — prosseguiu Spoletto, inflamado, como quem profere um discurso arrasador —, isso que pretendem levar a efeito é fanatismo religioso, aberra de todos os princípios científicos reinantes na Terra, é contrário à própria natureza humana.

Respirou fundo, como quem acabava de proferir uma sentença inapelável.

— Pois eu não acho, Sr. Spoletto — redarguiu Clóvis, sereno e sorridente —, que, em se esforçar o homem por se tornar melhor, seja por isso um fanático religioso, no sentido em que o termo é comumente empregado. Tal conduta não aberra de qualquer princípio científico vigente na Terra, nem contraria a natureza humana.

— Pontos de vista...

— Fanatismo religioso é sectarismo que encarcera a liberdade de consciência, pretendendo uma liberdade dirigida na esfera do pensamento, que torna o homem escravo de postulados que lhe proíbem a expansão da alma pela ideia e pela razão. No caso trazido a debate, o espírito liberta-se da matéria, rompe as cadeias dos excessos e dos abusos e lança os fundamentos da Religião do Futuro, que é imaterial, que ensina o homem a ser apenas alma, essência que vem de Deus, luz que iluminará o mundo, força que regerá a marcha dos Universos. O caso deles, Sr. Spoletto, é tão somente, na atualidade da hora que marcha, uma tentativa de bravos pioneiros da Luz, de ínclitos precursores da Perfeição. Nada mais que isso.

— Não entendo de filosofias, mas entendo de sexo, meu caro Clóvis.

— Não creia que entenda disso, Sr. Spoletto. Isso é assunto tão complexo no campo de uma Biologia substancial que, em falando dele ou nele, Sr. Spoletto, o sexo, na essência, se confunde com o próprio ser imortal, evolutivo e eterno. Sexo é luz, é amor, é sacrifício, renúncia, perfeição. O senhor entende daquele sexo que se degrada nos espasmos dos instintos satisfeitos na precariedade de um minuto, em que, de envolta com o gozo mais grosseiro, morre a honra, desaparece o respeito, perece a dignidade humana, esvai-se a saúde da alma.

— E de que meios Deus lança mão para povoar o mundo?

— Acha Deus tão pobre assim, Sr. Spoletto, que não disponha de outros recursos para povoar a Terra, quando esta dispensar o ventre sagrado da mulher na feitura ou construção de

Capítulo 4

um casulo de carne para enclausurar uma alma que pretenda lutar, em meio adequado, por sua libertação?

— Acho difícil a empreitada que dispensar o fabrico do homem pelo sexo — respondeu, meio contrafeito e derrotado.

— E os mundos que atingiram um grau de perfeição que nem sequer, sonhando, o percebemos? Como se formam seus habitantes?

— Também você crê na pluralidade dos mundos habitados?

— E quem o não crê?

— Eu, Giacomo Mazzini de Spoletto!

— Está sozinho, meu amigo, no tempo, no espaço e no saber. É um verdadeiro deus, Sr. Spoletto, porque único e infalível.

— Não sei, meu amigo — falou Spoletto, distante, sem referir-se pelo menos às últimas frases de Clóvis, embora a este se dirigisse —, se tanto Sérgio quanto Sileno estão em condições de levar avante a tarefa, subordinando o desejo aos imperativos da espiritualização.

— Creio que vencerão, embora seja rude, de nosso ponto de vista de almas imperfeitas, a empreitada — comentou, à guisa de resposta. — Eles são criaturas experimentadas nos tentames das renunciações cruciais.

— Sou um ente impuro, Clóvis, e daí o julgar meus semelhantes pela mesma medida das minhas misérias. Amo Consuelo, e tudo daria por possuí-la.

— Concordo que o senhor a deseje, visto não a poder amar. Quando se ama, Sr. Spoletto, uma palavra de compreensão, um gesto de meiguice, um olhar a transluzir os doces carinhos da alma bem-amada são todo um mundo de ternura que satisfaz, que dispensa e mata o desejo.

Spoletto não contestou o amigo. Contentou-se em fitar a rua barulhenta que a janela aberta lhe descortinava.

Nunca soube por que naquele instante se lembrou de Angelina, a sua esposa e companheira de quase 25 anos. Mas a lembrança foi rápida e logo se desvaneceu, substituindo-a em seu espaço mental a figura doce e espiritual de Consuelo, que dentro de poucos dias pertenceria a Sérgio.

E não poder impedir tamanha loucura! Ai, se pudesse...

Tentaria. Ainda que precisa fosse a violência ou a calúnia. Sérgio podia arrebatá-la, mas pagaria caro a sua ousadia.

— Em que pensa, Sr. Spoletto? — indagou Clóvis, observando que o semblante do companheiro esboçava traços duros, de quem tomara uma implacável resolução.

— Em que penso? Isso é pergunta que se faça a uma criatura traída em suas mais belas afeições?

— Mas quem o traiu?

— Ambos, e você também!

— Eu?

— Sim, você mesmo! Não se lembra daquele dia em que me aconselhou a apertar o cerco em torno de Consuelo?

— Estou lembrado.

— E então?

— Bem, Sr. Spoletto, peço-lhe perdão de o ter aconselhado mal. Naquela oportunidade eu não conhecia Deus. Hoje, conheço-o. Seria um traidor de minha própria consciência se continuasse a alimentar-lhe esse amor doentio, patológico, que o senhor nutre por uma menina. O senhor é um homem velho; ela, uma criança; o senhor é casado, tem mulher e filhos; ela é solteira e órfã; Sérgio é moço e solteiro. Já se detêve em tudo isso, Sr. Spoletto? Perdoe-me falar-lhe em termos tão desagradáveis, mas o amigo verdadeiro é precisamente aquele que nos aponta os defeitos e os deslizes.

— Não importa, Clóvis. Hei de tê-la um dia em meus braços, ainda que seja morta, sem vida, sem luz os seus olhos, sem gestos as suas mãos, sem beijos a sua boca, parado o coração, o seio sem pulsação...

— Quer dizer que a matará para não pertencer a outrem?

— Se tanto for necessário.

— Então, o senhor está doente.

Capítulo 4

— Doente ou são, Consuelo será minha.

Silenciando, e dando começo ao serviço que lhe estava afeto, Clóvis compreendeu que ele dera por terminada a conversação, e, a seu turno, levantou-se e se dirigiu à sua mesa de trabalho, iniciando o expediente.

Sentia-se, porém, intranquilo. Parecia que Spoletto estava louco, ou à beira do desequilíbrio total da mente.

Era urgente prevenir Consuelo. Que se acautelasse contra seu chefe imediato.

Terminada que foi a primeira tarefa do dia, à hora do almoço, Clóvis inteirou a colega da palestra que entretivera com Spoletto.

Consuelo agradeceu a informação e, sorrindo, delicadamente respondeu:

— Sou-lhe bastante grata pela advertência, Clóvis. Deus nos ajudará, não é verdade?

— Sim, Consuelo. Deus nos ajuda sempre.

— Estando conosco, quem poderá ser contra nós?

Clóvis fitou Consuelo mais tempo do que o conveniente, não fugindo à admiração pela imensa fortaleza espiritual daquela grande alma, dotada de uma fé poderosa e inquebrantável, produto, naturalmente, das lutas cruentas do passado.

Ao retirar-se, indagou:

— Vai logo à noite à reunião preliminar de inauguração do Lar de Maria, em casa do senhor Aprígio?

— Irei. Temos compromissos sagrados com ele.

— Lá nos avistaremos e trocaremos ideias mais à vontade.

— Será uma satisfação.

Spoletto, pela porta semicerrada de seu gabinete, espreitava-a com muita atenção. Seus olhos brilhantes e cheios de desejos não se cansavam de fitar Consuelo, detendo-se, impudicamente, no corpo escultural da bela moça — um casulo de carne perfeito, a encarcerar um anjo extraviado do Céu.

Como que sob a influência de estranho fascínio, continuou preso à doce e meiga figura de Dor-sem-fim, que sorria ouvindo as notícias que lhe trazia Clóvis.

Uma onda de ciúme envolveu o velho Spoletto. Aquele sorriso que lhe era encanto e enlevo; aqueles gestos mansos, que queria afagassem a sua alma abrasada por uma paixão endoidecedora; a boca entreaberta como a suplicar os beijos mais ardentes e mais profundos, tudo nela arrebatava-o, empolgava-o, enlouquecia-o.

E Clóvis, a seu lado, desfrutando a presença inebriante de deusa de celeste formosura, era um convite ao crime, uma solicitação à morte, um incentivo à destruição do objeto de sua loucura.

Instintivamente acariciou o cabo metálico de aceradíssimo punhal calabrês, mas sentiu que não chegara a hora da decisão cruel.

— Esperemos um pouco mais. Urge não precipitar os acontecimentos.

— Permite, Sr. Spoletto?

Colhido pela surpresa, divisou o lindo par Lisiane e Sileno, que, sorridente e feliz, assomava à entrada de seu gabinete.

— Entrem, entrem, por favor — respondeu, avançando para os colegas e apertando-lhes as mãos. — A que devo o prazer da visita? Sentem-se. — E indicou aos visitantes duas macias poltronas ao pé da sua mesa de trabalho.

— Sr. Spoletto — falou Sileno, logo após sentar-se ao lado de Lisiane —, o que nos traz aqui é o desejo de vê-lo, logo à noite, em casa do Sr. Aprígio, juntamente com todos os funcionários da fábrica, para participar de uma reunião preliminar de inauguração do estabelecimento de assistência social denominado Lar de Maria, obra essa já concluída e a ser instalada pelo próximo Natal, e mandada construir pela família Aprígio.

— Mas... — gaguejou Spoletto —, não sei... eles não me dirigiram qualquer convite... talvez não fique bem...

Capítulo 4

— Não houve convites especiais, Sr. Spoletto — justificou Lisiane —, mas a família nos deu plenos poderes para convidar o pessoal da firma, para que compareçam todos, a fim de festejarmos o acontecimento.

— Nesse caso, não tenho razão para recusar tão amável convite. Devo, porém, esclarecer aos amigos que não sou espírita, nem esposo qualquer religião. Sou mesmo, para ser verdadeiro, ateu confesso.

— Não nos incumbiu a família anfitriã de selecionar os convidados. Todos serão bem-vindos.

— Agradeço o convite e, à hora aprazada, achar-me-ei lá.

— Não vá só, Sr. Spoletto — pediu Sileno —, leve consigo D. Angelina, de quem D. Maria faz as melhores referências.

— Muito obrigado pela distinção — curvou-se Spoletto. — Creiam que, se Angelina não estiver atacada de asma, doença que a maltrata a cada passo, com bastante satisfação a levarei.

— Agora, permita-nos sair, pois ainda temos que tomar diversas providências relacionadas com a noite de hoje — disse Sileno, levantando-se, no que o imitou Lisiane.

— Reitero-lhes meus agradecimentos e prometo não faltar.

Acompanhou o casal até a porta e voltou ao seu lugar, de olhos faiscantes.

— Aproveitarei a oportunidade para entender-me a sós com Consuelo — monologou. — Deus ou o Diabo estão me ajudando. Vai ser para esta noite o desenlace.

Sentou-se à mesa e entregou-se ao trabalho.

Antes da hora estabelecida para o início da festa, deram entrada, na casa de Aprígio, D. Quitéria, esposa de Licurgo, e sua filhinha Mininha, bela, graciosa e simpática.

Estavam na sala apenas Aprígio, D. Maria — bela ainda em seus 40 anos — e Miguel, o filho único do generoso casal.

Não lhes foi possível levantarem-se à chegada das duas visitas, porque, ao entrarem, como se tivessem ensaiado a cena — o que a rigor não ocorrera, desde que sobre isso somente haviam trocado poucas palavras —, Quitéria ajoelhou-se aos pés de D. Maria, beijando-lhe as mãos, enquanto Mininha, desembaraçada e gentil, doce como um passarinho, encaminhando-se para Aprígio, que se achava recostado em uma poltrona, ergueu-se nas pontas dos pés minúsculos e, puxando suavemente para si a cabeça do milionário, beijou-o em ambas as faces, ao mesmo tempo que murmurou, comovida:

— Beijo-o em nome de todas as crianças a quem seu generoso coração tem ajudado tanto.

Quis dizer mais alguma coisa, mas a emoção embargou-lhe a voz infantil e deixou pender a cabecinha loura sobre o largo peito de Aprígio.

Este, comovido até o imo do ser, não pôde proferir senão estas palavras, que lhe saíam do coração, tocado em suas fibras mais delicadas pelas carinhosas expressões de Mininha:

— Deus te abençoe, minha filha — disse, atraindo-a a si, olhos nublados de pranto silencioso e sublime.

D. Maria, a seu turno, levantando Quitéria e abraçando-a, perguntava surpresa:

— Que é isso, minha amiga? Que fizemos para merecer essa comovedora prova de estima e amizade?

— Seu esposo salvou-nos a todos, num daqueles gestos que costuma praticar silenciosamente, desejando escondê-los, como é de seu feitio de homem verdadeiramente cristão.

D. Maria olhou-o com indizível ternura e nobre ufania, dizendo a seguir:

— Aprígio é um deus que criou no meu coração um templo em que entronizou a felicidade. Jesus há de querer-lhe bem.

— Maria, não fale assim, minha filha. Sou o que sou porque você me ensinou a amar — respondeu Aprígio, afagando Mininha em seus braços.

— Todos dizem que o senhor é muito rico e quer dar tudo o que tem aos pobres, mas que Deus, quando o senhor dá mil,

Capítulo 4

lhe devolve um milhão — falou, sorrindo, muito alegre, sentada sobre os joelhos de Aprígio. — É verdade?

— Que liberdades são essas, Mininha? — interveio Quitéria, suavemente repreensiva. — De onde lhe veio a ideia de fazer essas perguntas ao Sr. Aprígio?

— É que papai diz sempre que ele gosta muito das crianças.

— Não dê muita corda a Mininha, Sr. Aprígio, senão ela vai longe — ponderou Quitéria. — Depois que toma confiança...

— Não faz mal, D. Quitéria. Deixe que a pequena fale à vontade — solicitou Aprígio, beijando a criança, que, àquela altura, estava eufórica, livre de qualquer constrangimento.

Interrompeu-se a conversação porque começaram a chegar os convidados, sendo Licurgo e Felicíssimo, já quase restabelecido, os que se seguiram à esposa e filha do primeiro.

Em pouco tempo, o palacete de Aprígio não comportava mais as visitas, espalhando-se estas pelos jardins e adjacências, onde se formavam, aqui e ali, pequenos grupos, em animada palestra, entremeada de risos sadios e espontâneos.

Spoletto simpatizara com o tenente Pompeu, que se apresentara bem-vestido, quase com exagero, com um cravo vermelho na lapela, como sempre.

— O senhor, Tenente — gracejava Spoletto —, é um homem que não conhece idade.

— Sou eterno.

— Realizou-se na vida? — inquiriu, afoito, Spoletto.

— Espiritualmente, a realização é obra da eternidade. Sob o ponto de vista social, ou humano, digamos, considero-me realizado, pois sou um espírito modesto e, como tal, me contento com o pouco ou quase nada que fiz e que sou. E o senhor, amigo Spoletto?

— Respondo com o último terceto de um soneto de pé quebrado que tentei há dias, quando descobri que amo e desejo uma bela mulher.

Pompeu fitou-o, com estranheza, e acudiu:
— Que terceto é esse?
— É o último do tal soneto. Quando amamos nesta idade, a gente se torna poeta.
— Eu não perpetro a poesia, Sr. Spoletto.
— É que não está amando; se estivesse, ia ver como versejaria, como qualquer rapaz de 20 anos. Na mocidade, o soneto é uma fatalidade amorosa.
— E o célebre terceto?
— Aí vai:

....

Saudade do que não quis fazer,
Inveja do que deixei de ser,
Mágoa de tudo que julguei passar...

— Que tal? — indagou, ao terminar.
— Meio filosófico, Sr. Spoletto — respondeu, sorrindo. — Quando, em nossa idade — acresceu Pompeu —, nos apaixonamos, vamos até o ridículo, meu amigo, lá isso é verdade. E ainda bem quando nos sobra um pouco de senso; porque, do contrário, poderemos chegar ao crime.
— É o meu caso, Tenente — revidou Spoletto, nervoso, inquieto, a olhar para os lados, como quem procura alguém.
Depois de alguns instantes, meio confidente, aproximando-se mais de seu interlocutor, segredou-lhe.
— Conhece Consuelo, Tenente?
— Sim. Um anjo.
— Apaixonei-me por esse anjo e quero-o para mim.
— Tenho pena do senhor.
— Pena? Qual a razão?
— Conhece o senhor a impossibilidade absoluta de seu querer? Não me venha dizer que julgou tão mal essa menina a ponto de pensar numa aproximação amorosa com ela!

Capítulo 4

— Pois pensei, Tenente, e digo-o com ênfase: ela será minha ou de mais ninguém.

— Então, o senhor está louco — respondeu categoricamente.

— Outros já me disseram a mesma coisa, mas não estou ligando a isso. Estou vivendo para um ideal de beleza — comentou, olhando para longe, fitando o céu. — Que importa que os outros, como o senhor, tenente Pompeu, não alimentem qualquer ideal em suas vidas?

O oficial ficou de ânimo suspenso. A revelação era alarmante. Estava diante duma criatura louca, às vésperas do crime. Spoletto, desgraçadamente, fora longe demais, alimentando aquela paixão infeliz. Urgia fazer alguma coisa por ele.

Eis, porém, que surgiu, mais além, pelo braço de Sérgio, a doce e espiritual figura de Consuelo.

"O destino está a zombar de Spoletto", falou para si, mentalmente, o Tenente.

O chefe da Contabilidade empertigou-se, ostentando suas maneiras autoritárias e, insolentemente, acompanhou a moça com o olhar, até perdê-la de vista.

— Que soberba mulher, meu amigo! — exclamou, sorrindo.

— Não digo soberba mulher, Sr. Spoletto, porque prefiro afirmar: que lindo espírito!

— Tolices, Tenente! O que vale mesmo na Terra é a carne, pois quem nasce da carne é carne e na carne todos somos obrigados a viver.

Pompeu fitou seriamente o interlocutor, retocou o nó da gravata, passou os olhos pelo cravo vermelho da lapela de seu casaco e, cuidando do vinco das calças, contestou:

— O senhor está encarecendo ou barateando o preço da carne? Arre! que já é gostar de carne. A carne, amigo Spoletto, é uma fase, mas o espírito é a Fase.

— Tudo acaba no mesmo, Tenente.

— Parece, mas na realidade não o é. O senhor mergulhou demasiadamente na viciação mental, e agora não pode libertar-se dessa paixão que o esmaga e enceguece. Quanto mais pensa em Consuelo, mais farta é a alimentação que o amigo ministra à sua mente. É assim que começam certas formas de psicoses. Reaja enquanto é tempo.

— Pensarei mais tarde, depois de uma verificação que pretendo levar a efeito por estes próximos dias.

— Mas... — falou Pompeu, dando o braço ao amigo e encaminhando-se com ele para a sala destinada aos trabalhos daquela noite —, vamos tomar parte nos serviços a que fomos convidados.

Atravessaram os jardins que circundavam o palacete, onde havia grupos de pessoas de todas as condições sociais, desde as mais modestas, e, em seguida, acharam-se no belo salão da residência, ornamentado com encantadora simplicidade.

Aprígio presidia os trabalhos, tendo ao lado a esposa e D. Maria Amélia, senhora de nobre porte, basta cabeleira maravilhosamente alva.

Assentadas as medidas para a festa inaugural que se daria daí a uma semana — pelo Natal de Jesus —, dissolveu-se a linda reunião, tendo Licurgo levado Felicíssimo, em um carro de aluguel, à sua moradia, em um dos pavilhões da fábrica.

Aí chegando, entraram ambos, tendo Felicíssimo pedido que o amigo ficasse para uns dedos de prosa.

Licurgo aquiesceu, sentando-se ao lado do amigo.

— Ficarei apenas alguns momentos, pois Quitéria me espera para um trabalho doméstico.

— Pedi-lhe que ficasse para dizer-lhe que Spoletto esteve comigo, hoje pela manhã, na enfermaria, inteiramente descontrolado. Levanta tremendas suspeitas contra nossos amigos, principalmente Consuelo, e promete promover vasto escândalo a qualquer momento. Não acha que poderá cometer uma barbaridade?

— Spoletto é um doente que alimenta o próprio mal. Creio mesmo que está sob o domínio de Entidade cruel, que o não deixa um só momento. É um enorme perigo.

Capítulo 4

— Que paixão lhe despertou a Srta. Consuelo, santo Deus! — exclamou Felicíssimo.

— É um prisioneiro que se sente bem na prisão. E espera seja perpétua.

— Duplamente infeliz.

Felicíssimo relanceou o olhar à volta da sala e, fitando Licurgo, perguntou-lhe delicadamente:

— Quando o amigo teve a bondade de revelar-me o seu caso, imaginei que continuaria, a despeito da renúncia, a amar Lisiane com todas as forças de seu generoso espírito.

— É o que faço e farei sempre, Felicíssimo, com a única diferença de que estou espiritualizando o meu amor por aquela sublime criatura. Não a mereço, sei, mas isso não impede que a ame, como amo a minha mulher, os meus amigos. Se não fosse a generosidade do meu patrão — hoje um incomparável amigo —, não sei o que teria sido de mim. Enlouqueci, e tentei violentar uma criatura de quem não me julgo digno de desatar as sandálias.

Calou-se, escondendo o rosto entre as mãos e murmurando:

— Quando lembro aquela cena, sinto horror de mim, uma infinita vergonha de fitar a querida Mininha.

Felicíssimo apressou-se a apresentar-lhe desculpas por ter revivido um fato que Licurgo se esforçava por não lembrar nunca mais.

— Quem semeia causas ao longo da vida, meu bom amigo, justo é que lhes absorva os efeitos. É um determinismo filosófico... Tenho suplicado a Deus que me oferte uma oportunidade para demonstrar a Lisiane, que me honra hoje com a sua confiança, que sou um homem diferente. Deus um dia atenderá ao meu pedido, e sinto que esse dia se aproxima, e o testemunho de minha regeneração não será fácil.

Palestrou mais um pouco com Felicíssimo e, ao sair, lançou distraidamente um golpe de vista para o mais afastado ângulo da sala, e viu, quase descoberto, sobre uma tábua, alçada a cerca de meio metro de altura, um bloco de barro constante de três cabeças, assentado em uma base de regular tamanho.

— Esculturando, Felicíssimo? Dá para se ver? — perguntou, detendo-se na mesma posição.

Felicíssimo, acanhadíssimo, como quem é surpreendido a praticar um ato reprovável, gaguejou a princípio, mas depois falou desembaraçado:

— Não vale a pena perder tempo com aquilo, meu amigo. Não perca mais um minuto do prazer de estar, daqui a pouco, com D. Quitéria e filhos.

— Quitéria é uma santa criatura e me compreenderá se chegar com atraso de alguns minutos. Vamos ver isso de perto, seu Michelangelo.

Não deu mais que seis passos e, curioso, levantou inteiramente o pano que encobria o bloco.

Olhou-o com respeito e visível assombro.

Quase pronto o trabalho do obscuro escultor, em seus últimos retoques, na beleza das linhas, na suavidade convincente dos contornos, as cabeças, magistralmente trabalhadas, de Aprígio, D. Maria e Miguel.

A semelhança era indiscutível e, saindo das mãos semialeijadas de Felicíssimo, era verdadeira obra de arte.

A cabeça nobre e meio alevantada de Aprígio, a doçura do olhar e a expressão meiga e acalentadora de D. Maria e a altivez serena mas espiritualmente galanteadora de Miguel somavam, na modelação do barro, sob suas vistas estupefatas, a família mais feliz do Rio de Janeiro.

— Em que escola você estudou, Felicíssimo?

— Não lhe disse que fazia meus engonços e bonecos para vender e com o produto do meu mercado me sustentar? Na escola das necessidades esmagadoras da alma.

— Por que eles e não Consuelo — o sonho de todo um rosário de reencarnações dolorosas?

Capítulo 4

— A linguagem da gratidão, por vezes, meu bom amigo, tem uma força descomunal, a que nenhuma outra se compara. A gratidão a Deus, que me deu o aleijão do corpo para lembrar-me perenemente, nesta existência, de uma felicidade oculta, das misérias de uma alma que um dia gravitará para Ele, não será um motivo bastante para o ser buscar no arsenal das vidas que passaram alguma coisa que sobrou do naufrágio e manifestá-la ao mundo exterior, por meio da música, da pintura, da escultura, do saber e da bondade? Quem fez por mim mais que a família desse homem excepcional por suas virtudes e por seu amor? Depois dele, só você, meu amigo, que nunca se envergonhou de mim, abrindo-me mesmo as portas do coração para que lhe surpreendesse as riquezas imensas que lá estão adormecidas.

Licurgo deu mais alguns passos e, surpreendendo o amigo, ergueu-o em seus braços possantes, abraçou-o e disse entusiasmado:

— A gratidão, em verdade, é uma força poderosa, e manifestá-la, como o vai fazer, é um movimento de coração que não têm as almas paralíticas.

— Obrigado, Licurgo, meu nobre amigo — agradeceu Felicíssimo, desvencilhando-se, delicadamente, dos braços do companheiro de trabalho. — É você quem mais coragem me proporciona para vencer a prova cruenta que escolhi. Um dia — e olhou a noite estrelada —, talvez Jesus me permita aproximar-me dela.

Esforçou-se para não chorar diante do amigo, revelando o intenso amor que ainda e cada vez mais nutria por Consuelo. Deixou-se vencer pela emoção, e então — como não o fazia talvez há séculos —, chorou copiosamente, desoprimindo o coração sofredor, a alma vergastada por mil martírios.

Licurgo esperou que lhe cessasse o pranto, e, num gesto amigo de compreensão, falou de manso:

— Chore, Felicíssimo, porque isso lhe proporcionará imenso desafogo ao espírito conturbado pelas lembranças dolorosas.

— Obrigado, meu amigo. Não o impeço mais de ir ter com D. Quitéria e filhinhos. Vá e ore por mim.

— Era exatamente o que ia pedir-lhe que por mim fizesse.

— Sempre o faço.

— Boa noite, Felicíssimo.

— Boa noite, meu amigo.

E separaram-se.

Quitéria o esperava na varanda e, quando o viu, foi ao seu encontro, e fê-lo sentar-se ao pé de si.

— Demorei um pouco mais do que pretendia, e por isso vai perdoar-me —, disse-lhe, beijando-a na face.

— Não o censuro por isso. Sei que se tornou amigo de Felicíssimo, e não cessa de confortá-lo na dura prova escolhida.

— É o que faço sempre. Mas, hoje, a razão de minha demora é que surpreendi uma nova faceta de Felicíssimo.

— Como assim? — indagou Quitéria, curiosa.

— Imagine você que ele está fazendo uma obra de escultura.

— Felicíssimo?

— Sim, mas olhe que é segredo, hein? Ele está esculpindo, em barro, um busto da família Aprígio. Parece que prepara uma surpresa para o dia da inauguração do Lar de Maria.

Quitéria mostrava-se assombrada com a revelação, mas não pôde continuar a conversação.

— Mamãe, mamãe — chamava Mininha, que acordara no momento em que Licurgo falava.

— Venha cá, minha filha — chamou Quitéria, levantando-se e indo a seu encontro. — Venha, querida, venha. Estávamos conversando um pouco. Que é que houve?

— Estava sonhando com o seu Aprígio.

— É tão grande sua amizade pelo Sr. Aprígio que chega a sonhar com ele, Mininha? — inquiriu Licurgo, sorrindo e afagando-lhe a cabecinha loura, de cabelos abundantes.

— Desde que o conheci, não pude mais esquecê-lo, paizinho.

— Por quê?

Capítulo 4

— Quando visitamos a sua casa, ele sentou-me em seus joelhos, passou suas mãos muito grandes pela minha cabeça, beijou-me, e, quase colando sua boca em meu ouvido, disse bem baixinho: "Gosta de seu pai?" — Muito. Sou louquinha por ele — respondi.

— É, Mininha, você tem razão de querê-lo muito, e muito mesmo.

— O senhor nem sabe como o meu paizinho é bom para nós e para mamãe.

— Seu pai, minha filha, é um homem digno, um exemplo para muitos que se dizem bons.

— Ele disse mesmo, Mininha? — indagou, curioso e contente, Licurgo.

— Disse. E quase chorei de alegria.

Quitéria olhou para o marido, sorrindo. Tudo nela era satisfação e felicidade.

— Ele se enganou, minha filha. Seu pai não é bom. É apenas um homem regenerado. Bom é ele, porque sempre foi bom. Eu sou apenas um arremedo de bondade.

— Não seja modesto, paizinho. Sabe mais o que ele me disse enquanto mamãe conversava com D. Maria?

— Que disse mais o Sr. Aprígio?

— Disse que o senhor é um homem de muita força moral. Não sei bem o que quer dizer isso, mas se foi ele quem afirmou é porque deve ser uma coisa notável.

Licurgo silenciou e olhou para o relógio.

— É quase meia-noite. Vamos dormir?

Levantaram-se.

Enquanto Quitéria se encaminhava para o pequeno quarto de Mininha, para fazê-la adormecer, Licurgo dirigia-se para seus aposentos, murmurando:

— Se o Sr. Aprígio disse tal coisa de mim, eu não posso decepcioná-lo nunca, e mais ainda essa criança que acredita em mim. Sou, agora, um feliz prisioneiro do meu próprio destino.

E sorriu para lembrar-se depois de Felicíssimo, que lá ficara, sozinho, naquela sala grande, vazia e triste, sem uma pessoa que o pudesse socorrer num imprevisto, numa circunstância qualquer.

O "Cão da Fábrica", a seu turno, pensava na amizade de Licurgo, que o compensava da solidão em que vivia.

"Deus é demasiadamente bom para mim", falava consigo o pobre aleijado. "Não mereço o que me dão, o que fazem por mim."

Relembrou naquela hora tardia da noite a sua infância, até o dia em que seu pai falecera. Morrera-lhe a mãe quando nascera. Certamente, matou-a o sacrifício de o pôr ao mundo, o "monstro da favela", que se arrastava de maloca em maloca, a brincar como podia, entre risos e chacotas da petizada de sua idade.

Às vezes, faziam-no correr ao lado de gansos que o bicavam, a ver quem, rebolando-se, chegava primeiro ao local indicado. Outras, amarravam-no a cães famintos que apareciam nas malocas, e batiam em ambos e os obrigavam a correr, usando chicotes improvisados.

Em muitas ocasiões, não podendo conter os animais a que era atado, rolava, desfalecido, morro abaixo, até que alguém, compadecido, o sustivesse, ou algum obstáculo natural o impedisse de despedaçar-se lá embaixo. Quantos anos viveu assim, nunca os soube contar. Recordava apenas as privações, os sofrimentos, as horas longas que passava à espera do pai, o único amigo que o defendia da maldade daqueles que riam de sua condição física, que o semelhava aos animais.

Um dia — ai! esse dia como que lhe ficou esculpido a fogo no espírito — meteram-no dentro de um tonel vazio de gasolina e o fecharam bem, com uma lata que adaptaram fortemente à abertura do recipiente, e empurraram-no morro abaixo.

Quando começou a rolar, sentiu que a cabeça batia nas paredes da prisão e ouvia baques ensurdecedores, que deveriam

Capítulo 4

ser causados pelo choque do tonel com as pedras enormes do caminho. Num ápice, sentiu-se no vácuo. Pareceu-lhe que chegava à borda de um precipício, e daí se projetara no espaço, rumo ao mar, ao abismo, à morte.

Um estrondo infernal e uma dor horrível na cabeça foram as últimas impressões que guardara do impacto com o solo.

Quando voltou a si, estava desesperado de dor numa cama, na sala pobre de um hospital, o pai ao lado, contemplando-o com infinita piedade.

— Está melhor, meu filho?

Felicíssimo olhou-o cheio de gratidão. Ainda havia no mundo um ser que se interessava por sua vida. Quis estender a mão, num gesto de quem queria sentir o calor da vida, o palpitar da realidade. Não pôde. Estava todo engessado. Só o cérebro funcionava, dorido, anuviado, nebuloso.

Respondeu à pergunta com um olhar de reconhecimento e de amor.

— Quantos dias, pai?

— Quase uma semana, meu filho. Deus não o quis levar. Compreenda a sua vontade e rogue forças para prosseguir no caminho. Paulo de Tarso não foi poupado, senão para recuperar-se, trabalhando, servindo e sofrendo.

Compreendera a lição e sorriu para ele.

— Foi uma brincadeira dos meninos, paizinho...

— E ainda os desculpa?

— Você sempre me ensinou a perdoar.

— Que Deus o abençoe.

Felicíssimo levantou-se, deu algumas voltas pela sala e, acomodando-se em seu leito, breve adormeceu, sorrindo à lembrança dos guris.

Cedo, porém, muito cedo ainda, pelas seis horas, ao levantar-se, Spoletto entrava em seu aposento por uma porta que dava para o depósito da fábrica.

Preocupado, testa enrugada de quem está submetido à solução de intrincado problema, caminhou até uma cadeira que se achava próxima de Felicíssimo, e aí se sentou.

Circunvagou o olhar pela sala, fitou o "monstro da fábrica", e disse:

— Bom dia, Felicíssimo.

— Bom dia, Sr. Spoletto.

Quando aquele se preparava, com vistas às obrigações do dia, o chefe do Departamento das Indústrias Aprígio mergulhou a cabeça nas mãos, inclinou-se para a frente nessa posição e alheou-se do mundo exterior.

O subordinado respeitou o seu silêncio e prosseguiu nas providências para o início do serviço que lhe estava confiado.

Quando se viu preparado, não querendo interpelar o chefe, tossiu sem vontade, pigarreando depois.

— Está na hora, Felicíssimo? — perguntou, a despertar de suas meditações.

— Creio que sim. Pelo menos no que concerne aos meus deveres.

— Vim aqui para te falar sobre aquele caso, Felicíssimo.

— Ainda?

— Sim. Ninguém pode abandonar um problema tão grave qual o meu, sem aconselhar-se.

— Pretende abandoná-lo?

— De momento, não. Gostaria de pesar os prós e os contras.

— Para mim, eu o liquidaria em dois tempos, na impossibilidade absoluta de o resolver a seu contento.

— Dizes isso porque não se trata de uma questão que te interesse o coração. Nem serias capaz de alimentar um amor impossível.

— Como amor impossível?

— Será que tens a veleidade de esperar que alguém te ame?

— Por que não?

— Com esse corpo todo monstruoso?

— Que tem o corpo com o amor, Sr. Spoletto?

— Muito! Muito! Aponta-me uma mulher, uma jovem, uma criatura do sexo oposto que possa, um dia, manifestar amor por ti! Não te conheces, Felicíssimo!

— Conheço-me, sim, Sr. Spoletto, e por isso não sofro como o senhor. Amo a uma criatura divina, Sr. Spoletto, e o senhor bem sabe quem é ela, e ela também me ama.

Ia prosseguir, mas o impediu uma violenta bofetada desferida por Spoletto, em plena face defeituosa, fazendo-o rolar pelo chão, com os lábios sangrando, nariz horrivelmente machucado.

— Conhece-te, animal, e não profiras mais, em minha presença, semelhante blasfêmia.

Felicíssimo buscou aprumar-se, olhou serenamente para o seu chefe e, bondoso, suplicou:

— Perdoe-me, Sr. Spoletto, pois não disse aquilo por mal. Falei impensadamente. Desculpe-me.

O agressor não respondeu, mas olhou-o furtivamente, talvez já arrependido.

— A gente, às vezes, não se conhece mesmo — prosseguiu Felicíssimo, humilde. — Quem sou eu para imaginar coisas? Sou um monstro. Agora imagino, mais do que nunca, o que fui no passado. A prova escolhida revela minhas ofensas à Justiça de Deus. O resgate, nesta fase de minha peregrinação, deve vir-me através de lições como a que o senhor me deu, e de outras que me têm sido aplicadas de vez em quando. Muito obrigado, Sr. Spoletto. Deus não socorre o homem somente nos plácidos interregnos da vida, com a saúde e o conforto, porém muito mais com o chamamento ao testemunho crucial de nossa fé, nas horas tormentosas e mui frequentes das difíceis andanças planetárias. E creia-me, Sr. Spoletto — sem que nesta frase vá qualquer resquício de falsa modéstia, ou mentirosa vaidade —, sou feliz, graças a Deus.

Spoletto, de pé, fitando a sua vítima, que serenamente digeriu o insulto da bofetada humilhante, falou em tom indefinível:

— Aquela mulher é uma sombra, uma serpente e um pesadelo em meu caminho.

— Uma Luz no meu caminho — retificou Felicíssimo.

— Um dia tudo se acabará. Rolaremos para o mistério insondável do Nada. Ela se arrependerá de não me ter amado.

— E o senhor de tê-la amado assim.

— Um monstro como tu pode contentar-se com um sorriso, ou uma migalha de atenção, desde que, tal qual és, tuas ambições, na esfera do amor, têm os limites traçados pela própria deformidade física. Um homem como eu não quer nem deseja o platonismo de uma afeição que se satisfaz com olhares vazios, frios, inexpressivos.

— E quando, nessa pauta, não atinge os objetivos?

— A violência é o argumento. A violência é a solução — repetiu.

— Esta, aparentemente, pode resolver situações, mas, substancialmente, separa, torna impossível a objetivação do tentame, Sr. Spoletto.

Felicíssimo esperou a continuação da palestra, mas seu interlocutor alheou-se, de repente, entristecendo-se.

Súbito, dirigiu-se à sua vítima, humilde, quase chorando:

— Faze alguma coisa por mim...

Não chegou a completar o pensamento, ou o pedido, e, arrebatadamente, como se houvesse enlouquecido, abandonou, presto, o aposento, batendo com a porta, à saída.

— Pobre Sr. Spoletto! Não se governa mais. Aceitasse ele a amizade pura e sincera de Consuelo, talvez ainda se pudesse salvar. Quem sabe? Consuelo é um anjo. Ela o salvará! Que não pode o amor? — continuou, falando consigo mesmo. — Os recursos espirituais movimentam o Infinito! Uma prece que encaminhe a Deus — o Infinito Amor —, na humildade e na

Capítulo 4

pobreza de meu espírito, como bastas vezes o tenho feito, jamais fica sem resposta, como nunca deixou de alagar-me de amor a oração que lhe dirijo em minhas agonias.

Fitou o Alto, já quase pronto para iniciar o trabalho do dia, e monologou:

— Ajudou-me quando meus amiguinhos me puseram dentro do tonel e o fizeram rolar favela abaixo, rumo ao abismo; socorreu-me, quando assustei, com meu físico feio, a petizada que brincava no terreno baldio da fábrica; deu-me um amigo e pai na pessoa do Sr. Aprígio, e uma mãe na pessoa de D. Maria; apresentou-me um irmão em Licurgo; e uma santa que me pensa as feridas da alma lacerada pelas dores mais atrozes, como um dia limpou as chagas do meu físico monstruoso e repelente; outorgou-me a alegria de trazer comigo o selo da sua Justiça no aleijão do meu corpo; fez-me sentir a doçura da sua misericórdia no arrastar-me como um réptil por entre os risos escarninhos dos que me ajudam na caminhada libertadora; alumiou-me a alma cancerosa com as luzes da Terceira Revelação, descortinando ao ser ingrato e maninho as origens do destino, as causas dos próprios padecimentos...

Calou-se e começou a chorar, no silêncio do seu abandono, na tristeza de sua solidão.

Encostado à parede, pernas atiradas para a frente, coladas ao piso úmido, bornal já dependurado ao pescoço, como estranha coleira, ergueu os braços, em mística atitude, levantou a fronte sem petulância nem assomos de vaidade, e falou de manso, numa voz estranhamente modulada, doce como o canto dos regatos ocultos na escuridão das selvas virgens, humilde como os acentos suaves da palavra de Madalena, nos caminhos de Jesus, olhar em que as lágrimas brilhavam como estrelas fugitivas de céus ignotos:

— Senhor, por que amas o precito, cumulando-me de riquezas imarcescíveis, de felicidades inatingidas, e me cobres de bênçãos, e me fazes conhecer os mistérios da Vida Triunfante, quando semeei o ódio, a desgraça, a destruição e a morte? Por que me deste tamanha riqueza na feiura deste corpo que me afaga a alma perversa e prevaricadora? Por que palpitas neste arremedo de gente, nesta tentativa fracassada de homem? Por que me socorres com a dor mais pungente, as agruras lacerantes e as lágrimas mais frequentes? Por que me deste a felicidade de sofrer mais, de mais penar, de mais querer de dor morrer? Teu Amor caiu-me em bátegas de perdão nos espasmos da desventura sem cansaço nem tréguas, rasgando os horizontes da compreensão espiritual, que descobre no padecer mais pungente a transmutação da luta em paz, da paixão em amor, da escravidão em liberdade, da humana contingência na divina perfeição.

Ainda faltavam alguns minutos para o início dos trabalhos. Felicíssimo os aproveitou para dar uma vista de olhos em um modesto quadro que vinha executando em discreto ângulo do pavilhão do almoxarifado.

Era um retrato a óleo de Consuelo.

Valeu-se, para fazê-lo, de uma pequena fotografia que trazia sempre dentro do bornal.

Nunca fizera estudos de desenho, muito menos de pintura.

Na escola que frequentara, no morro, durante quase seis anos, os colegas admiravam a facilidade com que desenhava, caricaturava, surpreendendo mesmo a incrível rapidez com que esboçava qualquer silhueta.

Jamais perdera oportunidade de fixar a doce figura de Consuelo em seu espírito, detendo-se nos mais insignificantes detalhes, de modo a trazê-la, com fidelidade, um dia, quando se sentisse apto, para uma tela, em tamanho natural.

Consumiu muito tempo, de tentativa em tentativa, servindo-se de pequeno retrato, e dos traços suaves da criatura que vivia em sua mente, para encontrar-se depois em frente a uma tela em que Consuelo vivia, em meio corpo admirável, toda a beleza espiritual de sua alma adamantina.

Capítulo 4

A boca, os olhos serenos e meigos, a fronte, como que iluminada por macios reflexos de sóis longínquos, na pureza da expressão, dentro da técnica mais castigada da pintura clássica; o sorriso, que transluzia um quê de divino amor; o busto, suave e formoso, em que se adivinhavam os mistérios sacrossantos da Vida — tudo ressumbrava a arte mais pura, o senso estético mais apurado, e, sobretudo, destacava-se aquela luz espiritual que se não via, mas que se percebia no conjunto do trabalho prodigioso, como se o artista tivesse, num arroubo de genialidade, pintado com um pincel de estrelas a alma santificada de Dor-sem-fim.

Era um portento.

Descerrando a cortina de cetim rosa, Felicíssimo, com inaudito sacrifício, assentou-se em uma cadeira em plano distante da tela e contemplou, embevecido, o seu trabalho.

— É Consuelo — murmurou extasiado.

Depois de um tempo que nunca pôde calcular, desceu cautelosamente, arrastou-se até o pé do retrato, colocado em alto cavalete.

Aí chegando, postou-se em posição equivalente a de quem se ajoelha. Elevou as mãos para o alto, em atitude de quem ora, e murmurou, quase num cicio:

— Consuelo, anjo que Deus permitiu baixasse a Terra para nos ensinar a sofrer, ajudar e amar, perdoa tenha eu pensado em ti, às ocultas, como o réprobo aos pés da Virgem Maria, arrastando-te até a miséria da minha presença, por tanto te amar, sem poder te amar. Meus pensamentos, porém, jamais macularam sequer a poeira dos caminhos da arte por onde viajei contigo, na solidão do meu espírito, no abandono do meu viver. Andei contigo, neste quadro, com o espírito de rastro, com tanta maior vergonha de mim quanto mais tua nobreza tornava divinamente luminosas as tintas que nele deixei ficar com pedaços do meu coração.

"Não quero" — prosseguiu, chorando de mansinho, choro que o tornava mais hediondo e grotesco, ao mesmo tempo que lhe dava um não sei quê que inspiraria a quem o visse, naquela positura, uma piedosa admiração — "a fementida felicidade do dinheiro, do corpo esbelto sem alma para sentir os frêmitos da Vida Triunfante; da posição que eleva o homem, mas lhe enferruja o caráter; o poder que impõe autoridade e respeito e nem sempre dá a quem o exerce a paz do coração e a tranquilidade da consciência. Se Deus consentisse ao monstro que te fala na calada desta sala, que nunca foi deserta porque nela estás sempre na tortura do meu pensamento criador, eu lhe pediria, a troco de todos os martírios, a felicidade de ver-te sempre, ainda que de longe, da escuridão do meu degredo, do abandono de todas as minhas desgraças, da distância dos séculos que nos separam..."

Quis continuar, mas não pôde. Os soluços sacudiam-lhe o corpo disforme como a morte a vibrar no réptil que se sacode e avança, coleante, fugindo à dor que o avisa do fim.

Alfim, conteve-se.

Limpou serenamente as lágrimas e a custo levantou-se, tomando a posição costumeira.

Correu a cortina sobre a tela e murmurou tomado de incontida crise de melancolia:

— Dentro de mais alguns dias, Consuelo — pensou mais do que mesmo falou —, não te verei mais. Sérgio, o eleito do teu coração, ausentar-te-á de mim, e viverás com ele o sonho luminoso de um noivado espiritual, de um matrimônio que não conhecerá senão o compromisso espiritual de ajudar e servir, como irmãos nascidos do mesmo divino sopro das esferas felizes. Não sei se adivinharás, coberto pelo óleo e as cores de teu retrato, esse amor mais forte que o destino, mas belo que os céus estrelados, límpidos e serenos, mais santo que a consciência dos anjos, eterno como a Vida, sublime como um pensamento de Deus; mais puro que um coração de mãe; infinito

Capítulo 4

como Deus, porque nele mergulham as raízes espirituais das longas caminhadas pelos sendeiros da Eternidade; esse amor, que, retalhando-me as carnes, desviando o rumo das células, martirizando-me na feiura inconcebível do meu indumento físico, rasga no Infinito, dentro da imortalidade, o rumo da ascensão do meu espírito, em busca de Deus, que me concedeu o prêmio do martírio mais cruel, por me amar até o sacrifício de ter dado ao mundo, em holocausto aos nossos pecados, o Divino Cordeiro — Jesus —, cujo amor é uma hóstia de luz alumiando a escuridão de nossos passos e a tenebrosa estrada de nossa ingratidão.

Silenciou, para recomeçar:

— Não te esqueças do monstro. É uma alma miserável em busca da reabilitação. Guardo no fundo do ser a doce lembrança de quando me socorreste. Como imaginar que um dia terias a delicadeza de tocar-me a face cheia de sangue e lágrimas? Tocar-me seria arriscar-te ao veneno do réptil repelente. Tuas mãos misericordiosas curaram-me as chagas abertas pelos calhaus que a criançada inocente me jogou, como curaram o corpo paralítico de Miguel.

Na impossibilidade de retirar a tela do cavalete, temendo um acidente que inutilizasse o trabalho que lhe custara longos dias de sofrimento e martírio, começou a empurrá-lo cautelosamente, até que ficasse bem oculto num ângulo do recinto.

Feito isso, voltou para a entrada do pavilhão.

Olhou para o pátio, rememorou a cena de seu apedrejamento, a solicitude de Consuelo, pensando-lhe as feridas sangrentas.

Retirou do bornal um pequeno espelho de bordos de alumínio e trouxe-o à altura do rosto.

Sorriu amargamente. De fato, era um monstro. Certamente, um gênio mau, um gnomo de perversidade requintada arrancara-lhe, ainda no berço, pedaços da pele do rosto, rasgando estrias que se interceptavam, fundas, em ambas as faces, algumas delas subindo à testa, onde se alargavam, descendo às orelhas, cavadas, meio roxas, meio brilhantes.

A cabeça disforme, coberta de cabelos duros, rebeldes ao pente, à escova e aos cosméticos, que teimavam em permanecer eretos, foscos, quebradiços; a cabeça, que tinha a forma de um cone invertido, apresentava reentrâncias aqui e ali, como se tivesse sido esculpida a formão por um artista louco. Assentada sobre um pescoço fino, bem destacado, que por sua vez descansava num tórax monstruoso, dava a impressão de duas âmbulas ligadas pelo mesmo gargalo, uma esquisita reprodução de estranha ampulheta viva.

As mãos, cuja utilização era um imenso sacrifício para Felicíssimo, desde que o manuseio de qualquer objeto lhe causava pungente dor, como se guardasse consigo invisível queimadura que se avivava ao contato das coisas, eram da cor de roxo-terra, como se tivessem sido carbonizadas.

Os pés eram monstruosos, de tamanho descomunal. Os sapatos tinham que ser feitos sob medida.

As pernas eram curtas, tortas, roliças como se fossem cilindros de carne, de apenas músculos.

Sua locomoção era um suplício; mas ninguém jamais viu tristeza em seus olhos.

De uma resignação impressionante, aceitava a prova — dizia repetidamente —, como um prêmio e uma distinção.

— Tenho nota cem, que a vida me conferiu — comentava, grave, quando oportuno.

Recolheu o espelho ao bornal e falou suavemente:

— Depois de amanhã é o Natal de Jesus. Casar-se-ão Consuelo e Sérgio; Demenciano e Lívia; Lisiane e Sileno; Marília e Clóvis. Dirigirão todos o Lar de Maria. Lá estarei também. É uma compensação. Estarei perto de Consuelo. Serei feliz com a sua felicidade. Um dia, Deus me absolverá, com os sublimes acréscimos de sua misericórdia.

Olhou para o pátio novamente.

Capítulo 4

Levantando a cabeça, viu Consuelo à janela do escritório, fitando o céu como quem está distante do mundo.

Não pôde mais retirar de sua doce figura os olhos cansados.

Não soube quanto tempo esteve a contemplar Consuelo, mas ficaria a vida toda à espera de que ela o visse.

Não foi feliz. Consuelo retirou-se da janela mansamente.

Conservava-se ainda pensativo quando Licurgo o procurou para dois dedos de prosa.

— Como vai essa alma? — e bateu-lhe no ombro amigavelmente.

— Sempre na prova — respondeu, sorrindo tristemente.

— Não o estou reconhecendo hoje, palavra! — estranhou o companheiro, perscrutando-o. — Que bicho o mordeu, Felicíssimo?

— Nenhum, mas, para não faltar com a verdade, devo confessar-lhe que despertei pela manhã tomado de indefinível melancolia. Eu mesmo não explico essa tristeza.

— Para tudo há sempre um motivo. Às vezes, o espírito liberto pelo sono toma conhecimento de fatos ocorridos em outras romagens, ou de acontecimentos que se vão realizar, despertando sob a impressão que o dominou enquanto fazia seu giro pelo "mundo dos mortos".

— É uma explicação.

Súbito solicitou:

— Meu bom amigo, quer ajudar-me em uma empreitada no dia de Natal?

— Claro que quero, e faço questão mesmo de ajudá-lo no que em mim estiver. Em que posso servir?

— Pintei um retrato de Consuelo que desejava, no dia de seu casamento, oferecer como presente. Mas o meu pedido também envolve D. Quitéria e Mininha, a dona de seu coração.

Licurgo emocionou-se. A referência à filhinha bem-amada tocou-lhe fundo a alma.

— Minha família e eu estamos ao seu dispor, Felicíssimo. Ordene o que deseja de nós.

— Obrigado, meu amigo. Já contava com a sua boa vontade. Gostaria que D. Quitéria conduzisse a tela; Mininha, uma caixinha de ébano feita por mim, onde coloquei o ofertório lavrado num cartão de prata, também trabalho meu; e que o amigo tivesse a caridade de o oferecer por mim. Sabe que, dado o meu defeito labial, não posso exprimir-me com correção, e o grotesco do meu linguajar talvez despertasse uma outra ordem de sentimentos em pessoas que não compreenderiam o meu gesto. O amigo explicaria bem.

— Conte conosco, mas com uma condição, por mim imposta neste instante.

— Fá-la-ei, ou melhor, cumpri-la-ei.

— Mostre-me o retrato.

Felicíssimo sorriu mais alegre, dizendo:

— Já foi um susto.

E voltando-se para o amigo, pediu que o conduzisse até o ângulo do salão onde havia escondido a tela.

Licurgo tomou-o nos braços e encaminhou-se para o local indicado, depositando-o sobre a mesma cadeira onde estivera sentado antes.

— Descubra a tela, por favor, Licurgo.

Quando descerrou a cortina que cobria o retrato, Licurgo recuou, tomado de verdadeiro assombro.

— Foi você mesmo quem fez esse retrato?

— Malfeito, não é mesmo? Malpintado, não? Que vou fazer?

— É uma obra-prima! Onde aprendeu a pintar?

— Aqui mesmo. E Deus me concedeu a inspiração.

Licurgo avançava e recuava. Colocava-se ora num, ora noutro ângulo, para melhor sentir e apreender o efeito da distribuição das tintas em maravilhosa combinação de luz e sombra, linhas e contornos.

Capítulo 4

— Você é um gênio, Felicíssimo, e vale por todos nós. Essa tela tem um valor artístico incalculável. Sim, senhor, que portento! Estou sinceramente deslumbrado!

Abraçou-o demoradamente, e voltou a contemplar, encantado, o retrato de Consuelo.

Era de uma fidelidade indiscutível.

Não sabia Licurgo explicar que toque magistral de arte o artista imprimira e dera ao retrato, de modo a fazer emergir daquela estupenda combinação de elementos um jogo de sombra e luz, que levava o observador a descobrir naquela doce figura de mulher a alma de um anjo, a estrelejar sublimes pensamentos, que faziam entrever outro ser a iluminar o quadro por trás das tintas daquele meio campo admirável.

— Deixe que o repita: você é um gênio, Felicíssimo!

— Pobre de mim... Não sou nada. Alguém guiou minhas mãos e meus pensamentos.

— Para isso é preciso viver num mundo à parte.

— Não tanto — contraveio Felicíssimo. — Verdade é que a gente não recebe a ajuda dos que nos precederam se não criar um ambiente espiritual apropriado a essas visitas que tanto nos honram e confortam. Diz-se, então, que criamos o nosso mundo íntimo. E é neste que se processam os trabalhos que precedem as grandes descobertas e as invenções maravilhosas. O psicógrafo, por exemplo, prepara a sua "casa" para receber as "visitas". Põe a mesa, escolhe os "instrumentos" para a "refeição", acende as luzes, dispõe os "móveis" a preceito, e aguarda a ordem de atacar as "iguarias"...

— Sentiu alguém com você durante os trabalhos que resultaram nessa obra extraordinária?

— Enquanto pensava na realização do quadro, enquanto arquitetava o que devia fazer com os meus rudimentares conhecimentos de desenho e de pintura, nunca havia sentido qualquer influência estranha que me chamasse a atenção, ou que me tocasse o espírito.

— Mas depois?

— Bem, depois, quando tudo estava preparado, a "casa" interna convenientemente disposta e arejada, luzes acesas e cadeiras em seus lugares, passei a receber a visita de hóspedes que começaram a interessar-se por mim, inspirando-me, certamente, pois não era coagido a fazer isto ou aquilo. Era um homem livre, gozando do privilégio de conduzir-me à vontade. Eles sabem respeitar a nossa liberdade de escolha.

— Somos livres, por isso responsáveis — comentou Licurgo.

Correu a cortina sobre o quadro, não sem ter dado antes mais uma vista de olhos no retrato, e despediu-se:

— Estou dispensado hoje do serviço. O senhor Aprígio incumbiu-me de providenciar umas tantas coisas para o Lar de Maria, cuja inauguração está à vista. Entretanto, esquecia de perguntar-lhe uma coisa: e o bloco da família de nosso benfeitor? Vai ser entregue também na mesma hora?

— Clóvis encarregou-se de levá-lo para o gabinete de trabalho do Sr. Aprígio, no primeiro andar, e escondê-lo atrás de um móvel. Na oportunidade, colocá-lo-á à direita de sua mesa de trabalho, em lugar já escolhido por nós.

— Muito bem, Felicíssimo, você será o homem das surpresas, no dia da festa.

— Sabe se já foi marcada a hora dos casamentos?

— Sim. Às dezessete horas, no Lar de Maria, no salão destinado aos trabalhos espirituais.

— Poderá levar-me?

— Mas não é na oportunidade que irá oferecer a tela? Sendo assim, desde que nos convidou para acompanhá-lo, o que combinamos permanece.

— Gostaria que fosse logo após a cerimônia.

— É o momento psicológico — respondeu Licurgo, sorrindo e despedindo-se.

— Sei que foi convidado para ser o paraninfo civil de Lisiane — disse Felicíssimo, interrompendo a saída de Licurgo.

Capítulo 4

— O casal: Quitéria e eu. É uma distinção. Se ainda fosse um ser abjeto como fui até ontem, sinceramente, tomaria o convite por uma humilhação. Mas anjos como Lisiane não humilham, exaltam. Por isso, sou feliz em vê-la concretizar, entre nós, um sonho sublime que acalenta, com certeza, há milênios. Só tenho motivos para ser feliz também, não acha você?

— Licurgo, meu amigo, como ama aquela criatura!

— Tanto quanto você ama...

— Não diga. Você é um ser humano. E eu...

— Um gênio que, num gesto de serena humildade, dominou o destino, o seu próprio destino.

E dirigindo-lhe amistoso cumprimento, saiu apressado, pela porta lateral do almoxarifado, felicidade estampada na fisionomia simpática e tranquila.

Felicíssimo acompanhou-o com o olhar doce e bom, enquanto o teve no campo de sua vista, para murmurar depois:

— Dominar o destino... o próprio destino. Ai de quem o não fizer! Ai de mim se não me arriscasse a tamanho sacrifício... E, assim, Deus supriu-me, temporariamente, ante a ausência do que causou a minha queda, com a presença de um raio de alvorada na tenebrosa noite do meu destino. A Arte também é "uma luz no meu caminho"...

Capítulo 5

Tia Gervásia movimentava-se naquela manhã límpida de antevéspera de Natal, em sua modesta casa, que engalanara para oferecer um almoço aos noivos que se casariam no dia seguinte.

Dava mais um toque na sala. Punha mais flores nos vasos da varanda. Reparava os trabalhos e serviços da cozinha, ao mesmo tempo que superintendia as moças e senhoras que a acompanhavam nessas lides.

E os aprestos nem bem haviam terminado e já iam chegando os primeiros convidados. Em breve regurgitava a pequena residência.

Numa espécie de jardim de inverno, os rapazes faziam uma algazarra ensurdecedora, trocando impressões sobre os mais variados temas e assuntos.

Numa saleta próxima, as moças riam e pilheriavam sob as vistas compassivas de D. Maria Amélia, a Sra. Aprígio, D. Margarida, a proprietária da pensão em que residiam Consuelo, Lívia e Marília, e tia Gervásia.

A um canto, Miguel, Demenciano, Sileno, Clóvis, Licurgo e Sérgio palestravam com o tenente Pompeu, bem-vestido, com

Capítulo 5

o indefectível cravo vermelho na lapela, e o major Gabriel, humilde, tímido e modestamente trajado.

Marília, descobrindo os olhares furtivos do Tenente na direção da peça em que se achavam, pilheriou:

— Tenho notado que o tenente Pompeu, de vez em quando, lança seus olhos discretamente para este lado. Qual será a moça de seu agrado? Quem sabe não procura tia Gervásia?

Riu-se incontidamente. As outras acompanharam-na e fitaram a pretendida.

— Pois, minha filha, digo-te com franqueza que, se for comigo, está ele perdendo seu precioso tempo. Com a morte de meu Rogério, perdi o "espírito" militar...

A seu turno, riu a valer, sacudindo-se toda, sem cerimônia.

— Com Pompeu não há perigo de guerra, tia Gervásia — retrucou Marília —, pois ele é da reserva.

— Piorou para ele... Não gosto de conservas nem de enlatados. Quanto mais velhos, mais indigestos.

Foi uma risada geral.

Consuelo, que não estava acompanhando a palestra, ocupadíssima em colocar flores nuns jarrões muito bonitos, saiu para o jardim, de tesoura na mão, encontrando em seu caminho o jovem Miguel.

— Flores para o casamento, minha amiga?

— Não. Para enfeitar a mesa.

— Quer que a ajude?

— É uma satisfação. Venha daí.

Encaminharam-se para um canteiro mais distante, onde havia muitas rosas.

— Não há rosas sem espinhos — gracejou Consuelo, levando o indicador esguio e rosado à boca, ferido na primeira roseira escolhida.

— Nem amor sem ciúmes — adiantou Miguel, delicadamente.

— Não concordo — contraveio Consuelo, suavemente. — O amor não é egoísta nem pensa mal. Não foi São Paulo quem o afirmou?

— Confesso minha ignorância no que se relaciona com a vida dos Apóstolos.

— É dele mesmo a expressão.

— Será que tem razão?

— Sem dúvida. Tenho-o na conta de o maior Apóstolo do Cristianismo, até hoje. Sem Paulo de Tarso não seria tão rápida a propagação das verdades que Jesus nos legou, penso eu. É possível que esteja errada, mas sempre imaginei isso. O Divino Mestre conhecia a alma valorosa, leal e brava do jovem doutor, tanto quanto a sua inquebrantável energia, e, por isso, não demorou a convocá-lo ao serviço em plena estrada de Damasco, quando, esquecido dos compromissos que assumira, enveredara pelo caminho errado, desenvolvendo a mais tenaz campanha contra a doutrina nascente, com o mesmo vigor, arrojo e desassombro com que se houve, depois, na difusão das verdades eternas. Tanto neste quanto naquele lado, Paulo foi, antes de tudo, um homem de exemplar honestidade e absoluta dignidade.

— Tinha ele qualquer compromisso com Jesus? Você disse que ele enveredara pelo caminho errado?

— Compromisso de honra, por isso afirmei que Paulo foi, antes de tudo, um exemplo de coragem, fé e dignidade.

— Explique-se, minha boa Consuelo...

— Penso que Paulo, antes de descer às lutas deste mundo, àquela época, viera com sua missão definida. Voluntarioso e bravo, sincero e honesto, educado num meio orgulhoso e fanático, onde lhe dispensavam honras e dignidades, na hora das definições embrenhou-se por veredas tortuosas, julgando que estava com a boa causa, com aquela para cuja defesa e propagação viera ao mundo. Qualquer espírito honesto poderia incorrer no mesmo equívoco. Durante a perseguição ao Cristianismo, várias vezes foi ele convocado. Ora pela humildade de Estêvão, que lhe devia falar ao espírito esclarecido; ora pela meiguice, pelo amor e pelos sofrimentos de Abigail, por sua própria enfermidade e morte. Porém, a educação vertida em tão bravo espírito dera-lhe orientação religiosa diferente. Ele cria estar no bom caminho, desde que defendia a religião de seu povo, do povo eleito. Chamando-o ao testemunho e à razão, aos compromissos livremente assumidos, Jesus tocou-lhe as fibras mais sensíveis do coração, naquele dia de Sol abrasador, quando, em cumprimento aos seus impulsos íntimos, demandava Damasco, para fechar o cerco aos adeptos do Cristianismo. Está satisfeito, meu amigo?

— Muito obrigado, Consuelo.

E suspirando significativamente:

— Ai, se a tivesse assim, sempre ao meu lado, seria o homem mais feliz do mundo...

— A felicidade não está ao meu lado, mas ao lado de Jesus, fazendo a vontade de nosso Pai que está no Céu.

— Você sabe que, para mim, ela também está com aquele que viver a seu lado.

— Ninguém o impede de viver ao meu lado, trabalhando na Seara, com Jesus. Somos a família de Deus, e Ele não deseja outra coisa que o vivermos uns para os outros, amando-o, porém, sobre todas as coisas.

— Compreendo... — concordou, alfim, Miguel, meio constrangido.

Daí por diante, não mais insistiu. Seria indelicadeza, mesmo inconveniência, manter a palestra naquela pauta. Sérgio era o eleito. Que realizassem o seu belo sonho. Que fossem felizes.

Apanharam mais algumas flores, e na mais perfeita comunhão de entendimento, sorrindo e confiantes, voltaram ao interior da casa.

Logo após, tia Gervásia convocava todos ao almoço.

Este transcorreu num ambiente da mais pura cordialidade.

Licurgo ficara ao lado de Lisiane. (Fora Marília quem arquitetara o plano.)

Meio constrangido, meio abafado, limitou-se a manter discretamente a palestra da pragmática, falando também a Sileno, que o cumulava de gentilezas. A certa altura, perguntou-lhe Lisiane:

— Felicíssimo não aceitou nosso convite?

— Não sei se foi convidado.

— Consuelo pediu licença à tia Gervásia e mandou-lhe um convite pelo Clóvis.

— Creio, então, que ele deixou de comparecer porque... Você compreende... é natural...

— Compreendo, Licurgo, mas estávamos preparados para deixá-lo à vontade. Sabemos que desenha muito bem e já tínhamos um bom material para entretê-lo.

— E por falar em desenho, tenho uma surpresa para Consuelo.

— Em que consiste essa coisa surpreendente? — indagou, femininamente curiosa.

Licurgo chegou um pouco mais para Lisiane e disse-lhe quase ao ouvido:

— Fez um retrato a óleo de Consuelo que nenhum artista renomado se recusaria a assinar. É uma perfeição, Lisi!

— Não o conhecia ainda por esse lado! — disse assombrada.

— É uma obra-prima, repito-lhe.

Consuelo percebeu que os dois falavam a seu respeito. E teve intuição de que tudo girava em torno dela e de Felicíssimo. E inclinando-se um pouco para a frente, pois estava com Sérgio *vis-à-vis* de Licurgo, perguntou:

— Que doce mistério é esse, Licurgo?

Licurgo sorriu, e, voltando-se para Lisiane, disse-lhe:

— Fale com Consuelo, Lisi.

Capítulo 5

— O assunto, querida, envolve segredo profissional, por isso não pode ser revelado sem autorização do autor.

— Posso ao menos saber quem é o autor que se acoberta no sigilo profissional?

— Pode. É Felicíssimo — respondeu Lisiane triunfante.

— Ah! Que fez ele? É tão importante que proibiu a sua divulgação?

— Proibir, propriamente, não. Pelo menos não autorizou fosse divulgado. Creio mesmo que eu é que tive a primazia de extasiar-me diante de um assombroso trabalho por ele executado — confessou Licurgo.

— Meus parabéns, Licurgo — falou Consuelo cordialmente. — Quer dizer que você é o confidente...

— Bem, Consuelo, ele me quer muito, tanto quanto o estimo, e vai daí o abrir-me o coração de vez em quando. É uma nobre alma, digo-o sem receio de afirmar uma inverdade.

— Sou também da sua opinião, Licurgo — declarou Consuelo sinceramente. — É um nobre espírito. Gosto de palestrar com ele, às vezes. É tímido demais...

— É de uma inspiração poderosa, e a sua palestra é colorida, por vezes vibrante e nervosa. É de uma fluência surpreendente. Disserta sobre Espiritismo como poucos. É um espírito numa romagem dolorosa e difícil. Tenho a impressão de que levará a bom termo o barco de sua prova redentora. De uma coragem inaudita, sofre sorrindo... e servindo. Abençoa sempre os espinhos que o ferem, às vezes desapiedadamente.

— Alguém o incomodou de novo?

— Ele não conta nada. Seus ferimentos é que falam, gritantemente, para que os não percebamos.

Consuelo baixou um pouco a cabeça e uma nuvem de tristeza ensombrou-lhe o rosto delicado e formoso.

Que sentiria essa alma luminosa pelo Quasímodo da fábrica?

O mesmo amor que Jesus sentiu pelo pobre discípulo faltoso, porque só o amor apagará das almas e dos mundos o fogo do ódio, espancando as sombras do mal.

— Conheci-o, meus amigos — falou com sua voz de doçura e mansidão indefiníveis —, há muitos anos. Muito fez por mim, recordo-me disso nitidamente. É de uma energia inquebrantável. Achei-o dono de uma personalidade tão vigorosa que sempre disse comigo mesma ser ele capaz de cometer atos supinamente reprováveis, tanto quanto aqueles que lhe exigissem o sacrifício da própria vida. Com Deus, arrebataria o mundo! Com as forças do Mal, solaparia a Terra. Mas a tempo escolheu a melhor parte, e hoje é uma alma que sofre, cantando; geme, rezando; soluça, orando; e angustia-se, redimindo-se.

Ninguém ousou dizer uma só palavra após a sublime explanação de Consuelo.

Todos sentiam em suas palavras um quê de revelação extratúmulo, como se naquele instante a palavra sublime das esferas caísse em catadupas de luz sobre os comensais.

— Um novo Pentecostes — ciciou Lisiane ao ouvido de Sileno.

— Que coisa extraordinária, Lisi! — exclamou Sileno. — Que força mediúnica a de Consuelo, minha amiga!

— Um instrumento precioso — murmurou Licurgo para Lisiane.

— Você é uma deusa, Consuelo — disse Marília, meio irreverente, meio assustadiça, revelando a inconstância de seu espírito brincalhão.

— Apenas uma alma humilde, terçando as armas da renunciação evangélica, por libertar-se a si mesma.

— Sei que ele, em um bloco avantajado de barro, esculpiu três cabeças admiráveis — deixou escapar Marília.

— De quem? — interpelou o tenente Pompeu, arrumando o vinco das calças.

— Ora, Marília — falou Clóvis, em leve tom de censura.
— Não nos pediu guardássemos segredo — contestou Marília.
— Entendeu desnecessário, confiando em nossa discrição.
— As cabeças da nobre família Aprígio.
— Oh! — exclamaram, surpresos, D. Maria e Miguel.
— E que trabalho, meus senhores — aplaudiu Licurgo. — Felicíssimo, sobre ser um pintor de raça, é também magnífico escultor. Já vi o bloco. É de uma fidelidade impressionante.
— Vão ver — interveio Marília, indiscreta, a voejar por todos os assuntos trazidos a exame — que ele pintou o retrato de Consuelo!

E bateu palmas à sua própria revelação.

Todos riram.

— Então esse Felicíssimo não é tão desprovido de inteligência como seria de supor-se — adiantou o Tenente, corrigindo o laço da gravata.
— Não — confirmou o major Gabriel. — Frequentando nossos trabalhos experimentais e doutrinários de Espiritismo evangélico, pude alcançar o talento daquele espírito angustiado num veículo carnal tão constrangedor.
— Sempre que se refere ao corpo que carrega dolorosamente — lembrou Licurgo —, diz-me que Deus lhe conferiu a maior distinção que um espírito criminoso pode esperar de sua munificência. "É um prêmio e uma distinção que se não concedem a qualquer um" — arremata, sorrindo, feliz.
— Que valor! — exclamou D. Maria.
— Felicíssimo — falou pela primeira vez tia Gervásia, tomando parte na palestra que girava em torno do "Cão da Fábrica" — é assim como um Príncipe Encantado que uma fada despeitada transformou naquele arremedo de gente, até que uma Princesa generosa e pura lhe devolva o corpo esbelto e vigoroso, amando-o com todas as forças de sua alma.

— Que bela figura de estilo nos apresentou tia Gervásia! — disse, entusiasmada, Lisiane, batendo palmas. — Rechaçou o "espírito" militar, mas ganhou o "espírito" literário. Muito bem!

— Bobinha — censurou, gentilmente, a tia —, com frases assim, de semelhante feitio, eu trazia, por vezes, de canto chorado o meu inesquecível Rogério, a quem Deus haja em sua santa paz, sem a minha presença, por enquanto...

Riu com gosto, acompanhando-a com sonoras gargalhadas os convivas, achando uma graça irresistível nas expressões da anfitriã.

— Dona Gervásia — comentou, sorridente, o tenente Pompeu, ajeitando a posição do cravo vermelho na lapela do casaco bem talhado — é um espírito brilhante, convenhamos, dona de um belo senso de humor. Sim, senhores!

— Olhem a galantaria do senhor tenente Pompeu — comentou, sarcástica, Marília. — Cuidado, D. Gervásia...

Todos riram, pois o ambiente era da mais espontânea cordialidade.

— Vamos rir, meus amigos — falou a anfitriã —, pois o Divino Mestre não desdenhou os júbilos familiares, a graça álacre e inocente, nas Bodas de Caná; não vacilou mesmo em pedir teto acolhedor em casa de Zaqueu; e frequentemente se entregava a doces conversações na residência da sogra de Pedro. O espírita deve ser uma criatura da sua época, ensinou-nos o grande missionário que foi Allan Kardec. O Espiritismo não é doutrina de tristezas. Antes, pelo contrário, é uma religião de paz e de luz, de alegria e bondade. Desconfiança, medo e tristezas são incompatíveis com a religião que professamos.

— A vida devia ser assim, não acha, tia Gervásia? — interveio Consuelo, sempre serena e doce. — Sem desconfianças, sem medo, sem esse "salve-se quem puder" dos dias que estamos vivendo.

Capítulo 5

— Sim, minha filha — aquiesceu Gervásia, comovida pela ajuda que lhe estava emprestando Consuelo. — Estamos, nesta hora, sofrendo o esforço da retificação dos roteiros que nossas almas invigilantes inauguraram há milênios. Quanto temos ainda que padecer para encaixarmos na moldura do amor o nosso pobre e miserável ser, transviado desde milênios?

— A Vida, essa divina concessão, somente a dor nos integrará nela verdadeiramente — opinou Consuelo. — Até hoje não nos foi possível compreendê-la. Vivemos-lhe na superfície, tateando, imprimindo-lhe a marca de nossa imperfeição, quando devêramos assinalá-la com o selo de nossa imortalidade, na vivência duma compreensão mais dilatada e mais substancial, pois naquela em que nos movemos na atualidade somos irresistivelmente arrastados a descobrir-lhe valores negativos e mesmo subversivos, quando a Vida, em si, é Deus, em última análise.

— Você, Consuelo, minha filha, disse-nos hoje — confessou Gervásia — coisas que ainda não ouvíramos, senão em breves comentários proferidos em nossas sessões de Espiritismo Cristão em casa de nosso bondoso major Gabriel. Assista-nos sempre com os seus conselhos e caridosas advertências.

— Não sou mais do que ninguém. Todos somos espíritos carecentes de socorro uns dos outros. Formada a comunidade, deve ela funcionar, como um perfeito organismo vivo, com Jesus. Não o afastemos nunca de nossas necessidades e de nossos anseios, nos colégios cristãos onde Ele está sempre presente. Nas meditações de cada hora, nos transes difíceis da jornada, Jesus é o Guia fiel e intemerato. Com Ele é suave a jornada e fartas as nossas refeições espirituais, pois que Ele é a Abundância, é o Caminho, a Verdade e a Vida. Em nossa indigência e imperfeição, por vezes supomos que nos bastamos a nós mesmos. É o caminho errado, é a estrada tortuosa, é a ilusão. Com Ele a luz brilha mais alto, o amor atinge estádios maravilhosos, onde as almas se amam, vivendo o verdadeiro amor, que é a Estreme Vida Espiritual dos seres.

Calou-se, e o silêncio desceu como uma bênção sobre todos os convivas, saturando o ambiente de suaves e doces eflúvios.

Somente alguns minutos depois reiniciou-se a palestra, alertando D. Maria:

— A nossa tertúlia poderia prosseguir para gáudio de todos; entretanto, convém lembrar que amanhã será um dia de muitos afazeres, de vez que não só Aprígio inaugurará o Lar de Maria, como também se consorciarão os nossos jovens amigos aqui presentes.

Pedindo licença, levantou-se, no que foi acompanhada por todos. E dentro de mais algum tempo despediam-se de tia Gervásia, que a seguir, juntamente com a sobrinha, se entregava aos labores da casa, afanosamente, para que o dia seguinte não lhe aumentasse mais os serviços.

E este surgiu com bastante trabalho.

Pela manhã, organizaram-se todas as seções do Lar de Maria, que, aliás, já vinham sendo instaladas, e deram-se as últimas demãos no que se relacionava com móveis e utensílios.

Era um belo edifício de seis pavimentos, com capacidade para alojar quase mil pessoas.

Tudo fora montado a capricho, desde as instalações da cozinha até os dormitórios amplos e arejados.

Aí residiriam os casais Sérgio-Consuelo; Sileno-Lisiane; Clóvis-Marília e Demenciano-Lívia.

Miguel seria o superintendente, cabendo ao seu fundador a responsabilidade da Presidência.

As senhoras ficariam sob a direção imediata de D. Maria.

Cada seção contaria com um Inspetor responsável pela ordem, asseio, disciplina etc.

Tudo fora previsto, até as mais insignificantes minúcias.

Capítulo 5

Felicíssimo encarregar-se-ia de pequenos serviços compatíveis com as suas condições físicas.

A direção dos trabalhos espirituais estava já afeta ao major Gabriel, que tinha o tenente Pompeu como auxiliar imediato.

D. Maria, esposa de Aprígio, com a colaboração de D. Maria Amélia, supervisionaria o Roupeiro da Criança.

O Lar de Maria funcionaria, destarte, como um organismo completo, pois tudo fora previsto e providenciado por técnicos especializados.

No salão nobre da entidade, onde se realizariam as sessões do Conselho Deliberativo, separado apenas por um pesado reposteiro, fora montado o Gabinete da Presidência.

A instituição dispunha de enfermaria, escola, praça de esportes, cinema, teatro, piscina, gabinete dentário e médico, farmácia, laboratório de pesquisas clínicas etc.

Um modelo de organização, onde Aprígio aplicara milhões e milhões de cruzeiros.

— Você é um pródigo, Aprígio — dizia D. Maria, sorrindo.

— Não sou dono de nada, minha filha. Sou apenas um mordomo de Deus, e, possivelmente, um servo a quem Ele insiste em favorecer.

À hora aprazada, todos se reuniram no salão nobre do Lar de Maria. Aprígio, dispondo-os ao seu redor, fez uma comovente prece e, em nome da Virgem Santíssima, declarou inaugurada a instituição.

Tão logo terminou a prece, D. Maria abraçou-se a ele e osculou-lhe as faces.

Foi uma cena tocante, enternecedora. Os presentes aplaudiram, com palmas vibrantes, aquele gesto de carinho e amor.

Logo a seguir, passou-se à cerimônia do casamento dos jovens casais.

Mal cessadas as manifestações de regozijo, Felicíssimo deu entrada no recinto, acompanhado de Licurgo, esposa e

Mininha, arrastando-se, com seu indefectível bornal preso ao pescoço.

Um instante de "suspense".

Licurgo e Quitéria traziam, com auxílio de Clóvis, um bloco que assentava sobre uma chapa de madeira, depositando-o ao lado de Aprígio, D. Maria e Miguel.

Licurgo disse algumas palavras ao ouvido da filhinha e esta, estendendo o bracinho rosado na direção do objeto, retirou um largo pano de seda que o encobria, surgindo aos olhos deslumbrados dos presentes três cabeças magistralmente esculturadas, em que se reconheciam, de imediato, os integrantes da família Aprígio.

— Felicíssimo pediu-me, senhores — começou Licurgo, comovido até as lágrimas —, ofertasse a estas três denodadas criaturas, a quem tanto devemos, um trabalho de sua autoria, homenagem de seu reconhecimento e perene gratidão aos seus benfeitores.

Dizendo essas palavras, apertou a mão de Aprígio, beijou as de D. Maria e abraçou Miguel. A esposa do presidente da Casa ergueu Mininha nos braços e beijou-lhe carinhosamente as facezinhas rosadas.

Entretanto, quando pensara haver dominado a emoção, encostou a cabeça sobre o peito de Aprígio, sem conseguir represar as lágrimas, pois que, Felicíssimo, arrastando-se como um cão, beijava-lhe os pés, num movimento de sublime humildade.

Todos estavam emocionados. E no silêncio daquela hora, em que o salão parecia iluminar-se de estranhos fulgores aurorais, os soluços semelhavam preces murmuradas por anjos descidos de divinas esferas.

Estava escrito, todavia, que aquele esmaecer do crepúsculo reservava ainda outra encantadora surpresa.

Capítulo 5

Licurgo, que, aproveitando-se da confusão natural, saíra do salão com Quitéria e Mininha, voltava agora com a mesma companhia, conduzindo o retrato a óleo de Consuelo, ainda oculto por um manto de cetim rosa, depositando-o à frente da homenageada e dizendo, emocionadíssimo:

— Consuelo, minha doce irmã, aceite esta lembrança do seu dia mais feliz, e que lhe oferta, por mim, o nobre amigo Felicíssimo. É uma obra de arte.

Depois de ter Quitéria colocado o cavalete em posição adequada, fez senha à filhinha, e esta, como da outra vez, retirou o manto que escondia a tela, desvelando aos convivas o meio corpo admirável de Consuelo, uma verdadeira joia da pintura clássica. Assombrou a todos, e ao próprio Licurgo, que já tinha visto o portentoso trabalho de seu amigo.

Dor-sem-fim permaneceu alguns minutos diante de seu retrato.

Não sabia que mais admirar, se a perfeição e técnica do trabalho, se a fidelidade com que se houvera Felicíssimo na feitura do quadro.

Desviando o olhar para outro lado, deparou-se-lhe o autor da tela, que a fitava humildemente.

Consuelo inclinou-se para ele e, num gesto em que sua beleza mais se destacava, beijou-o em ambas as faces, ao mesmo tempo em que lhe dirigia a palavra.

— Obrigada, meu amigo, por seu presente. Creia que jamais esquecerei o gesto delicado e a nobreza de seus sentimentos, premiando-me a amizade com essa tela de valor incalculável. Obrigada.

— Sou uma criatura feliz — confessou, a custo, Felicíssimo, tomado da mais visível emoção.

Consuelo estendeu-lhe ambas as mãos, que ele beijou com verdadeira unção, molhando-as com suas lágrimas.

Dirigia-se a homenageada para o canto do salão onde se achava Sérgio, quando lhe surgiu à frente, como por acaso, o velho Spoletto, que, sorridente, cumprimentou-a:

— Seja feliz, Consuelo. Se a sua ventura depender dos votos que lhe dirijo neste instante, creia que será a mais feliz esposa do mundo.

— Obrigada, Sr. Spoletto, muito obrigada.

Fazendo menção de prosseguir, o interlocutor a interceptou, prevalecendo-se, para sua manobra, da numerosa assistência que tomara literalmente o recinto, e sussurrou-lhe ao ouvido:

— Os fados não querem que você me deixe assim tão desatentamente, minha adorada Consuelo.

Esta alarmou-se por uma fração de segundo, mas, presto, reequilibrou-se, e respondeu, serenamente, fisionomia tranquila, na qual pairava um ar de confiança inalterada:

— Se não fossem outros compromissos da hora presente, seria uma satisfação demorar-me mais alguns minutos em sua companhia. Infelizmente...

— Infelizmente — interrompeu-a —, Consuelo está sempre tomada de compromissos, tanto de dia quanto de noite...

— O serviço de ajuda aos que Deus nos coloca pelo caminho, tanto o exercemos em plena luz do dia quanto na escuridão da noite. Não é lícito ao servidor escolher horas e situações, não é verdade?

— Sim... mas gostaria que me convidasse também para aquelas surtidas de automóvel, tarde da noite. Olhe que Miguel é um homem perigoso para uma beleza como você, Consuelo...

Na confusão da hora, salão tomado por centenas de pessoas que iam e vinham sem escolher caminho, Spoletto, segurando-a pela cintura, disfarçadamente, e puxando-a para si.

— Obrigada, Sr. Spoletto — disse, desvencilhando-se energicamente e abrindo caminho entre os convidados.

Capítulo 5

— Complete sua coleção de amantes, levando, também, para suas passeatas noturnas, o quadrúpede que lhe borrou o retrato, a troco de seus beijos e de suas carícias.

À exceção de Dor-sem-fim, ninguém mais ouviu o insulto sórdido que Spoletto jogou contra a dignidade da esposa de Sérgio.

Se lhe houvessem atravessado o coração com lâmina aceradíssima, certo Consuelo não sentiria tanta dor quanto a que lhe causaram as palavras do seu próprio chefe de repartição.

— Não ficou aí a loucura de Spoletto.

A partir do dia imediato, Sérgio e Sileno passaram a receber cartas anônimas, em que Consuelo e Lisiane eram acusadas de frequentar uma casa suspeita, quase todas as noites, em companhia, respectivamente, de Miguel e Aprígio, cada qual em seu automóvel.

Quando Sérgio recebeu a décima, não se conteve mais e procurou Sileno para desabafar.

Ao ficarem a sós, à tarde do dia em que lhe entregaram a missiva, num departamento do Lar de Maria, disse o primeiro ao segundo — pois desconfiava, dado um certo ar de preocupação que Sileno vinha apresentando de um certo tempo àquela parte —, contristado:

— Sileno, meu amigo, sei que está sofrendo...

O esposo de Lisiane fitou o amigo e calmamente retrucou:

— Estou.

— Também eu.

— Quantas cartas já recebeu?

— Dez.

— O mesmo número que o carteiro já me entregou.

Silenciaram.

Foi Sérgio quem falou primeiro:

— Deu alguns passos no sentido de descobrir o caluniador?

— Ainda não pensei nisso. Sinto-me sem coragem de fazê-lo, pois julgo que, se levar a efeito a pesquisa, estou implicitamente desconfiando da honradez de minha querida Lisi e dando crédito à infâmia. Lisi é a personificação da Virtude.

— Igualmente Consuelo.

— Todavia — ponderou Sileno —, essa difamação não deve nem pode permanecer assim. O caluniador goza com a nossa dor, a dor de sabermos que as nossas esposas são a pureza e a inocência, e de que alguém, a despeito disso, as ataca sem dó nem compaixão.

— Que alvitra você, amigo?

— E ele sabe — prosseguiu Sileno, ignorando, de momento, a pergunta de Sérgio —, que a minha união com Lisi, tanto quanto a sua com Consuelo, é apenas uma ligação de almas, com o objetivo sagrado de vivermos sob o mesmo teto, a serviço do Divino Mestre.

— O mundo ainda não amadureceu para essas uniões puramente espirituais, sem o mais longínquo contato sexual — continuou Sileno, olhando tristemente para fora. — Poderíamos trabalhar nesta Casa, ombro a ombro, sairmos juntos, tanto de dia quanto à noite, no atendimento aos nossos deveres profissionais, sem pensarmos em dar um selo de legalidade, sob o ponto de vista social, a essa convivência espiritual, mas há uma oculta maldade humana que urge levar em linha de conta, a bem de nossa própria tranquilidade. Então, casemos, contraiamos núpcias, embora nossa vida em comum não tenha, em absoluto, qualquer imposição, por mais distante e afastada que seja, relacionada com o sexo. Destarte, precisamos *tapar a boca do mundo*.

"Mal sabe, entretanto, esse mesmo mundo" — prosseguiu —, "que um dia os casamentos, como os nossos, serão apenas de alma. Os corpos serão uma contingência tão somente do meio cósmico, uma exigência dos serviços afetos a cada qual.

Capítulo 5

Aliás, homem e mulher, na significação dessa hora, pertencerão ao patrimônio dos museus espirituais, na eterna lembrança das conquistas que se perderam na noite dos tempos."

Fez uma pausa, que Sérgio acompanhou em silêncio, e rematou:

— Nesta altura de nosso progresso espiritual, não convém a uma jovem e a um rapaz se conduzam juntos senão mediante compromissos de ordem matrimonial respeitáveis. É uma exigência, aliás muito nobre e moralizadora, que nos impõe a sociedade, e à qual devemos o melhor e o maior acatamento. A cada tempo, a sua lei e o seu costume. Daí a legalização — para que *o mundo* não fale de nós, ainda que estejamos a serviço do Céu, com Jesus —, de nossa andada em comum, a cavaleiro do jugo do sexo, do qual, graças a Deus, julgamos já nos haver libertado.

— O autor das cartas encarna o estado atual da Humanidade — disse Sérgio. — Falou você muito bem quando afirmou e pediu que o não condenemos por isso. Ele desfruta de um estado evolutivo por onde muitos já passaram ou transitaram, e lhe tomaram a dianteira. Oremos por ele. Um dia, ele nos compreenderá. A sociedade também. Demos tempo ao tempo e a nós mesmos. Até lá, já teremos dado mais alguns passos à frente.

Ambos silenciaram.

— E se o missivista mudar de tática? E se escrever para nossas esposas? — aventurou Sileno.

Sérgio não respondeu logo. Desviou-se da janela e fitou a mesa do companheiro. Apanhou um lápis e começou a brincar com ele. Pensava. Sua testa enrugava-se, e, por fim, quebrou o silêncio:

— Não nos dê cuidado a conduta de nosso irmão. No momento Jesus nos inspirará e apontar-nos-á o caminho certo.

— A que casa suspeita se refere o missivista? — inquiriu Sileno. — Por que acompanhadas de Aprígio e de Miguel?

— Não importa o que façam. Eles e elas estão a serviço do Mestre. O tempo nos revelará a verdade. Quero crer que eles têm motivos ponderosos para agirem às ocultas. Não saiba a tua mão esquerda... lá diz o Evangelho do Reino, meu bom Sileno.

— Gostaria de ver essa casa... — arriscou Sileno.

— Seria como espionar a esposa adorada.

— Tem razão. Perdoe-me. Essas cartas me fizeram muito mal. Nunca irei lá. Se estamos com Jesus, o mundo não vos vencerá.

Os dois amigos, que permutavam confidências àquela hora, não suspeitavam que a mesma soma de cartas que o correio lhes trouxera já havia o carteiro deixado em mãos de Consuelo e de Lisiane.

E que elas, à mesma hora, trocavam impressões acerca do escabroso assunto.

— Nossos esposos, Lisi — comentava Consuelo, sempre serena e digna —, sofrem igualmente o aguilhão dessa acusação que tanto nos fere.

— Então, Consuelo, acha você que eles também receberam cartas semelhantes? — inquiriu, meio alarmada, a formosa Lisiane.

— Minha filha — serenamente respondeu a companheira —, seja quem for o autor desses libelos, não quis ferir somente nossos esposos, mas as esposas ao mesmo tempo. É óbvio. Senão, estaria incompleta a satisfação de magoar.

— Que fazer, Consuelo? Mostrar aos nossos amigos esses repositórios de injúrias?

— Ainda não aprendeu a viver neste mundo, querida?

— Eu pensei que sim, Consuelo.

— Quem é o nosso Modelo, Lisi?

— Jesus.

Capítulo 5

— O Divino Amigo, na cruz de seu martírio, recolheu ao sublime coração os insultos mais torpes, para, embebidos em sua infinita bondade, devolvê-los, na forma do perdão mais completo, àqueles que os lançaram à sua face, desde que eles não sabiam o que faziam. Será, Lisi, que o nosso pobre Spoletto sabe o que faz?

Lisiane espantou-se com a referência ao nome de Spoletto. Por isso, não pôde esconder a surpresa ao indagar:

— Como sabe você que é Spoletto? Descobriu alguma pista?

Consuelo não se perturbou e respondeu com firmeza:

— Tenho motivos de sobra para identificá-lo como o autor dessas cartas. E também para avaliar quão enceguecido está, a ponto de praticar tal infâmia.

— Disse bem. Se esse infeliz soubesse que, quando se pratica uma ação boa ou má, acionamos, por isso mesmo, a tremenda engrenagem da lei de causa e efeito, que nos pode triturar ou elevar, será que teria coragem de nos ofender?

— Evidentemente, não. Assim, Lisi, vamos compreendê-lo antes de o censurar. É um cego guiando-se a si mesmo na noite tenebrosa de seu próprio destino. Um dia, o tempo o ensinará, do mesmo passo que nos ensinou, advertindo-nos de que ao semeador pertence integralmente a colheita.

— Não sei que seria de nós se você não estivesse conosco nesta prova cruciante, Consuelo — confessou Lisiane, passando a mãozinha delicada pelas faces acetinadas da amiga.

Pretendeu dizer mais, porém emudeceu, para falar depois:

— É tão sublime o seu magnetismo pessoal que teve o poder de fazer de Felicíssimo um verdadeiro artista. Que quadro fabuloso! Como ele soube dar às tintas de seu retrato aquela luminosidade peculiar às almas de eleição, confirmando o que Licurgo me disse no dia da festa: "Felicíssimo não pintou apenas o meio corpo de Consuelo, ele trouxe para essa tela incomparável a alma de luz desse ente extraordinário."

— Felicíssimo esmerou-se em seu trabalho, dada a amizade que nos aproxima um do outro. É uma grande revelação, uma vigorosa personalidade.

— Ele a ama, Consuelo.

— Do mesmo modo que o amo, com esse amor que consagro a toda a Humanidade, procurando fazê-lo como Jesus, dentro, naturalmente, da minha pobreza espiritual. É curioso, minha querida Lisi — prosseguiu Consuelo, dentro do mesmo assunto —, como nos referimos ao amor. Geralmente, afirmamos que amamos a esta ou aquela criatura, para significar que a apreciamos, que ela nos é cara, sintonizamos com ela, gostamos dela. Daí, ao amor, medeia um abismo. Viciamos tanto a palavra quanto o sentimento, que este perdeu a sua transcendental significação, porque não o concebemos senão como uma manifestação de desejos inferiores, de aproximações subalternas.

— Quer referir-se a Spoletto?

— A todos os Spolettos. Repare, Lisi: acompanhando o Sr. Aprígio e Miguel, que nos solicitaram auxílio fraterno para aquele pobre casal de velhinhos abandonados na "casa suspeita", eis que o mundo nos pede conta do nosso amor; que digamos a que vamos, à calada da noite, a uma humilde moradia, em companhia de dois homens, que não são nossos pais nem nossos irmãos. Se o não dizemos, espreita-nos esse mesmo mundo, que nos acusa quando não amamos o nosso próximo como a nós mesmos. É uma espécie de amor dirigido, minha pobre Lisi.

— O mundo vive de contradições e incoerências, Consuelo.

— Sim. São elas o seu alimento. Se amo a um moço tal qual amo a meu pai e a minha mãe — na mais flagrante beleza espiritual desse sentimento —, é preciso legalizar o amor, porque o mundo não concebe esse amor de que Jesus deu testemunho no tratar com as santas mulheres que o acompanhavam — a sublime Joana de Cusa e outras; amor que exemplificou quando procurado por Maria de Magdala, pela pecadora que lhe perfumou os pés e os enxugou com seus cabelos, e quando palestrou com uma pobre mulher à beira do poço de Jacó. Mas não o exprobremos por isso, desde que a Terra é ainda o velho planeta expiatório que devemos ajudar no curso de sua evolução, tornando-nos melhores. O amor para o mundo é carne. Para mim é alma. É luz. É o caminho. Neste amor eu me realizo. Eu "sou". E todos "serão" um dia.

— É verdade que se lembra de Felicíssimo, Consuelo?

— Vi-o certa vez, na noite do meu passado, e por mais paradoxal que isso lhe pareça, Lisi, o escopro que ele utilizou para desbastar arestas do meu ser uniu-nos pela eternidade, porque nada aproxima tanto as almas que sofrem daquelas que fazem sofrer do que a própria antítese das posições que elas guardam na romagem para a libertação.

Ambas sustiveram-se na palestra edificante.

Consuelo olhava para fora, ereta, imóvel, alma como que desdobrada na ânsia dos remígios em busca das esferas.

Lisiane fitava-a embevecida.

Sentiu que doces compromissos e suaves reminiscências de uma hora crepuscular em pleno Infinito, que emergiam de seu próprio ser, transformavam aquela hora num maravilhoso instante da Eternidade, lembrando dores que venceram, amarguras que suportaram, o caminho íngreme que palmilharam, escrevendo com sangue e lágrimas a história de seus destinos.

Eram agora mais que almas amigas. Eram mundos que se completavam, gravitando para Deus.

Lá adiante, duas almas também se irmanavam em tarefas santificantes, escrevendo com as lacerações da injúria mais cruel uma página de amor e renúncia, com vistas aos serviços redentores.

Sérgio e Sileno inscreviam-se na mesma pauta das esposas bem-amadas, neste crepúsculo civilizatório de disfarçado paganismo religioso.

Noutra frente de trabalho salvador, alinhavam-se os valores espirituais de Aprígio, Maria e Miguel, formando células exuberantes de vida com seus companheiros, palmilhando o braseiro de um mundo alucinado, no afã da semeadura proveitosa, abundante e rica, com pressa de se encontrarem com Jesus, que segue à frente, iluminando os roteiros da felicidade que não é deste mundo...

Mais além, Gabriel e Gervásia, Pompeu e Maria Amélia, Clóvis e Marília, Demenciano e Lívia, Licurgo e Quitéria e Felicíssimo, centros de resistência contra o mal, na diuturna exemplificação do serviço com Jesus.

Spoletto, porém, era uma exceção.

Ninguém haveria de ter Consuelo a seu lado: ou era dele ou de nenhum outro. Consuelo era o seu destino; o sonho da sua alma solitária.

— Vê-la, senti-la perto de mim foi a minha desgraça — murmurava, sentado sobre os calcanhares, em mangas de camisa, a transpirar abundantemente, destorcendo fios, afrouxando parafusos, lubrificando carretéis e placas metálicas de um gigantesco lustre pendente do teto do salão nobre do Lar de Maria, onde, dias antes, tivera lugar o ato inaugural da instituição fundada por Aprígio.

Havia mais de duas horas que Spoletto se entregava ao estranho trabalho que o trouxera ali. Era de uma perícia extrema no manejar — pés agasalhados em sapatos de sola de borracha, mãos metidas em luvas apropriadas —, com os suportes de bronze do pesado bloco de luz que pendia sobre o meio da sala enorme.

Depois de ter conseguido o que desejava, prendeu ao suporte do lustre um fio de arame resistente, que levou até a

Capítulo 5

uma peça que ficava contígua ao forro, de onde se via todo o salão por uma claraboia colocada a preceito, bem assim os movimentos de qualquer pessoa que por aí passasse.

— Não posso sair daqui enquanto não houver completado o serviço, ainda que um dia, dois ou dez. Não quero ter fome nem sede. Veremos como funcionará a guilhotina.

E deu uma risada surda, de gente que não tem dentes.

Limpou a testa, o rosto, a cabeça, com um lenço grande, e adaptou uma espécie de binóculo ao orifício que tinha feito com imenso sacrifício, graças ao qual podia descortinar todo o salão, não escapando quem quer que fosse aos seus olhos de lince.

Retirou de um estojo de metal um cigarro fino e o acendeu, sem desprender o olhar da peça que sustentava o lustre.

E entregue aos seus pensamentos, lá se deixou ficar, falando consigo mesmo: "O cigarro é um bom companheiro, e ajuda-nos a raciocinar melhor."

Entretanto, o velho Spoletto não sabia que, àquela hora, Felicíssimo conversava animadamente com D. Margarida, a incansável e bondosa portuguesa proprietária da pensão onde, durante muitos anos, residiram Clóvis, Sileno, Marília, Lívia e Consuelo.

— Apreciei muito o retrato que o senhor pintou, o quadro da menina Consuelo. O senhor, seu Felicíssimo, é um grande artista.

— Muito obrigado, D. Margarida, por suas generosas palavras. Fiz o que pude. Consuelo merecia coisa melhor.

— Gosta muito dela, seu Felicíssimo?

— Quem a vê não pode deixar de amá-la, D. Margarida.

— E o senhor a ama?

— Amo-a de todo o meu coração.

— Um amor impossível, não é mesmo, seu Felicíssimo?

— Não, senhora, D. Margarida, meu amor é possível exatamente porque não exige nada da pessoa amada.

— Amor platônico, como lá dizia o meu finado Paiva dos Crucifixos, a quem Deus haja, seu Felicíssimo.

— Em sua santa paz.

— Amém.

E D. Margarida, passando a mão limpa sobre o tampo lustroso de uma mesinha a seu lado, como quem não quer dizer, mas tem que dizer, falou:

— Seu Felicíssimo, esta noite sonhei bastante com o senhor. Estou a lembrar-me disso agorinha mesmo.

— Então, conte lá o sonho, D. Margarida. Certamente não é tão mau assim.

— Não deixa de ser um pouquinho alarmante.

— Ai! meu Deus! — exclamou, sorrindo, Felicíssimo.

— Não se assuste, porque não há sonhos certos. Enfim, seu Felicíssimo, sonhei que o tinham matado, Virgem Santíssima! Mas foi sonho, seu Felicíssimo. Não vá amofinar-se por uma bobagem dessas. Não creia nisso.

— Não, D. Margarida, não se preocupe, pois todos temos o nosso dia. Há dia para nascer e dia para morrer; dia para semear e dia para colher.

— Lá ensinam os Evangelhos, meu rico senhor Felicíssimo.

— É verdade. São os Evangelhos que afirmam. Em seu sonho, D. Margarida, não viu de que maneira eu morria?

— Para falar-lhe a verdade, meu rico Sr. Felicíssimo, só posso dizer-lhe que o senhor morreu em lugar de uma outra pessoa que, de momento, não sei quem é. Sei que se sacrificava por ela. É só. E não me pergunte mais, seu Felicíssimo.

— Muito obrigado, D. Margarida, pelo sonho. Já é alguma coisa em que se deve pensar.

— Então vai pensar na morte?

— Porque a vida é certa, D. Margarida.

— O senhor está invertendo a frase.

— Mas no fim dá certo.

Capítulo 5

Palestrou mais um pouco com a dona da pensão, despediu-se, alegre, e começou a arrastar-se, rumo à instituição — ao Lar de Maria.

Por onde quer que passasse, bornal dependurado ao pescoço, a balançar-se como um pêndulo, todos o olhavam e, às vezes, paravam para vê-lo locomover-se com tanta facilidade.

Sentia-se alvo da curiosidade dos transeuntes, mas já se habituara a tudo.

— Vou cumprindo o meu destino — dizia sempre.

De vez em quando parava, constrangido pelo movimento, mas era um sacrifício, pois necessitava de apoio — uma parede, um poste, um móvel onde encostar-se, dado que, na posição como caminhava, os braços e as pernas se lhe entorpeciam e, de onde em onde, desmaiava de dor ou de cansaço.

No entanto, era urgente chegar à instituição.

Os serviços reclamavam sua presença.

Acelerou um pouco a andada, e apressava-se sempre que o trânsito lhe permitia.

Verdadeiramente exausto, chegou ao serviço. Dirigiu-se para o cômodo que ocupava, e aí se deixou ficar algum tempo, cansado, membros doridos, cabeça pesada, com sede e fome.

— Onde andava essa alma? — perguntou Licurgo, assomando à porta, e que por ali passara para ver o amigo. Encontrando-o, porém, prostrado e arquejante, alarmou-se: — Que foi isso, meu amigo? Sente-se mal? Quer alguma coisa?

— Ora, não é nada, meu amigo. Inventei de visitar D. Margarida, e voltei neste estado. A caminhada é longa. Ela mora distante. E fiquei assim.

Licurgo sentou-se em um banquinho baixo, que o amigo tinha para trabalhar quando sentado ao solo, e fitou-o, algo curioso, mas nada disse.

— Com que então visitou D. Margarida? Deixou-a bem?

— Sim, está muito bem.

— Mas não achou outro meio de locomoção para voltar? Olhe que você não deve fazer trajetos assim, a pé, Felicíssimo — censurou-o Licurgo.

— Cansei apenas. Nada mais. Daqui a instantes estou recuperado. Sabe o que me disse D. Margarida? Não? Contou-me que sonhou comigo, e que eu havia morrido.

Riu-se, adiantando depois:

— Que eu morria em lugar de outra pessoa.

— Sonhos... — comentou Licurgo, indiferente.

— Às vezes se realizam, Licurgo. Eu tenho cá os meus pressentimentos... Em todo o caso, Deus é quem manda.

— Não perdemos um só fio de cabelo de nossa cabeça sem a sua augusta vontade.

— Gostaria de morrer a serviço do Divino Mestre, servindo meus semelhantes. Seria um prêmio... Ou uma recompensa. Jesus morreu por nós.

— Vamos trabalhar, Felicíssimo, pois o senhor Aprígio não nos paga para outra coisa. Até logo, e poupe-se, meu amigo.

E saiu.

Felicíssimo ficou a olhar para o único homem que lhe dava constantes testemunhos de amizade desinteressada e nobre.

— Ama como eu, mas soube dar uma direção superior ao sentimento que o empolgava. Jugulou a paixão e transformou-a num motivo de beleza, num ideal de perfeição. Grande alma!

Mal acabara de emitir tais pensamentos, sentiu uma vontade irresistível de subir ao andar onde ficava o salão nobre do Lar de Maria.

Incontinente — bornal sempre pendente do pescoço —, movimentou-se, de modo a atingir o local dentro de poucos minutos.

Abriu a porta do salão devagar, como quem não quer fazer barulho nem despertar a atenção de ninguém, e parou à soleira, de onde descortinou o amplo recinto.

Capítulo 5

Sem saber explicar a razão do insólito procedimento, esgueirou-se como estranho réptil rente à parede, alcançando a porta oposta, afastando-se dela de maneira a deixá-la livre à passagem de quem quer que fosse, sem que pudesse ser visto de imediato.

Mal tomara, inconscientemente, a decisão de ficar oculto aos olhares de algum estranho, deu entrada no salão a figura sublime de Consuelo, a caminhar para o meio do aposento, devagar, sem pressa, cabisbaixa, como quem leva celestes desígnios.

Tomado de surdos pressentimentos, presa de terrível angústia, Felicíssimo como que correu depois de Consuelo, quanto lhe permitiam as forças, chegando silenciosamente quase aos seus pés e, sacudido por uma intuição que o tomou de assalto, olhou para o teto, percebendo, aterrado, que o gigantesco lustre se desprendia e atingiria fatalmente a sua amiga. Num gesto instintivo, empurrou Consuelo com ambos os braços, de modo a escapar de ser esmagada pelo peso formidável. A moça resvalou no assoalho enceradíssimo e brilhante e caiu, de bruços, para a frente. Em seu lugar, sem poder locomover-se desde que perdera o apoio dos braços que utilizara para jogar Consuelo para a frente, ficou a figura grotesca de Felicíssimo, que recebeu o tremendo peso do lustre descomunal, sendo esmagado horrivelmente.

Estava morto, sem ter soltado um gemido, quando Consuelo, ao levantar-se, apavorada pelo estrondo causado pelo baque do monstro de ferro e cristal, encaminhou-se para ele, no propósito de acudi-lo.

Cabeça, tronco, braços esmagados, pernas dobradas sobre si mesmas — única vez em que não ficaram atiradas para a frente —, numa poça de sangue, era tudo que restava do veículo físico do pobre Felicíssimo.

Morrera para salvar Dor-sem-fim.

Como da outra oportunidade, Consuelo ajoelhou-se junto ao corpo sangrento do abnegado amigo. E antes que pudesse levantar-se para levar o fato ao conhecimento de Aprígio, encheu-se o salão de funcionários, diretores, amigos, serviçais da Casa, atraídos pelo ruído estrondeante do lustre que caíra.

Lisiane fora a segunda pessoa a chegar à cena do desastre.

Ajoelhou-se, como Consuelo, aos pés do grande amigo, orando a soluçar baixinho.

— Morreu como queria morrer, servindo ao Senhor, ajudando ao seu semelhante — falava dentro de si. — A tua morte, meu amigo, foi a distinção que tanto pediste a Deus. A tua recompensa.

Fitando o cadáver, deparou-se-lhe o bornal que Felicíssimo trazia indefectivelmente pendente do pescoço, inteiramente aberto, e fora dele, uma escova de dentes, um pente, dentifrício, um pequeno retrato de Consuelo e uma carta fechada endereçada à sua generosa amiga.

No verso da pequena fotografia, ele escrevera, no alto, o nome — Consuelo — em letras graúdas, e, por baixo, também destacada, a frase — "Uma luz no meu caminho."

Lisiane juntou o retrato à carta e entregou à esposa de Sérgio.

— São para você, Consuelo — disse baixinho, passando-lhe os objetos.

— Obrigada, Lisi — foi o que pôde dizer, tomada que estava de visível emoção.

Nesse ínterim, aproximou-se Sérgio, que, tomando a esposa pelo braço, conduziu-a para fora do salão.

Em seus aposentos, Consuelo passou-lhe às mãos os objetos que Lisiane encontrara ao lado do corpo de seu amigo.

— É uma carta para você, querida.

Leia-a para nós, amor, pois estou tão cansada...

Sérgio rompeu a sobrecarta e, retirando do seu interior algumas folhas de papel, leu:

Capítulo 5

"Sublime amiga.

Perdoe ao humilde servidor em Cristo Jesus estas palavras que tomei a liberdade de escrever-lhe no mesmo dia em que fazia chegar às suas mãos piedosas o retrato que, sem a autorização de sua dona, havia pintado durante as horas rudes da provança que tive o privilégio de gozar por amor de Deus, nosso amantíssimo Pai e bom Senhor.

Sei que somos velhos conhecidos de prístinas eras. Enquanto eu palmilhava os ingratos caminhos da prevaricação e do crime, Dor-sem-fim — uma alma fugida do Céu para iluminar as veredas sombrias do mundo, e alumiar os passos de seres egressos do Inferno do ódio e do vício —, fazia de sua andada planetária essa página de sacrossanto amor que se plasmou na própria eternidade de sua vida gloriosa.

Andei longos séculos dolorosos pelas regiões do medo, nas charnecas da decomposição moral, nas plagas desoladas do abandono mais pungente, em busca de uma Luz que brilhava longe, longe, na distância de Deus, um clarão em forma de cruz que se desenhava nas fímbrias de todos os horizontes, que me cegava e me consumia a alma prevaricadora e maninha.

Um dia, na dobada dos séculos, o Sumo Bem colocou uma luz no meu caminho. Martirizei um Anjo. Crucifiquei a santa cujo amor dulcificava o amargor do meu coração, e que era o refrigério das infernais labaredas que instalara nos pestilenciais porões do meu espírito degradado.

Pedi que Deus me amasse mais do que a todas as suas criaturas, e que, perdoando ao espírito que perdera o corpo perispirítico no pútrido avassalamento de todos os sentimentos que contaminara com a lepra da consciência gafada, concedesse ao infeliz precito a dignidade de vir ao mundo na forma de locomoção dos quadrúmanos, a quem sempre fui inferior, com vistas à humilhação mais cruel, a buscar a própria redenção.

Fui o ser mais feliz do mundo, mesmo na contingência recuperadora da imitação dos quadrúpedes, pois vislumbrei a luz que me acenava há milênios na cósmica andança de espaço e tempo. Rasguei as carnes nas urzes da marcha amargurosa; dilacerei os pés, as mãos e o ventre nos seixos dos caminhos por onde me arrastei, ostentando a condecoração divina duma distinção celestial na provação reabilitadora; corri, pelas ruas das cidades onde trabalhava, tangido pela criançada que, em sua inocência, me confundia com algum monstro escapado de um mundo distante, primitivo e bárbaro, morada *ad hoc* de almas em formação, na Forja Universal da Criação. Estranha você, Consuelo — ó minha doce Dor-sem-fim! —, que fale no passado? É que amanhã morrerei por você, a quem matei em minha penúltima romagem pelos desvãos escuros da Terra abrasada por todas as loucuras. Um privilégio que Deus me conferiu, qual o de morrer como eu queria — como um animal daninho esmagado pelo peso do seu pecado —, por você, espírito celeste que me arrancou — lenho seco jogado ao fogo que o não consumia —, dos vales umbrosos onde demoram os seres deformados pelo Mal.

Beijo-lhe, de novo, os pés, bendizendo a Bondade de que a amiga é extrema paladina, neste alvorecer do Terceiro Milênio."

Quando Sérgio terminou a leitura da estranha mensagem, Consuelo chorava tão baixinho quanto tenra criancinha recém-nata que morresse à míngua de uma gota de leite que secara antes de correr do seio emurchecido pela algidez da morte.

O esposo passava-lhe as mãos delicadas pelos cabelos e beijava-lhe com verdadeira unção as faces acetinadas e tocadas de lágrimas.

Limpou-lhe os olhos formosos com o pequeno lenço branco que trazia à mostra em seu casaco azul, e beijou-lhe de novo os cabelos e as mãos modelares, esguias, finas, diáfanas, luminosas

Capítulo 5

e translúcidas, como se a própria luz de sua alma substituísse, em seu corpo, a vida orgânica, animando-o com a luminosidade das esferas, retida em seu coração.

Consuelo ergueu a cabeça e fitou o esposo bem-amado, sorrindo, e, levantando-se após, pegou-o pela mão e, suavemente, o arrastou para o salão onde se velava, em câmara ardente já instalada, o corpo que Felicíssimo animara.

Quando deram entrada no recinto, já iam à sua frente uma senhora e uma dezena de crianças, que sobraçavam ramalhetes de flores naturais, dirigindo-se para Aprígio que, de pé, ao lado da esposa, contemplava o corpo inerte de seu auxiliar.

— Sr. Aprígio — falou em tom humilde e respeitoso a senhora que vinha acompanhada dos pequenos, os mesmos que haviam apedrejado Felicíssimo no pátio do edifício da fábrica —, somos metodistas e queríamos homenagear a pessoa a quem tanto magoamos tempos atrás, cantando, ao lado de seu corpo, um hino de nossa Igreja. Será que nos concederá esse favor?

— Não só lhe dou a permissão de cantar com seus meninos como também desejo ficar no meio deles, nesta singela homenagem a quem tanto serviço nos prestou.

A senhora sorriu e, voltando-se para as crianças, que só esperavam o sinal para cantar, fez um gesto para que se aproximassem mais do esquife.

— Meus filhos — falou a senhora —, vamos rogar a Cristo Jesus perdoe-nos as faltas cometidas contra o Sr. Felicíssimo, hoje chamado à presença do Senhor.

Cantaram o hino anunciado, os meninos no coro.

Durante o pequeno lapso de tempo em que o canto se espalhava pelo vasto salão, todos choravam.

Guardaram os assistentes uma formosa estrofe, que dizia:

Quando vires outros
Cheios de ouro e bens,
Lembra que tesouros

Prometidos tens.
Nunca os bens da Terra
Poderão comprar
A mansão celeste
Que vais habitar.

A que respondia o coro infantil, com suas vozes límpidas e argentinas a saturar o ambiente de espiritualidade:
Conta as bênçãos, dize quantas são
Recebidas da divina mão.
Sim, vem contar, todas duma vez,
Pois verás surpreso
Quanto Deus já fez.

Após o canto do lindo hino da Igreja Reformada, as crianças depositaram sobre o corpo de Felicíssimo as rosas que traziam.

— Agradecemos-lhe, senhora, bem assim aos pequenos que a acompanharam nesta hora de doce emoção celestial, os instantes que nos recordam as dívidas para com o Bom Senhor.

Beijou-lhe as mãos, abraçou as crianças e os conduziu até a porta.

Licurgo, que se encontrava presente, sentiu a cena admirável daquele minuto, notando que as criancinhas, enquanto cantavam, continham-se para não chorar.

Distraidamente, levantou os olhos para o teto e, de relance, se apercebeu de que o lustre não poderia ter caído sem que alguém lhe tivesse retirado qualquer peça do suporte.

Discretamente, saiu do salão e procurou atingir o sótão, servindo-se da escada de incêndio.

Aproximou-se da parte interna da pranchada. Entre esta e o teto do edifício, pois esse era o último piso, havia um enorme

Capítulo 5

espaço, que permitia a qualquer pessoa caminhar livremente, em pé, menos, naturalmente, nos cantos do recinto.

Após habituar-se à escuridão, lobrigou pequeno volume exatamente na parte correspondente ao lustre.

Sem fazer qualquer ruído, Licurgo dirigiu-se para o local onde descansava uma pasta de couro contendo ferramentas que tanto serviriam para o serralheiro quanto para o eletricista.

Olhou-a com curiosidade, porém deixou-a no mesmo lugar.

Dirigiu-se, depois, para a escada por onde subira, e logo a seguir achou-se entre os que se aprestavam para o enterro.

Spoletto não fora visto, nem estivera presente aos funerais. Havia pedido licença de alguns dias e, ao que constava, ausentara-se da cidade.

Licurgo estava certo de ter sido ele o autor daquele criminoso evento.

Pretendera, certamente, vitimar Consuelo, atingindo-a com o lustre que fizera cair quando ela passava embaixo dele. Felicíssimo, entretanto, salvou-a, morrendo em seu lugar.

As ocorrências não alteraram o ritmo dos trabalhos na fábrica.

Spoletto voltara ao serviço, finda a licença, inalterável, com a mesma máscara impenetrável de sempre.

Consuelo, exercendo agora novas funções no Lar de Maria, subtraíra-se, assim, às investidas amorosas de seu ex-chefe. Todavia, este não perdia oportunidade de falar-lhe quando surgia alguma ocasião propícia. Consuelo tratava-o invariavelmente com a máxima distinção e cortesia, desarmando-o.

As cartas anônimas continuavam a chegar aos seus endereços.

As últimas continham verdadeiras infâmias. Os ataques a Aprígio, Miguel, Consuelo e Lisiane haviam recrudescido. Os insultos eram os mais baixos possíveis.

— Mas isso, Sérgio — dizia Sileno, após o recebimento de mais uma missiva no mesmo estilo —, não pode continuar impunemente. Afinal, temos o dever de reprimir o crime, tomar uma providência, impedir que um louco esteja a denegrir a reputação alheia. Não pensa assim?

Sérgio fitou demoradamente o seu amigo e, finalmente, retrucou:

— Mas você não percebe que o autor é um doente, um irresponsável, um demente?

A seu turno, quase à mesma hora, Lisiane e Consuelo palestravam.

— Não podemos tolerar mais, Consuelo! — exclamava Lisiane, após o recebimento de outro infamante bilhete.

— Lisi, de Jesus disseram mais do que isso, e, ao que me consta, nunca o Divino Mestre procurou o difamador para altercar com ele.

— Bem... mas Jesus era Jesus...

— Sim, Lisi, Jesus era Jesus, mas não esqueça que Ele é o Modelo. Spoletto, um dia, cansará. Vamos deixar que ele viva a vida que escolheu sem a nossa consulta e a nossa aquiescência. Evitemos o pântano, ainda que ele se alargue e pretenda atingir nossa casa. Drenemo-lo com o silêncio de nossa compreensão.

Interrompia-se por poucos minutos, enquanto dava alguns passos pelo aposento onde se achavam. Afastou, maquinalmente, parte da persiana que estava descida sobre a janela, olhou para fora, soltou-a depois, e, voltando-se para Lisiane, falou:

— Sei que o Sr. Aprígio e Miguel têm recebido cartas semelhantes.

Lisiane levantou-se como se alguém a houvesse ferido, e perguntou alarmada:

— Verdade, Consuelo?

Capítulo 5

— Sim, minha caríssima Lisi — asseverou. — Spoletto não os tem poupado. A própria D. Maria, que tanto tem feito por sua família, ele a ataca rudemente, a ponto de dizê-la cúmplice do marido e do filho.

— E nós sabemos que nada do que ele propala é verdade. Vivemos a ajudar aquele casal de velhinhos, cujos filhos não sabem por onde andam. Sem família, sem teto, sem pão, não fosse a Prefeitura permitir habitassem a casa abandonada que o Sr. Aprígio tornou menos insalubre, estariam os pobres a viver como muitos, arrastando-se de um lugar para outro, de maloca em maloca, se já não tivessem morrido.

— Um dia o pobre Spoletto cansará...

— E como D. Maria está recebendo essas infâmias, Consuelo?

— Com a bravura moral da mulher cristã, minha amiga. Visitei-a ontem, e pude aquilatar de sua fé e confiança em Deus. Serena, tranquila, superior e digna, ela, quando solicitada, explicou: "Não seríamos discípulos do Evangelho se não soubéssemos sofrer com Jesus. Os caminhos que palmilhamos, os mesmos batidos pelos nossos semelhantes, não estão cobertos de alfombras, mas cheios de urzes e pedrouços, desde que foi o Divino Mestre quem afirmou que aquele que o quisesse seguir deveria tomar a sua cruz e segui-lo. E Ele não andou sobre rosas..."

Calou-se, e deu alguns passos pela sala, cabisbaixa, em atitude de quem orava no silêncio de seus pensamentos.

Estacou de repente, diante de Lisiane, e indagou:

— Sabe que não viemos ao mundo, com a permissão de egrégios Espíritos, para outro fim que não o de inaugurarmos — de inaugurarmos, propriamente, não, retifico —, o de lançarmos a semente de uma nova civilização, onde o verdadeiro amor universal dará, conosco, os primeiros passos no sentido das uniões nimiamente espirituais. Não seremos mulheres no sentido carnal da palavra; seremos apenas esposas, embora aquelas sejam tão dignas quanto nós, no rigor do compromisso biológico da perpetuação da espécie. Elas servirão num setor da Evolução, e nós, em outro; mas ambos os grupos, ambas as falanges, serviçais do Senhor, empenhadas no esforço titânico de fazer da Terra um planeta de Regeneração pelo Amor.

— Sei, Consuelo, porque guardo com fidelidade mnemônica, no âmago da alma, a lembrança dos compromissos assumidos perante aqueles que nos enviaram. O trabalho se me afigura fácil em sua execução.

— Não, Lisi, ele não é tão fácil assim. A luta, cujo menor instrumento é Spoletto, apenas atirou os primeiros golpes. Ciente da inocuidade do ataque preliminar, ela — a luta — desencadeará a ofensiva arrasadora. Se quisermos vencer, oremos pelos nossos esposos.

Afastou-se da mesa de Lisiane, ditas as últimas palavras, e começou a caminhar, mansa e serenamente, em torno do salão, como quem deixa ao raciocínio de outrem o trabalho de armar a equação.

Lisiane ficou de olhos esbugalhados, meio tonta, como quem recebe um golpe na cabeça. E repetiu para si mesma a sentença de Dor-sem-fim: "Oremos pelos nossos esposos..." E eu que não havia ainda pensado nisso?

Consuelo voltou à mesa da amiga, e, deixando-se ficar à sua frente, com ambas as mãos apoiadas no móvel, falou:

— Lisi, minha filha, ainda trazemos de um passado, que não está tão longe, nódoas que o tempo não conseguiu lavar. É o nosso pecado original. Estamos ambas tentando uma tarefa titânica, que, vencida, nos capacitará para novas missões salvadoras.

— Tem você algum motivo para aconselhar a oração em benefício de nossos esposos?

— Jesus nos aconselhou a oração e a vigilância. Independentemente da recomendação salutar, não nos esqueçamos

Capítulo 5

de que estamos mergulhadas na carne, em um mundo ainda governado pelas paixões doentias. O ambiente ainda se ressente da impureza de nossos vícios e de nossos pensamentos.

— Tenho vivido com Sileno na mais estreita sintonia espiritual. Estou ou estamos certos de que venceremos.

— Sileno e Sérgio são duas almas superiores. A vitória está, Lisi, em conservarmos essa identidade de propósitos até o fim. Pensamentos voltados para o desiderato sublime, nele permanecendo a despeito de tudo; a dedicação ao trabalho nobre e edificante; a castidade de nossa conduta e a limpidez das palavras, dos gestos e das atitudes, concorrem poderosamente — ao lado do "orai e vigiai" — para vencermos a prova sacrificial.

— Sim, concordo com você.

— Muitos têm tentado a realização do sublime objetivo, chegando mesmo a Igreja a criar ordens, conventos e mosteiros onde os religiosos se recolhem, na ânsia de fugir às tentações do mundo. Mas isso, Lisi, é uma política espiritualista errônea e perigosa. A reclusão, para escapar às ciladas do pecado, não resolve o problema. Temos que matar o inimigo, dentro de nós, porque aí é que ele vive, instalado confortavelmente, porque alimentado pelos nossos pensamentos inferiores. No mundo vivem as formas que não nos podem causar mal algum. Não é o cheiro do alimento que provoca as intoxicações, mas a sua ingestão. Se o indivíduo não tem qualquer lastro espiritual a lhe garantir o êxito do tentame, a clausura apenas exacerba os instintos mal dormidos. O trabalho de ascese deve ser de profundidade. Sob as cinzas, as brasas permanecem vivas, prontas a queimar a mão leviana que as tocar.

— Você, Consuelo, é um espírito de elite. Gostaria de ser qual a minha boa amiga e conselheira.

Depois de pensar um pouco, disse, meio receosa, talvez com medo:

— Sileno me beija muito. Tenho medo...

Consuelo sorriu, chegando mesmo a rir alto, e falou, batendo no ombro de Lisiane:

— Bobinha... Que tem isso de mal? Afinal, vocês são marido e mulher, ou, como já disse, esposos. E os esposos não se devem beijar?

— É que o nosso compromisso é muito sério, Consuelo.

— Isso não afeta o compromisso. O mal não está no beijo, está na intenção do beijo, Lisi. Mas, naturalmente, é necessário esclarecer, com vistas ao compromisso. Quando Sérgio me beija, respondo à carícia com outra carícia, na qual imprimo toda a espiritualidade de meu carinho. Apago logo a chama de que, porventura, venha ela impregnada. Ele compreende e sorri. Faça como eu, querida.

— Lívia e Marília — revelou Lisiane à sua amiga —, anteontem, em palestra íntima comigo, radiantes de felicidade, me confessaram que vão ser mães. Não é mesmo uma felicidade, Consuelo?

— Quem pode dizer o contrário? Para mim, colaborar com Deus é a felicidade integral, seja no santíssimo mandamento da maternidade, seja no serviço de esclarecimento às consciências infelizes. Em qualquer positura de trabalho redentor reside a felicidade.

Rindo compreensiva, e dando alguns passos em torno da mesa, atirou a pergunta que lhe estava na boca:

— Não ficou com inveja delas?

— Absolutamente. Podia ser mãe, como você também, desde que estamos a serviço de Deus.

— Podíamos ser mães, Lisi. Mas viemos à Terra com uma missão específica. Missão que nos foi deferida tendo em vista as nossas rogativas nesse sentido. Nossos esposos, também. Enquanto Lívia e Marília, a serviço do Mestre, se inscreveram em outra pauta de atividade santificadora, nós nos colocamos em setor de pioneirismo espiritual. Cada qual está

Capítulo 5

no campo de maior rendimento. Mãe já o fomos, mas agora tentamos trabalho diferente.

— É o que sempre digo a Sileno, que, falando a verdade, é um valoroso espírito.

— Tanto quanto Sérgio. Eu, de mim, sinto-me à vontade dentro dos meus encargos, porque me habituei, caríssima Lisi, a construir o meu mundo sem empregar material de refugo. É natural — dada a minha indigência —, tenha, de vez em vez, meus percalços e minhas lutas, por momentos, ásperos e rudes. Ninguém caminha neste mundo impunemente. A atmosfera espiritual da Terra está impregnada de forças negativas, energias dissolventes, que temos de repelir quando pretendam invadir-nos a mente.

— Também tenho instantes críticos. Seguidamente, sinto que ondas psíquicas de teor nitidamente inferior me assoberbam. Rechaço-as como posso, para, afinal, vencê-las. Eu acho — prosseguiu Lisiane, depois de pequena pausa — que ninguém, neste mundo, se forra às solicitações do erro. Quero dizer, ninguém é suficientemente esclarecido e superior para ficar indene às investidas do mal.

— Só conheço um na história da Humanidade terrestre: Jesus — disse, com ênfase, a esposa de Sérgio. — Só Ele. Ninguém mais. Tomando-o para modelo, Lisi, venceremos galhardamente o adversário que nos espreita no desempenho de nossa missão, por intermédio mesmo de nossos bons companheiros de jornada.

— Será que eles podem vir a perturbar-nos?

— Eles já estão perturbados. Desse estado à ação, medeia tão somente alguns passos. Por isso, já lhe disse, minha boa Lisi: devemos orar por eles.

— Não tenho feito outra coisa desde que nos casamos.

— E deve continuar a fazê-lo. Não demorará muito e teremos notícia de como Spoletto os está a trabalhar nesse sentido, isto é, induzindo-os a nos vigiar, espreitando a nossa entrada na casa dos dois velhinhos.

— Acha você que eles não estavam em condições de assumir os riscos da missão que nos irmana? — inquiriu Lisiane.

— A questão não é a de saber se estão ou não aptos ao desempenho da tarefa solicitada por eles próprios, Lisi, mas a de ajudá-los, quanto possa cada uma de nós.

Dando alguns passos em redor da amiga — um hábito de Consuelo, quando se dispunha a captar "vozes amigas" —, falou, como quem pretende concluir uma frase inacabada:

— Somos mais ou menos responsáveis por nossos companheiros de jornada na consecução do triunfo.

— Triunfaremos então?

— Só não vence aquele que perdeu a fé em Deus.

Lisiane recolheu-se para dentro de si, como quem guarda um segredo prestes a irromper da alma.

Fitou-a a amiga, compadecida. E, aproximando-se mais, colocou-lhe ambas as mãos sobre a cabeça e sussurou bem pertinho de seus ouvidos:

— "No mundo tereis aflições, mas tende bom ânimo. Eu venci o mundo." Assim falou Jesus.

Lisiane olhou-a, pestanejou rápido, como quem quer limpar os olhos de lágrimas indiscretas.

— Ele me tem olhado diferentemente...

— O mundo vive a armar ciladas, no imprevisto dos caminhos, às almas timoratas, que se distanciam de Deus.

— Ele beijou-me a face com lábios ardentes.

— Às vezes — e porque esteja inscrita no mapa de nossos serviços essa modalidade de experimentos salvadores —, somos compelidos a servir de pegureiros às ovelhas confiadas à nossa vigilância.

— Ele abraçou-me com calor.

Capítulo 5

— Jesus nos concede a doçura de sua piedade para aplacar a sede de nossos corações.

— Ele espreita-me os passos, vigilante.

— A consciência iluminada pelos exemplos das santas mulheres de Jesuralém concede horas tranquilas à alma aquietada em Deus.

Dizendo essas palavras, Consuelo dirigiu-se à janela e olhou para a cidade inundada de luz. No entanto, seu espírito, como que longe da Terra que os homens teimam em abrasar e ensanguentar, afeito às grandes horas do Sublime Amor, quando pressentia Jesus nos pórticos do coração, revigorava-se no Divino Manancial, preparando-se para os suprimentos que cedo ou tarde lhe exigiriam os dias tristes dos amigos que choravam de desespero, sem paz e sem esperança.

A luta esboçava-se árdua e cruenta, mas sua alma de escol sorria na fortaleza do coração que entregara a Jesus, sem rebuços, certa de que sustentaria fidelidade ao Divino Mestre sempre que se inspirasse naquela confiança que Joana de Cusa exemplificou nas labaredas de seu martírio inconcebível.

Era preciso, porém, pensar em Lisiane.

Viera com ela para ajudá-la nos duros trânsitos da prova superlativa.

Voltando, mansamente, porte nobre, olhar sereno e doce, gestos macios de quem mal toca sobre os passos leves, fitou Lisiane, que a contemplava sorrindo:

— Está melhor?

— Quem o não está junto de você?

Dor-sem-fim sorriu radiante.

— Sempre a minha delicada Lisinha... — ciciou, alisando-lhe os cabelos e beijando-a meigamente. — A gente, querida, quando empreende uma jornada tal qual esta que nos trouxe à carne, deve compreender que não dispõe de outros recursos senão os da prece. Um momento de invigilância pode arrastar-nos a pensamentos penosos, e destes à ação vai apenas um passo.

Depois de rápido estacato, aduziu:

— Tanto Sileno quanto Sérgio são almas valorosas, trabalhadas no cadinho das renunciações dolorosas. Mas isso não é tudo, porque, tanto nós quanto eles, trazemos do passado umbroso o peso de nossos erros e de nossos vícios, que urge combater e jugular, cancelando débitos e quitando dívidas para com a Justiça Divina. Não atingimos ainda, Lisi, aquela fase em que nos situamos, em plena reintegração de nós mesmos, nos bebedouros da água da vida, saciados e felizes. Vencido o passado, o espírito defronta a luta da própria afirmação de si mesmo, e a nova luta tem começo com os mesmos percalços e as mesmas solicitações do mundo exterior, e... interior, também. Nesta posição se acham eles, ainda. Nós, graças a Deus, já a transpusemos, pelo privilégio de sofrimentos mais extensos. Fale quem quiser, Lisi, mas a verdade é que o sofrimento é uma distinção. É um prêmio. É uma prerrogativa dos eleitos. É uma regalia de quem sabe viver com Jesus.

— Ousada tese, minha amiga...

— Quem sofre o aguilhão de todas as tentações para manter a dignidade da vida acima das baixezas, não será uma alma valorosa? E esse valor não constitui para o espírito um privilégio conquistado por si mesmo? Esse privilégio está ou não ao alcance de todos? Não demos uma significação particularista à palavra, mas sim esse sentido universalista que transmite ao verbo uma fagulha do pensamento de Deus. Todos somos seres privilegiados quando entendemos os divinos desígnios ao longo dos sendeiros da libertação.

Mal proferira as últimas palavras, voltada para a amiga, entrou Sérgio de mansinho e, surpreendendo as duas, lépido aproximou-se de Consuelo e beijou-a demoradamente no pescoço.

Capítulo 5

Esta, rapidamente, girou entre os calcanhares encarando o esposo de frente:

— Obrigada, Sérgio — disse em tom indefinível, que tanto podia ser de surpresa quanto de longínquo agastamento.

— Fiz mal? — indagou sem expressão.

— Todo o mal reside na intenção, meu amigo — respondeu Consuelo, imperturbável, brincando com um lápis que tomara de sobre a mesa de Lisiane.

— Sérgio, certamente — ponderou Lisiane, procurando desfazer o constrangimento que o fato provocara entre os dois esposos —, estava saudoso de sua companheira.

Foi quando deram entrada no recinto, como um bando de aves canoras, Marília, Clóvis, Lívia e Demenciano, acompanhados de Sileno e Miguel, cumprimentando a todos, alegremente, como se não se avistassem há muito tempo.

Miguel, tão logo viu Consuelo, apressou-se, delicadamente, a cumprimentá-la, beijando de leve, num gesto de galantaria, a mão de sua amiga.

— Está bem, Consuelo, em suas novas funções? — indagou.

— Sinto-me satisfeitíssima com os trabalhos que o Sr. Aprígio me confiou. É um encanto viver entre crianças e criaturas compreensivas. É uma felicidade...

— Sérgio, naturalmente — acresceu Miguel, dirigindo-se, sorridente, a seu amigo —, acompanha-a na sublime tarefa, prevalecendo-se da oportunidade para guardá-la avaramente...

— Dor-sem-fim é tesouro sublime...

Consuelo sentiu na resposta do companheiro dileto, que jamais a tratara por aquele apelido, uma distante censura, que lhe tocou de leve o coração.

Miguel percebeu o sentido intencional da expressão. Sérgio, a seu sentir, não era mais aquele nobre espírito em quem reconhecia qualidades morais incomuns.

— Sim, Sérgio amigo, Consuelo — e frisou a palavra — é tesouro poucas vezes encontradiço. Quem o tem a seu lado, no turbilhão deste mundo doloroso, deve viver rendendo graças a Deus, a cada passo. Mas não os interrompo mais. Tenho incumbência a cumprir noutro setor do departamento. Até logo.

Saiu, cumprimentando amavelmente a ambos.

— Veja lá, Consuelo — falou Marília, sempre irreverente —, se não tem inveja de mim e de Lívia, que já encomendamos a Papai Noel um bebê para o próximo Natal.

E riu, feliz.

Os esposos não cabiam em si de contentamento e felicidade.

— Vocês precisam também se interessar pelo assunto — aventurou Clóvis, dirigindo-se a Sérgio e a Sileno.

— Não lhes deem cuidado as nossas vidas, amigos — respondeu Sérgio, com aquiescência de Sileno —, pois a cada um conforme seus méritos ou deméritos.

Lisiane e Consuelo permaneciam tranquilas, sorridentes, tão distanciadas quanto possível da palestra dos amigos com os esposos.

A entrada de Licurgo, convocando os presentes para uma reunião no gabinete do presidente Aprígio, silenciou os circunstantes, que se apressaram a dar cumprimento à ordem recebida.

Ausentes os companheiros, Licurgo, meio alarmado com as últimas palavras de Sérgio, comentou consigo mesmo, em voz alta:

— Spoletto não tem perdido o seu tempo... Até onde irá esse pobre velho?

— Que quer de mim, Licurgo? — gritou-lhe Spoletto, irrompendo inesperadamente na sala.

— Que cesse com os seus crimes, Spoletto! — respondeu-lhe no mesmo tom.

— De que crimes me pretende acusar?

— De imediato, pela morte de Felicíssimo — acusou Licurgo.

Capítulo 5

— E de que mais?
— Tentativa de homicídio na pessoa da senhora Consuelo.
— Provas?
— Tenho-as arquivadas na sua pasta de ferramentas.
— Aquela pasta não me pertence.
— A que pasta você alude, se não a viu ainda?

Spoletto reconheceu ter caído em uma armadilha, mas não se deu por vencido e retrucou:

— Isso não prova nada. E mais alguma acusação?

— Infelizmente, Spoletto, os crimes morais, quais os que vem perpetrando, jogando esposos contra esposas, tomado de ciúme doentio, à socapa, são de prova mais ou menos difícil, mas você não perderá por esperar. Você cairá um dia, Spoletto, não tenha dúvida.

— Até lá, meu caro, estará cumprida a minha vingança.

E riu cinicamente.

— Por que não encerra você a série de crimes que vem praticando, Spoletto? Deixe seus semelhantes em paz. Será que não tem pena de Consuelo? Olhe que a todos tem pretendido envenenar, inclusive o seu próprio chefe e esposa, que, se souberem quem é o autor das cartas anônimas que lhes chegam às mãos, é bem possível entreguem o caso à Justiça.

— Não serão loucos de fazê-lo. Disponho de recursos que os impedirão de agir. Eles que se metam com a minha vida...

— Mas eu tenho provas, Spoletto.

— Indícios tão somente. Junte-se a eles e verá.

— Juntar-me-ei em tempo hábil, Spoletto, e você vai arrepender-se. Para salvar a honra de criaturas inocentes, posso até assumir o papel muito desprezível de delator. E não me venha pedir clemência.

Spoletto, tomado de súbito pavor, pretendeu correr atrás de Licurgo, mas não o conseguiu. Estava como que chumbado ao solo, incapaz de locomover-se, e se o pudesse fazer já não o encontraria, pois abandonara o recinto arrebatadamente.

Chegado que foi ao escritório, Licurgo fechou-se e procurou estudar a situação que defrontava.

"Consuelo e Lisiane sofrem", pensou. "As cartas anônimas que Spoletto endereça todos os dias a Sérgio, Sileno, Consuelo, Lisi, Aprígio, Miguel, D. Maria, major Gabriel e tia Gervásia, e até mesmo ao tenente Pompeu, estão produzindo os efeitos visados pelo missivista. Tenho impressão de que a situação é desesperadora. São todos bravos espíritos, de enfibratura moral inderrocável, mas a maldade é sempre a gota d'água que perfura lentamente. É imperioso tomar uma medida. Spoletto continuará em sua faina devastadora. Não é mais dono de si. É, nesta altura, um escravo da Treva."

E enquanto Licurgo repassava um programa de trabalho que já esquematizara com o objetivo de frustrar os novos planos de Spoletto, Sérgio, de volta da reunião administrativa a que assistira, enlaçava Consuelo pela cintura e, beijando-a repetidas vezes, segredava-lhe:

— Não posso mais viver longe de você, Consuelo, mesmo que seja um minuto. Meu amor já é um desespero.

Consuelo ouvia a revelação, alarmante em face dos compromissos por ambos assumidos livremente, entre resignada e triste, mas de alma confiante e serena.

Seria ocioso fazer menção a seus deveres conjugais perante as leis humanas. Conhecia-os sobejamente. Entretanto, deparava-se-lhe um problema de consciência, a que seu esposo não era estranho.

— Assumimos, meu bom amigo, diante do Mais Alto, os riscos de uma empreitada talvez sem precedentes na vida espiritual do planeta.

— Conheço-a porque a sinto no âmago do ser. Entretanto...

Capítulo 5

— Se a identifica no fundo da alma, a responsabilidade dos dois avulta de gravidade, com vistas à nossa posição espiritual assumida, Sérgio amigo, sem coação nem constrangimento moral.

— Todavia...

— E tanto mais cresce de valor nosso belo ajuste quando é certo que viemos à carne, neste Departamento da Vida Infinita, em missão específica de pioneirismo espiritual que, cumprida, nos outorgará a felicidade de não trair a própria consciência, nem de decepcionar aqueles que nos ajudaram na obtenção da sublime oportunidade.

Sérgio não falou mais, mas continuou enlaçando mais fortemente a esposa, em manso passeio pelo recinto, beijando-a de vez em quando.

Alfim, Consuelo, com extremos de delicadeza, desvencilhou-se de Sérgio, justificando-se:

— Tenho que cumprir algumas ordens do senhor Aprígio relativas ao fichário dos menores do Instituto. Perdoe-me a ausência temporária.

Beijou-o carinhosamente na face e retirou-se.

Sérgio ficou imóvel no mesmo lugar em que o deixou Consuelo. Nunca soube quanto tempo permaneceu na mesma posição. Seus pensamentos se sucediam num tropel vertiginoso, queimando-lhe a mente desorientada.

Encontrou-o, nesse estado de alma, a figura irônica de Spoletto.

— Que abstração é essa, meu amigo?

— Quê? — perguntou, sobressaltado, voltando-se para seu novo interlocutor.

— Pergunto-lhe por que tão longe daqui pelo espírito? Alguém o magoou?

O esposo de Consuelo não respondeu. Continuou entregue aos seus pensamentos, distante, inconformado com a atitude estranha da esposa. Era verdade que firmara o compromisso de casar-se com Consuelo apenas para que, trabalhando juntos na mesma tarefa, obrigados por vezes a se ausentarem, no turno da noite, sozinhos, no desempenho de deveres múltiplos, não fosse a sua conduta objeto da maledicência, e ainda — o que era de suma importância para os seus destinos, dentro da incumbência específica que os trouxera à crosta — porque se sabia irmanado a Consuelo para exemplificar na Terra aquele sublime amor que liga as almas à revelia do sexo.

Deu alguns passos sem direção certa, e após, ignorando a presença do difamador de sua esposa, saiu do apartamento, como um sonâmbulo, rumo ao trabalho.

Consuelo atendia, naquele preciso instante, ao serviço que lhe estava afeto. Vendo-o entrar, sorriu para o companheiro, endereçando-lhe delicado gesto com a mão. Ele sorriu também e, de imediato, entregou-se ao serviço.

Sileno, mais adiante, cenho fechado, movimentava-se diante de um arquivo de aço, catalogando papéis de importância.

Lisiane estava ausente, em curta visita à tia Gervásia, que aniversariava naquela data.

— Não podia deixar de passar este dia com a senhora — dizia, abraçando-a carinhosamente.

— E como anda você de vida matrimonial? — indagava.

— Ora, titia, a senhora sabe que os homens são muito difíceis, exigentes, ainda que inflados de nobres intenções.

— Rogério é que dizia muito bem: "De boas intenções o inferno está repleto."

— No começo deve ser assim mesmo.

Silenciou para prosseguir depois, como quem se lembra de uma coisa importante:

— E Sileno ficou meio triste quando Demenciano, o meu querido paizinho, e Clóvis anunciaram que vão ser pais pelo próximo Natal.

Capítulo 5

— Mas eles, os que não vão ser pais — Sileno e Sérgio —, também devem estar radiantes, pois não estão a servir de papaizinhos a uma multidão de pequenos do Lar de Maria? Crianças que não têm pais carnais?

Lisiane não respondeu, mas Gervásia não se conteve e atirou-lhe a pergunta crucial:

— Inconformado com a situação que a princípio aceitara com tanto ardor e entusiasmo cristão?

— Inconformado, não, titia, irresignado.

— Não sei que diferença existe entre as duas significações — contraditou, com alguns muxoxos.

— Sérgio também é um irresignado.

— Eu sabia que tanto Sileno quanto Sérgio não se resignariam. Queira Deus não leve Spoletto essas duas criaturas a atitudes menos dignas. Neste particular as mulheres são mais fortes, renunciam com mais facilidade.

— E a senhora, titia, continua recebendo cartas?

— Invariavelmente, uma por semana. Olhe que o Sr. Spoletto há de ter uma verba especial em seu orçamento para estar a gastar dinheiro com esse esporte estranho e indigno. Ontem, porém, ele recebeu "o dele", em plena rua, na hora de maior movimento da tarde.

— Que fez a senhora, titia? — inquiriu Lisiane, alarmada.

— A coisa mais simples do mundo. De posse da última missiva, saí, na certeza de encontrá-lo a caminho do escritório. Conheço-lhe os hábitos de velha raposa burocrática. Bem em frente de um armarinho muito visitado por senhoras, eis que me surge a figura repelente do velhote. Retirei da bolsa a carta e, rasgando-a em pedacinhos, gritei-lhe: "Velho infame, restituo-te a imundície de teus insultos!" E joguei-lhe no rosto, que se fizera lívido, os pedaços do instrumento de sua difamação. Mas não ficou somente aí o meu desforço. Vibrei-lhe tremenda bofetada nas bochechas flácidas e, como guerreira vitoriosa, abandonei, garbosa, o campo de batalha, deixando-o entregue ao seu ridículo.

Rematando, Gervásia soltou gostosa gargalhada, demasiado forte para não ter seu fundo histérico.

— Mas, titia, isso não se faz! — exclamou Lisiane, cobrindo o rosto com ambas as mãos.

— E acha você que o que Spoletto faz está certo?

— Naturalmente, não. Mas devemos perdoar, titia. E, paralelamente, ensinar.

Fez-se silêncio.

— Garanto-lhe, Lisi — voltou a falar tia Gervásia —, que não receberei mais cartas anônimas. A minha caridade é meio áspera, Lisi, mas que merecia e merece um tipo daquele quilate? Nem você nem Consuelo fariam isso. São almas evoluídas e vibram em outras faixas espirituais. Sou muito atrasada, e a Justiça ainda não pode prescindir destes pobres instrumentos ignaros de sua manifestação, neste mundo.

— Pelo menos, a senhora é sincera, mas creia que não aprovo o seu ato. O Sr. Spoletto, titia, não perde por esperar mais um pouco. Ele está hoje na fase da semeadura, mas quando soarem as trombetas do destino, conclamando cada um de nós à colheita, quanto pranto não terá que verter na dura luta das recapitulações dolorosas? Para, como lá dizem os outros, morrer de dor, basta-lhe a própria sementeira infeliz. Não acresçamos aos padecimentos de nossos pobres irmãos o peso de nossa vingança, minha querida titia.

E lançou-se-lhe nos braços, dizendo:

— Perdoe-me, titia, o desabafo. Não me leve a mal. Não tive a intenção de ofendê-la. Veja como não sou nada neste mundo. Com que direito posso censurá-la, titia? Hoje perdi o meu salário...

— Bobinha — disse Gervásia, beijando-a. — Você não imagina a beleza da lição que me deu. O seu salário não está perdido,

Capítulo 5

Lisi, minha boa Lisi. Recebo a advertência carinhosa como um presente do Céu. Vejo que fiz mal. Entretanto, nunca é tarde para o arrependimento sincero e reabilitador. Vamos tomar agora um cafezinho e esquecer o incidente.

— Perdoou-me, então, titia?

— Tolinha, quem deve pedir perdão aqui sou eu. Pergunto neste momento: estou perdoada?

Lisiane não respondeu. Levantou-se, fitou tia Gervásia com humildade e carinho, e, ajoelhando-se aos seus pés, beijou-lhe a fímbria do vestido pobre, evocando aquela cena que o Evangelho do Reino registrou, quando da passagem do Divino Mestre pela escuridão de nossos pecados.

Abraçaram-se demoradamente aquelas duas almas nobres, quando deu entrada, sem fazer-se anunciar, o esposo de Lisiane.

Deparando-se-lhe o formoso quadro, estancou e saudou-as humildemente:

— Sou bem-vindo?

— Todos são bem-vindos a esta casa — respondeu Gervásia, apertando-lhe a mão cordialmente. — Sente-se Sileno. Veio buscar Lisi?

Lisiane, no momento, já estava ao lado do companheiro, a quem beijou carinhosamente.

— Sim, tia Gervásia, pois o tesouro longe do dono pode ser arrebatado por algum pirata... Não posso viver ausente de Lisi.

— Tem ciúme dela?

— Propriamente, ciúme, não. Um certo cuidado pela esposa que o destino me concedeu.

— Para mim, Sileno, isso é ciúme. Nós, as mulheres, temos intuição clara dessas coisas. Não estou aqui, porém, para censurá-lo. Vivo a minha vida que se vai apagando nos desenganos do mundo, rumo à verificação de meus imensos débitos para com a Justiça Infalível. Se não desempenhei meus deveres de mulher cristã, fiz o que pude. Urge repetir, Sileno amigo, a sentença evangélica: "Muito se pedirá a quem muito houver recebido." E minhas mãos estão vazias. A única coisa que levo nelas é a aspereza que o trabalho honesto lhes imprimiu. Que o Senhor Jesus tenha pena de nós.

Quando Gervásia terminou a nobre confissão, Lisiane chorava em seus braços.

— O Divino Amigo sabe que a senhora foi uma filha exemplar, uma esposa digna e, para mim, mãe como aquela que mais o seja.

Sileno permanecia mudo. Depois que a esposa proferira as últimas palavras, falou tão alheio ao momento, de um modo tão curioso, que tia Gervásia sentiu indefinível angústia agasalhar-se em seu coração.

— Tia Gervásia divaga, minha doce Lisi. Vamos para casa. O nosso lugar é no instituto e no lar. Precisamos viver um para o outro. É da Lei de Deus e da lei dos homens. Venha, querida.

Voltando-se para tia Gervásia, despediu-se, sem qualquer manifestação de cordialidade:

— Adeus, D. Gervásia. Grato pela acolhida. Que Deus lhe relembre sempre a sua bondade e o seu amor.

— Obrigada, Sileno. Igualmente esteja o Divino Senhor sempre presente à sua consciência, porque sem a vigilância desta os compromissos assumidos rolam por terra, tão ruidosamente como o nosso próprio orgulho no arremate de nossa passagem pelos desvãos das oportunidades canceladas e sem proveito. E que Jesus ilumine os seus passos, Lisi querida.

E abraçou-a já à saída da casa, arrastada por Sileno.

Quando a viu longe da casa que a sua alegria de criança dócil iluminava, não conteve o pranto convulsivo, falando enquanto chorava:

Capítulo 5

— De novo, só, meu Deus! Que digo, meu Deus? Como só, se vivo a acalentar-te, Senhor, no fundo do coração sofredor, desde que me agraciaste com a solidão mais penosa e o desterro mais profundo?

Limpou as lágrimas e, mais serena, continuou, exaltada em sua fé:

— Se os meus tristes pensamentos não te profanassem a sacrossanta Essência — ó Meu Senhor da Vida Infinita! —, diria que te sinto na substância do próprio ser, nesta hora de agonias que a imperfeição humana instalou nas almas delicadas que transitam pelo braseiro do mundo, como sentiria o mais sublime dos filhos que o teu Divino Amor gerou no santuário da Mãe mais pura, no seio da Mãe Perfeita.

"Ele levou-a, Senhor, para longe dos meus braços, que se partem como lenho seco, finda a tarefa da jornada afanosa. Não choro por mim, Senhor, que sou erva fanada, joio queimado na seleção de tua seara. Choro por ela, que era a candeia acesa da minha velhice desamparada. Não a tenho mais na desconsolação do meu penar. Era uma luz no meu caminho. A doçura do Céu no amargor da provação mais aflitiva. Se o resto dos dias dolorosos que me faltam vencer significar alguma coisa na preservação da pureza de alma tão sublime, retira-os da serva inútil, Senhor, por amor de Lisiane."

Exausta, apoiou-se à porta da rua, olhando o casal que se afastava na distância.

Lisiane olhava-a, arrastada pelo esposo que estugava os passos rumo ao Lar de Maria, voltando-se de vez em quando para trás, buscando fixar na alma, pela eternidade, a figura magra e delicada de tia Gervásia.

Eis, porém, que Sileno, num gesto infeliz, quando pretendia contornar a esquina próxima, foi apanhado violentamente por um ônibus e jogado a distância, desacordado.

Lisiane estacou a meio metro do veículo, lívida, muda, incapaz de locomover-se diante da cena que a tomou de verdadeira estupefação.

Gervásia, imaginando o que acontecera, saiu a correr, chegando precisamente no instante em que populares atendiam Sileno. Com o auxílio deles, meteram-no em um táxi e rumaram para o hospital.

Sileno achava-se em estado de choque. Pelo exame superficial procedido pelo médico de plantão, havia fraturado a bacia. Seu estado era delicado. Uma hora depois, a família Aprígio, os colegas da vítima e as amigas de Lisi achavam-se no estabelecimento, a fim de conhecer a extensão do fato.

Somente à noite se veio a saber do resultado de todos os exames a que Sileno fora submetido. Confirmaram-se as declarações do profissional que o atendera logo após a ocorrência.

Entretanto, o prognóstico era animador; a recuperação seria questão de tempo e de cuidados. Deveria permanecer hospitalizado cerca de dois meses, ao fim dos quais as fraturas já estariam provavelmente consolidadas.

Os amigos, no serviço de assistência ao companheiro enfermo, revezavam-se dia e noite. Lisiane mantinha-se ao lado do esposo, ininterruptamente, assistindo-o com o seu carinho e a sua extrema bondade.

Todavia, Sileno surpreendeu a todos, recuperando-se lenta e penosamente. O ilíaco e o sacro haviam sido duramente castigados. Dois meses de hospitalização e assistência médica permanente não lhe permitiriam ainda o abandono do leito. Impunha-se esperar.

Ao seu lado, infatigável, Lisiane era o anjo que amenizava as horas tristes e dolorosas.

Um dia, arrependido, falou:

— A lição não podia ter sido mais oportuna e salvadora — gemeu, acariciando a mão da esposa dedicada.

Capítulo 5

— Não fale nisso. Sou eu a culpada, mas Deus conhece meus pensamentos e nunca, em nossa curta existência em comum, tive a intenção de aborrecê-lo.

— O culpado sou eu. Vivo agora a rezar na intimidade de minhas meditações para que Jesus me renove a oportunidade que lancei fora, cerrando os ouvidos às exortações do Alto. Como sou estúpido e atrasado.

Depois de gemer um instante, levando a destra de Lisiane aos lábios ressequidos, confessou:

— Revi-me, em uma noite destas, Lisi, ao seu lado, numa região belíssima, que me acordou doces reminiscências. Contemplávamos o maravilhoso pôr do sol. Vislumbrando a fímbria do horizonte, recordei que havia dito que, se fosse um artista do verso perfeito, faria um poema subordinado ao título "Quando desce o crepúsculo do céu..." Lembra-se, Lisi?

A jovem esposa limpou uma lágrima, que brilhou por um instante em seus olhos, e falou:

— Qual de nós poderia esquecer aquele sublime minuto de felicidade?

Recuando os pensamentos, continuou:

— Nós esperávamos Dor-sem-fim. Preparávamo-nos para este novo contato com a carne, no sacratíssimo propósito de uma iniciação pelos alcantis da Vida...

— Não quis dignificar a oportunidade, e hoje, Lisi querida, nada mais sou que um ser frustrado na tentativa da sublimação.

— Não fale assim, minha vida. O acidente é tão somente um percalço da jornada. Viverá para a realização de nossa romagem pelos sendeiros traçados. Implorei a Jesus que nos renovasse, nesta hora, a oportunidade que quase deixamos perecer, por minha culpa. Sinto que o Divino Amigo deferiu o pedido. Você ficará bom, Sileno, e a felicidade nos surpreenderá depois — disse, tratando-o com mais intimidade.

— Ó doce vítima de meu atraso! — balbuciou.

— Aquiete-se, Sileno. O médico aconselhou que não falasse muito. Quer dormir? Está cansado?

— Há nuvens no meu cérebro. Ponha as suas mãos misericordiosas na minha fronte, querida. Ai! se eu morresse, Lisi, que tristeza...

— Psiu...

E tocou-lhe, de leve, a cabeça ardente com a ponta dos dedos muito brancos e afilados, como espátulas de luz cariciosa, olhando para o Alto.

Sileno experimentou, imediatamente, em todo o seu organismo mental e físico, um fluxo de novas energias, que lhe dava uma sensação de bem-estar e de reconforto espiritual.

Lisiane prosseguia em seu trabalho, transmitindo ao enfermo querido forças eletropsíquicas, cercada que estava de nobres Entidades.

Mal concluíra o passe, eis que, previamente anunciados, dão entrada no aposento Consuelo, Sérgio, Licurgo e Mininha, esta sobraçando lindo ramalhete de rosas, e, logo atrás, Miguel, que se fazia acompanhar de sua mãe.

— Trago-lhe estas flores, Sra. Lisiane, com os votos mais sinceros de pronto restabelecimento de seu digno esposo, em meu nome e de meus pais.

— Obrigada, minha filha — respondia emocionada, enquanto recebia as demais visitas e as acomodava à roda do leito de Sileno.

— Agora, Mininha — pediu Licurgo —, conte aos nossos bons amigos o seu lindo sonho desta noite.

Mininha olhou para todos, sorrindo.

Consuelo sorria, feliz, entre Miguel e Sérgio, enquanto Licurgo ficava ao lado de D. Maria, a benfeitora de todos.

— Sonhei que caminhava, sozinha, meio assustadiça, em uma grande cidade, onde havia muitas crianças que brincavam em imenso jardim, tão lindo que os pequenos pareciam anjos acompanhados de santos. Havia moças e rapazes. Oh! como eram bonitos! Fiquei tonta com tanta beleza, e encostei-me em uma árvore, cujas folhas de prata pareciam refletir estranha luz vinda do Céu. Estava embevecida na contemplação do maravilhoso cenário, quando uma criancinha de meu porte — pequeno e louro como Menino Jesus — se aproximou, sorriu para mim e perguntou-me: "De onde vens tu?" A sua voz tinha acentos suaves e doces e ia direto ao meu coração, como se fosse uma melodia espiritual partida de instrumentos celestiais. Em vez de responder-lhe, perguntei: "Você é Jesus?" Ele sorriu para mim, como Jesus devia sorrir para as crianças. Era tão lindo, tão lindo... mas não me respondeu. Senti que devia segui-lo, arrastada por uma doce vontade de acompanhá-lo por toda a eternidade. Pegou-me pela mão. Não senti mais nada. Só sabia que voava com ele. A cidade ia ficando para trás, com os seus habitantes, os seus templos, as suas escolas, os seus jardins, a sua música, os seus cânticos. Depois descemos, descemos — ele sempre sorrindo —, até que entramos no Lar de Maria.

Descansou um pouco, e suspirou, sorrindo para Licurgo.

— Conto o resto, paizinho?

— Sim, querida, conte o final do seu lindo sonho.

— Quando ficamos a sós, no salão grande do Sr. Aprígio, ele pediu-me que olhasse para a porta do gabinete. Olhei. Vinham entrando o Sr. Aprígio e D. Maria; o Sr. Sérgio e D. Consuelo; o Sr. Miguel entre a senhora — e apontou para Dor-sem-fim — e seu esposo; o Sr. Sileno e a senhora, D. Lisiane; o Sr. Clóvis e D. Marília; o Sr. Demenciano e D. Lívia. Estas duas traziam ao colo duas crianças recém-nascidas, filhinhos seus. Ninguém nos via. Chegados ao meio do salão, ficaram parados como quem espera por alguém. Foi quando entraram, cantando, todas as crianças do Lar de Maria. Era um canto semelhante ao que tinha escutado na cidade aonde me levou o sonho. O menino louro transfigurou-se lentamente. Eu o olhava, encantada, quando ele começou a crescer, a crescer. Era alto e belo. Cabelos longos, cor de azeitona verde, caindo sobre os ombros. Pareciam de luz e seda. A barba enfeitava-lhe o rosto formoso. Seus olhos eram macios, lúcidos e doces. Suas vestes eram brancas e translúcidas como a névoa que a gente vê, nas manhãs de sol, nos pincaros das serranias... Elevou a destra diáfana, de onde manavam claridades que me tocavam a alma venturosa. Abençoou a todos e, olhando-me, como o meu paizinho me olha sempre quando me põe sobre os joelhos, disse: "Filha, se não tivesses pai nem mãe, a quem escolherias para te amparar na Terra, dentre essas nobres mulheres que servem de mãe a essas pobres crianças?" Fitei a todas, e escolhi as Sras. Consuelo e Lisiane, mas antes que eu falasse, que eu lhe pudesse indicá-las, Jesus sorriu para mim, colocou os dois lírios de luz de suas mãos sobre a cabeça das duas e voltou a ser criança como eu, para, em seguida, encaminhar-se para a porta de saída. Corri atrás, quase gritando: "Leva-me contigo, Senhor!" Ele, porém, transpôs a porta, sorriu para mim e, num gesto inesquecível, abençoou-me, desaparecendo.

Quando Mininha terminou a narrativa, ninguém quebrou o silêncio com que fora ouvida. Acariciada por Licurgo, ela falou de novo:

— Como seria belo viver com Jesus, eternamente...

— Todos vivemos com Ele, eternamente, Mininha — disse docemente Dor-sem-fim, dela aproximando-se, beijando-a e passando-lhe as mãos sobre os belos cabelos encaracolados.

— Foi assim que Ele me abençoou — confessou tão debilmente a filha de Licurgo, que foi ouvida somente pela esposa de Sérgio. Os demais apenas lhe adivinharam as palavras.

Sileno olhou significativamente para Sérgio, que lhe compreendeu o pensamento.

Do mesmo modo, Lisiane e Consuelo.

Capítulo 5

Foi Sileno quem tomou a palavra para declarar de modo categórico:

— São ou doente, se Jesus mo permitir, serei, com Lisiane, pai de todas as crianças que a direção do Lar de Maria me confiar.

— Assim também nós — falaram a um só tempo Consuelo e Sérgio.

— Hoje, Jesus nos visitou pela mão de Mininha — disse D. Maria, olhando intencionalmente para Licurgo.

Este correspondeu ao olhar e agradeceu com um gesto que só ela percebeu. E desviando seus olhos, pousou-os nos de Lisiane, que o fitava também, docemente. Nunca Licurgo se sentiu tão feliz em sua vida.

Ao tratamento médico intensivo e bem orientado de Sileno, aliou-se o espiritual confiado a Lisiane e Consuelo — médiuns curadoras de recursos estupendos —, que durante mais de noventa dias se revezaram na assistência ao enfermo querido.

Abandonando o estabelecimento hospitalar completamente restabelecido, embora não pudesse dispensar o uso de uma bengala, entregou-se afanosamente ao cumprimento de seus deveres no Lar de Maria.

Tornou-se um dos mais eficientes colaboradores de Aprígio. Quando os pequenos o viam, arrimando-se à bengada, entregue à sua faina ao lado da esposa que o adorava, prorrompiam em aplausos, gritando: "Lá vem o titio da bengala."

Então, sentava-se no meio das criancinhas, descansava a bengala sobre as pernas e contava histórias ali mesmo improvisadas, nas quais sempre achava pretexto para criar um personagem — um moço de vinte anos —, que fada perigosa fizera cair de um barranco, fraturando as pernas e os braços. E arrematava:

— Um acidente semelhante ao meu... E o moço era do meu porte, e tinha sonhos loucos como eu.

— Mas o titio é tão bom... — diziam.

— Só Deus é bom.

Lisiane não o deixava nunca. Quando terminava as suas narrativas e voltava ao serviço, sempre amparado na bengala, a esposa dizia:

— Por que persiste, Sileno, em incluir-se em todas as historietas que conta aos pequeninos?

— Desde o meu feliz acidente — um presente da Divina Munificência —, gosto de vigiar meus pensamentos e policiar as minhas atitudes.

Lisiane silenciava, compreensiva.

Um dia, quando percorria o Instituto, a serviço, esbarrou com Spoletto, que quase o derriba, quando, perseguindo Consuelo, procurava alcançá-la antes que entrasse em seu escritório.

— Diabo! Sempre tenho um demônio a atrapalhar-me os passos!

Mas foi de pouca sorte, desde que a moça já se fechara em seu gabinete.

— Maldito aleijado! — berrou, possesso, atirando os punhos fechados na direção de Sileno.

Este sorriu e, tranquilamente, continuou o seu caminho, murmurando para dentro de si:

— Graças a Deus, já ganhei o dia. Felicíssimo era, verdadeiramente, um homem feliz. Doença é pecado, mas do lado do avesso é felicidade. Eu sou um homem feliz. O "Cão da Fábrica" tinha razão.

— Conversando sozinho? — perguntou Consuelo, voltando de sua sala de trabalho com alguns papéis nas mãos.

— Como sabe que estou conversando comigo mesmo?

— Senti que falava consigo mesmo a propósito de Felicíssimo.

— Ele era um homem feliz, Consuelo.

— E Felicíssimo era o seu nome.

Olhou em derredor e confidenciou:

— Vi-o, ainda há poucos instantes.

Capítulo 5

— Viu-o? Ó maravilha! — exclamou Sileno, apoiando-se na bengala. — Como se apresentou a você?

— Ereto, belo, sereno, sorrindo como quem sorri para um amigo que volta de longa viagem. Mas foi por alguns segundos. Estendeu o braço na direção do escritório do Sr. Spoletto e desapareceu.

Sileno olhou para a mesma direção. O chefe da Contabilidade acabava precisamente de chegar à porta do gabinete. Não conteve um gesto de enfado, mesmo de ciúme, quando viu Consuelo a conversar com Sileno.

— O pobre velho está a espreitar-nos, minha amiga. Ainda agora, para alcançá-la, quase me deitou ao chão, na pressa de seguir-lhe os passos, mas a sorte não o favoreceu.

Sorriram ambos, compreensivos, o que levou Spoletto a abandonar arrebatadamente o posto, batendo fortemente com a porta.

— Têm ido os amigos à casa dos velhinhos? — indagou Sileno.

— Sim, pontualmente. E, sempre que vamos, o encontramos pelas imediações a fiscalizar-nos os passos.

— As mesmas desconfianças?

— Invariavelmente.

— Tia Gervásia, que também havia recebido as missivas anônimas, agrediu-o, em plena rua, na hora de mais movimento, contou-me Lisi. Não soube do fato?

— Sim. Tia Gervásia é uma mulher decidida.

Na mesma hora em que se desenrolava esta ligeira palestra, tia Gervásia recebia a visita do tenente Pompeu, que, a pedido do major Gabriel, vinha solicitar a sua presença a uma sessão mediúnica, que se realizaria daí a alguns dias, na residência improvisada do casal de velhinhos, aonde, muitas noites, ia a família Aprígio, acompanhada de abnegados trabalhadores do Espiritismo.

Recebido amavelmente pela dona da casa, o tenente Pompeu, com o indefectível cravo vermelho na lapela do casaco bem passado, sentou-se cautelosamente na cadeira indicada por tia Gervásia, para não alterar o friso da calça de alpaca cinzenta, que lhe caía admiravelmente.

Tirou os óculos para limpá-los vagarosamente, com um pedaço de camurça que retirara do próprio estojo, e depois de bafejar as lentes demoradamente, virou-as de um lado para o outro, e dando-se por satisfeito com a inspeção, colocou-os cuidadosamente sobre o nariz meio avantajado.

A seguir, dando um toque no laço da gravata, e passando a mão pelos cabelos já um tanto raros, falou:

— Pois, D. Gervásia, o que me traz aqui não é somente o convite que nosso confrade major Gabriel lhe envia por meu intermédio, para assistir à sessão que vamos realizar em casa dos velhinhos, na próxima quinta-feira, às 21 horas, como também a satisfação de vê-la e cumprimentá-la. Acostumei-me a rever, periodicamente, os amigos, especialmente em se tratando de uma senhora a quem muito prezo, e cuja amizade é, para mim, demasiado preciosa.

Pigarreou, levou a mão ao laço da gravata, deu um retoque no vinco da calça de alpaca, procurando imprimir aos gestos o máximo de naturalidade, e sorriu para Gervásia.

— Agradeço-lhe de todo o coração...

— Não há de quê... — interrompeu.

— ...a gentileza do convite e bem assim as amáveis palavras. Sou muito feliz em não ser esquecida pelos companheiros de Doutrina. Obrigada, meu Tenente.

— Linda frase que me faz lembrar os velhos tempos da caserna: Meu Tenente... Meu Capitão... Um gozo relembrar... Mas, a propósito, D. Gervásia, Sileno já retornou à atividade no Lar de Maria?

Capítulo 5

— Graças a Deus, estão ambos — Sileno e Lisi — engajados, para servir-me de uma expressão militar muito repetida por meu saudoso Rogério, e de seu inteiro agrado, Tenente, na luta pela criança abandonada.

— Efetivamente, muito de meu gosto — respondeu, fitando, generosamente, tia Gervásia, e dando uma olhadela de esguelha para ver se o cravo ainda permanecia em posição de "sentido" na lapela esquerda.

— Verdade é que Sileno não se recuperou inteiramente. Caminha com dificuldade, apesar da bengala. Mas é um moço extraordinário.

— É isso, D. Gervásia, cada um tem a sua sina. Veja a senhora: eu, com os meus sessenta e poucos, sinto-me forte, saudável, sem qualquer achaque. Estou como se andasse ainda pela casa dos trinta. Sou uma fortaleza. Sou um homem fortíssimo, D. Gervásia, pois não! Mas me poupo, isso sim, não resta dúvida. Muitos até não me dão a idade que tenho, sim, senhora.

— Meus parabéns, Tenente, meus parabéns. Que Deus o conserve assim.

— Muito obrigado, D. Gervásia — respondeu, satisfeito, passando a mão direita pelos escassos cabelos, e cuidando do vinco das calças, ao mesmo tempo que relanceava o olhar pelo cravo vermelho, que ainda estava na posição de "sentido".

Depois de alguns segundos, indagou, sorrindo:

— A senhora, por exemplo — começou, tropeçando um pouco nas palavras —, embora não tenha mais de quarenta, é de uma apresentação e vitalidade exuberantes. É uma felicidade ter-se saúde, não acha, D. Gervásia?

— Sim, Tenente, mas não creia que eu seja tão forte como pensa. Tenho, é verdade, a minha saúde, graças a Deus, e pretendo conservá-la, dedicando-me aos fazeres domésticos e ao Espiritismo.

Pompeu, aproveitando um instante de distração de D. Gervásia, limpou com a própria mão uma partícula de pó que caíra na biqueira do sapato de verniz muito brilhante, e fez a pergunta que lhe coçava na garganta como uma amigdalite rebelde às embrocações:

— E, desde que enviuvou, nunca mais pensou em casar?

— Oh!, tenente Pompeu, absolutamente! Não se ama senão uma vez na vida.

— Perdoe-me, D. Gervásia, se volto a discordar de seu ponto de vista. Ama-se sempre, porque é da Lei que se ame a Deus e ao próximo.

— Referi-me ao amor, tendo em vista o matrimônio.

— Sim... sim... Tem razão, tem razão... O matrimônio...

Consertou o nó da gravata, corrigiu o vinco da calça, relanceou os olhos pelo cravo, que continuava no mesmo lugar, e viu-se no brilho dos sapatos.

— E o senhor, tenente Pompeu — indagou, curiosa —, é avesso ao casamento, ou não encontrou a alma ideal em sua mocidade?

— Não sou um celibatário impenitente — respondeu, meio contrafeito —, mas acontece que só agora se me despertou o coração para o amor conjugal.

— Meio tarde, não acha?

— Forçado a confessar que à senhora não deixa de ter razão, replico, todavia, que nunca é tarde para se amar, visto não ser a idade, propriamente, um óbice. No máximo, uma desvantagem sem maiores consequências, quando um dos cônjuges é apreciavelmente menos moço.

Tenente Pompeu fitou significativamente D. Gervásia e esperou que ela o tivesse compreendido.

— Nesta altura de nossa andada planetária, devemos preparar-nos para a caminhada de torna-viagem.

— Que pessimismo, meu Deus! Não diga isso, D. Gervásia. Eu, que sou um pouco mais idoso que a senhora, não penso em

Capítulo 5

semelhante coisa! O pessimismo não se coaduna com a nossa condição de espíritas.

Olhou-a, esperançado, mirando-se nos sapatos brilhantes.

— Não é pessimismo, tenente Pompeu. Eu, pelo menos, encaro minha situação de viúva como uma determinante de minha peregrinação pela Terra.

— Bem, bem, não briguemos por isso — respondeu sorrindo, um tanto encabulado. — Respeito seu ponto de vista, embora não concorde com ele.

— Estamos quites, tenente Pompeu. O senhor se casaria se achasse quem se submetesse ao ônus do casamento nesta fase de sua vida. Eu, absolutamente, não casaria com a idade que tenho. Sou uma velha.

— Não diga isso, D. Gervásia! É um absurdo! Velha? Que barbaridade! Para mim não seria um empecilho nem um impedimento inarredável.

Sorriu e consultou o relógio.

Arranjou os punhos da camisa que teimavam em aparecer quase dez centímetros fora do casaco de alpaca.

D. Gervásia, porém, olhava distraidamente para a rua.

Tenente Pompeu, derrotado no primeiro ataque, levantou-se, dizendo:

— Já cumpri a missão que me trouxe aqui, a qual me proporcionou minutos de indizível satisfação, e espero vê-la em nossa sessão, quando terei oportunidade de trocar mais algumas ideias com a prezada amiga e companheira de solidão.

D. Gervásia sorriu, benévola; apertou-lhe a mão e, ofertando-lhe a casa, acompanhou-o até a porta.

Tenente Pompeu saiu aprumado, levando algumas esperanças na vitória de sua "justa causa" sobre o coração de D. Gervásia.

— Ela cederá, ou não me chamarei mais tenente Pompeu.

Ao enunciar a frase, eis que se lhe depara Spoletto em um banco da praça, a conversar animadamente com um indivíduo de má catadura, que envergava uma sunga suja mesclada de carvão e óleo, das comumente usadas pelos trabalhadores de oficinas mecânicas.

A princípio, quis surpreendê-lo no colóquio com o operário, mas desistiu do intento.

Entretanto, se Pompeu levasse avante o seu desejo, a palestra lhe revelaria assunto de grave importância.

— Desejo apenas que me forneça a bomba-relógio pela quantia ajustada. Não haverá perigo algum para você. Jamais trairei o sigilo do negócio. Depois, meu amigo Saldanha, quem vai colocar a bomba sou eu mesmo, contando, para isso, com um criado da casa, homem de minha inteira e absoluta confiança. Não lhe dê cuidado o resultado.

— Mas veja, Sr. Spoletto, que o engenho pode atingir inocentes.

— Quem vai matar sou eu, Saldanha.

— Não esqueça, porém, que a bomba será feita por mim, para fim criminoso. Descoberto o autor do delito, a justiça também vai alcançar o fabricante. É perigoso, Sr. Spoletto. Tenho medo, francamente.

— Quando foi que ganhou tanto dinheiro em sua vida? Dou-lhe pela bomba vinte mil cruzeiros, e ainda acha pouco?

— Sei que é uma boa soma, mas a gente tem mulher e filhos.

— Você é um perfeito idiota!

Saldanha abaixou a cabeça, riscou com o bico do sapato o solo sob seus pés, e, alfim, falou, ponderando sensatamente:

— O que me dói é que vão morrer criaturas inocentes.

— Não há ninguém inocente no mundo, Saldanha. Todos nós somos criminosos, por isso andamos por este vale de lágrimas,

Capítulo 5

pagando as dívidas de outras encarnações, como lá dizem os espiritistas. Às vezes, Deus se serve da gente para castigar os criminosos. É uma teoria dos partidários do Espiritismo.

— Está enganado, Sr. Spoletto, com essa teoria arrasadora. Deus castigando? Deus matando? Que é isso?

— Olhe, seu Saldanha, vamos deixar de filosofias, e voltar ao nosso negócio. Com filosofia ninguém enche barriga. Aceita ou não aceita?

Saldanha pensou um pouco e deu a resposta:

— Aceito! Mas transfiro para o senhor o meu crime! Que todas as consequências caiam sobre a sua alma.

— Aceito tanto os meus quanto os seus pecados. Nasci para acumular, tanto dinheiro como pecado. Desde criança que vivo assim. Se ainda vivessem os meus pais, poderia recuar e ser um homem razoavelmente feliz, mas não tenho ninguém no mundo.

— E a sua esposa e os seus filhos?

— A que horas vai me dar a bomba? — cobrou, ignorando a pergunta de seu cúmplice.

— Logo à noite. Ou quer para mais adiante?

— Bem, espere lá — respondeu, calculando para quando desejava o engenho mortífero. — Para quarta-feira, Saldanha! Às 20 horas! Acerte para que a explosão se dê precisamente às 22 horas em ponto. Combinado?

— Puxa, seu Spoletto, o senhor é um homem frio! — comentou o autor da bomba.

— Você não tem nada com isso. Ganhe o seu dinheiro e dê o seu saber ao Diabo. Não lhe estou pedindo juízo sobre o meu feitio moral.

— É que eu não teria coragem de colocar a morte na casa dos outros.

— Mas engendra a morte, que, no fundo, é a mesma coisa.

Saldanha recebeu a metade do preço ali mesmo, comprometendo-se Spoletto a entregar-lhe a outra metade na noite aprazada.

Despediram-se.

O chefe da Contabilidade tomava o seu destino, esfregando as mãos de contente, enquanto Saldanha o fitava, de longe, falando consigo mesmo:

— Que velho insensível, meu Deus! É capaz de matar o pai e chorar um ano.

E dando de ombros, murmurou, partindo para sua oficina:

— Sua alma, sua palma... Alguns assassinam e vão chorar no velório.

Ao chegar à fábrica, Spoletto dirigiu-se para o seu gabinete e, tirando o casaco, entregou-se aos afazeres da profissão. O calor sufocava. Levantou-se, ligou o circulador de ar, cerrou as persianas, sentou-se numa poltrona, e, relaxando o corpo, adormeceu tomado por invencível sono.

A brevíssimo trecho, viu-se em pé, ao lado do próprio corpo. Achou graça do fenômeno. Deu alguns passos pelo recinto, chegou à janela, voltou, foi à porta do gabinete, viu os auxiliares entregues ao trabalho.

Spoletto quis ir até lá; entretanto, estranha vontade o retinha no mesmo lugar. Fez um tremendo esforço para locomover-se, e o conseguiu por fim. Estacou diante de um dos auxiliares, sorrindo, e estendeu o braço para alcançar-lhe o rosto, num gesto de quem queria desviar-lhe a atenção. Todavia, o rapaz trabalhava concentrado no serviço, pensamentos dirigidos para o dever que o identificava com a função, e ignorou a presença do chefe.

Spoletto sentiu vontade de voltar ao seu escritório, e voltou. Ao penetrar no recinto, estacou, assombrado. Ao seu lado, ou melhor, ao lado de seu corpo adormecido, estava o Espírito de Felicíssimo. Mas de outro Felicíssimo. Ereto e belo, fisionomia

Capítulo 5

serena e risonha, cabeça um pouco levantada, trajando uma roupa branca de tecido leve. Fitava Spoletto. Este não podia articular palavra. Boquiaberto, tomado de visível estupefação, continuava imóvel, como se alguém o tivesse chumbado no mesmo local.

Felicíssimo rompeu o silêncio e falou-lhe brandamente:

— Sr. Spoletto, ainda é tempo de recuar.

O chefe da Contabilidade quis falar, mas Felicíssimo fez-lhe significativo gesto com a mão.

— Está o amigo tecendo um destino desgraçado para si mesmo. A cadeia já vai extensa e o envolve irresistivelmente, pontilhando de dores e penas o caminho que amanhã percorrerá, quer queira, quer não. Artífices de nossos destinos, colheremos, inflexivelmente, o produto de nossa sementeira. Não prossiga. Não atraiçoe a si mesmo, nem espere tranquilidade praticando o mal. Um dia me agradecerá.

Quando Spoletto pôde falar, Felicíssimo desaparecera.

Acordou estonteado e murmurou:

— O calor está me deixando alucinado...

Deu alguns passos, sentou-se na cadeira giratória e mergulhou os sentidos no trabalho. Era um funcionário zeloso, competente, honesto e digno. A despeito dos defeitos, era pai exemplar e esposo dedicado.

Às vezes, queixava-se à esposa por nunca haver tido notícias dos pais, de quem se havia separado desde mocinho.

— Se tivesse ainda meu pai ou minha mãe, refugiar-me-ia em seu amor, e nada me faltaria — dizia a si mesmo, em horas atribuladas.

— Não sei que força desesperada me arrasta para Consuelo — falava frequentemente para dentro de si. — Vi-a um dia, e o demônio a ela me acorrentou pela eternidade. Jurei que não será de ninguém, não sendo minha. Seu destino é morrer às minhas mãos.

Por vezes, a esposa o interpelava quando o surpreendia a falar sozinho. Respondia que o trabalho na Contabilidade o exauria. Ela silenciava e ficava com pena do marido.

Quase à hora de fechar o escritório, apareceu-lhe, à porta do gabinete, Miguelino, o serviçal da casa dos velhinhos.

— Posso entrar? — perguntou.

— Entre, Miguelino — ordenou.

Este encaminhou-se para a mesa de trabalho de Spoletto, imobilizou-se à frente de seu cúmplice e disse:

— Estou às suas ordens. Para quando é o servicinho?

— Sente-se aí nessa cadeira.

Miguelino obedeceu, enquanto Spoletto se levantou, fecha a porta à chave e tomou a primitiva posição em sua cadeira giratória.

— O engenho me será entregue na próxima quarta-feira, às 20 horas, quando deverá ser colocado na sala, debaixo de uma das poltronas, com a hora de explosão para as 22.

— E quem me entregará a bomba?

— Eu, naturalmente. Àquela hora você me procurará debaixo da árvore que fica em frente à casa, onde o aguardarei com o objeto.

— E o sinal do negócio? Combinamos para hoje, não é verdade?

— Sim.

Spoletto abriu o cofre, retirou um maço de cédulas de quinhentos cruzeiros, contou dez e as entregou ao assecla, como quem faz o negócio mais liso deste mundo.

Miguelino contou e recontou as notas, e olhando, a sorrir, para o chefe da Contabilidade, jogou a pergunta infame:

— Será que não são falsas? Ultimamente têm aparecido notas desta estampa, falsas, fabricadas no Uruguai, segundo dizem.

— Não seja besta, Miguelino.

Capítulo 5

Este levantou-se, meteu o dinheiro no bolso interior do casaco, apalpando-o depois por fora, olhando para o chão a ver se não havia caído alguma cédula.

— Vou esperar pelo senhor — disse Miguelino, despedindo-se.

Spoletto ficou a olhar para o cúmplice, mas pensando nos detalhes de seu plano diabólico.

— Pouco importa que morram inocentes. Minha vingança está traçada e a executarei a despeito de tudo. Nem Deus me demoverá do propósito de eliminar Consuelo. Será que Ele existe? Se existe, meu plano falhará.

E a noite de quarta-feira desceu sobre a cidade, encontrando Spoletto debaixo da árvore, juntamente com o homem da bomba, à espera de Miguelino.

Quando soaram as oito badaladas da igreja próxima, eis que Miguelino se aproxima, cauteloso, do local, encontrando os companheiros da sinistra empreitada.

Ao passar-lhe às mãos o estranho objeto, disse Saldanha a Miguelino:

— A bomba está regulada para as 22 horas. Até lá — a menos que você a deixe cair com violência no chão —, não há qualquer perigo com o seu manuseio.

Spoletto passou-lhe o restante da importância, e Saldanha desapareceu dentro da noite.

— Agora, Sr. Spoletto, passe-me também o restante do montante combinado, a fim de colocar este "mimo" em seu devido lugar.

— Quando você o deixar no local indicado, eu lhe darei a importância que falta, pois não sei se você cumprirá cem por cento o ajuste. Irei até à casa em sua companhia, e o observarei daquela janela que me permite ver o trabalho. Elas por elas, não é, Miguelino?

— Entre canalhas a gente tem que agir assim mesmo, seu velho bode apaixonado.

Deu-lhe as costas e, sobraçando a bomba com a naturalidade de quem carrega um pacote de pão, seguiu para a casa dos velhinhos.

Spoletto, a seu turno, seguiu-lhe as pegadas, porém, mais adiante, contornou a casa e trepou com dificuldade no muro, de onde podia observar o serviço de Miguelino.

Este penetrou na ampla sala onde daí a pouco se realizaria a sessão, como pessoa da casa que era, dirigiu-se para uma velha poltrona de couro já bastante sovado e, levantando-a, agasalhou o "mimo" sob o assento do referido móvel, como quem esconde de olhos avaros um verdadeiro "tesouro".

Cumprida a missão, apressou-se a exigir do cúmplice os cinco mil cruzeiros restantes.

— Missão cumprida! — exclamou, perfilando-se como militar diante do superior hierárquico, e batendo os calcanhares. — Isso me recorda os meus bons tempos de caserna.

— Que cinismo! — respondeu Spoletto, passando-lhe mais dez notas de quinhentos.

Miguelino, como da outra feita, à luz da rua, contou o dinheiro, examinou as cédulas bem novas e, sepultando-as no bolso da calça, disse:

— Saíram agora mesmo da Casa da Moeda. Pena que sejam somente dez.

Riu, e, dando adeus a Spoletto, com um gesto de mão, disse baixinho:

— Que o Diabo nos ajude e que o "mimo" não falhe. Se falhar, a culpa será do Saldanha, e o azar será seu. Adeus.

Mal havia Miguelino colocado a bomba sob a poltrona, eis que começam a chegar os convidados para a sessão especial de Espiritismo Cristão, que o major Gabriel ia levar a efeito em benefício do casal de velhinhos que vinha sendo socorrido pela família Aprígio.

Capítulo 5

Precisamente às 21 horas, formada a mesa sob a presidência do major Gabriel, depois de tocante prece proferida por Consuelo, o diretor declarou aberta a sessão.

O casal de velhinhos ficou sentado na ampla poltrona sob a qual Miguelino colocara o "engenho". Era um móvel largo, dando espaço suficiente para duas pessoas.

A senhora era uma criatura octogenária, tanto quanto o esposo. Magros ambos, cabelos brancos, faces enrugadas, olhos tristes e sonolentos, percebia-se, pelo modo como se expressavam, serem os dois de origem italiana.

Deviam ter sofrido muito. As privações, enfermidades, luta desesperada pela sobrevivência e pela subsistência, liam-se naquelas duas máscaras onde as penas mais cruciantes haviam deixado o selo do sofrimento bem sofrido.

Licurgo persistia em olhar aquelas duas ruínas humanas que teimavam em permanecer na asperidão dos caminhos dolorosos.

De súbito, agitou-lhe a alma uma intuição, que o arrebatou da sessão para levá-lo à casa de Spoletto pelo pensamento.

— São os pais de Spoletto — disse, tomado de estranha e poderosa convicção. — Os mesmos traços, os mesmos gestos, a mesma procedência.

Licurgo olhou em derredor.

A sessão estava em pleno desdobramento, prendendo a atenção de todos, mergulhados em profunda concentração, a fim de que lhes não escapasse um só conselho, uma só advertência.

Levantou-se cautelosa e silenciosamente e, esgueirando-se rente à parede, conseguiu, sem perturbar os trabalhos e o silêncio em que eles se processavam, atingir a porta da rua e chegar a esta, deserta àquela hora.

Quando se habituou à escuridão, percorreu com o olhar as adjacências e notou que um vulto permanecia imóvel sob uma árvore imponente que ficava em frente à casa.

Licurgo avançou em seu sentido, mas tão logo se viu ele descoberto, deitou a correr desabaladamente. Licurgo, porém, não se deu pressa em alcançá-lo. Que tinha o vulto com o objetivo que o trouxera à rua? Mas alguém parece que lhe sussurrava: "É Spoletto! Alcança-o, Licurgo! Sou eu, Felicíssimo!"

Não perdeu mais tempo e, campeão de corrida em seus áureos 20 anos, dentro de quinze minutos tocava Spoletto, que, julgando-se livre do indivíduo que o descobrira encostado à árvore, sentara-se à beira da calçada, arquejante.

— Que é isso, Spoletto? Fugindo de mim? Logo de mim, que lhe trago uma boa notícia?

— De que notícia lança mão para me perseguir?

— Encontrei os seus pais!

— Meus pais?! — indagou, dando um salto de espanto.

— Sim, homem de Deus, seus pais! Estão lá na casa onde o Sr. Aprígio vai sempre.

— Como tem certeza?

— Não sei. Mas não tenho dúvida!

Spoletto consultou seu relógio à luz da rua.

Eram 22 horas menos cinco minutos.

Se corresse bem, chegaria a tempo de evitar a catástrofe.

Arremeteu-se numa carreira desabalada.

Licurgo o acompanhou, também correndo.

Estranhou a pressa de Spoletto.

Quando chegou à porta da casa, ofegante, abriu-a estrondosamente, empurrando-a com todo o peso de seu corpo de noventa quilos. Ela cedeu, e o chefe da Contabilidade, interrompendo a sessão, olhou para a poltrona onde vira Miguelino colocar a bomba-relógio, reconhecendo de imediato o casal de velhinhos.

Atirou-se sobre eles, e estes, mal refeitos da surpresa, exclamaram:

— Giacomo! Giacomo! Meu Filho!

Capítulo 5

Spoletto não se entregou às efusões da hora. Arrebatou-os da poltrona e conseguiu retirar o "mimo" de sob o móvel, correndo para a rua semiespavorido. Mal dera cinco passos na via pública, atirou-a longe, mas o fez com tanta infelicidade que tropeçou no meio-fio, resvalando de costas sobre um monte de pedras que se encontrava na calçada. A explosão foi tremenda, alarmando os habitantes da redondeza.

Todos os que participavam da sessão correram para a rua. Rodearam Spoletto, que estava desacordado, conduzindo-o, no auto de Miguel, ao Lar de Maria, para os primeiros socorros.

O profissional que o atendeu constatou, desde logo, fratura da espinha. Spoletto ainda vivia.

— É possível que o salvemos. Acredito, entretanto, que ficará paralítico. A cirurgia e o tratamento não lhe devolverão os movimentos.

Todos os circunstantes se entreolharam.

A esposa e os filhos, chamados à pressa, rodeavam a cama do enfermo querido.

À sua cabeceira postou-se, como o anjo da consolação e da bondade, a figura meiga e santa de Dor-sem-fim.

Tendo o médico proibido a permanência de visitas no quarto do doente, todos se retiraram, ficando, entretanto, ao seu lado, Angelina e Consuelo.

— A senhora acha que o meu pobre Giacomo não caminhará mais? — indagou a esposa chorosa.

— Deus é bom. D. Angelina. Confie nele. Quem pode dizer a última palavra numa contigência destas, minha senhora?

— Ele, apesar de tudo, era um esposo dedicado e pai extremamente bondoso. Que pretendeu ele fazer? Por que fez aquilo?

— Ninguém o sabe. Somente ele. Mas deixemos de lado esse problema, e vamos cuidar do doente.

Angelina olhou carinhosamente para Consuelo, e deixou escapar o pensamento:

— Ele a amava desesperadamente, confessou-me um dia.

— Do amor individualista a esse sentimento universalista e puro de que Jesus foi sublime exemplo não medeia mais que um passo. Todas as grandes almas assim começaram.

— A senhora é uma santa.

— Ainda vivo lutando contra as minhas próprias misérias e imperfeições.

Spoletto saiu do choque seis horas depois.

Aos poucos, gemendo, mexendo a cabeça com dificuldade, foi abrindo os olhos, movimentando de leve os braços.

Reconheceu Angelina, a esposa incansável e dedicada.

— Você, minha filha.

— Sim, Giacomo, eu mesma, esperando que Deus o salve.

— Nada fiz para merecer de Deus a salvação que somente aos bons cabe — disse, com voz débil, quase imperceptível.

Fitou Consuelo, ao seu lado, serena, imperturbável, olhando para fora, em busca do céu.

— Obrigado. Não lhe sei dizer mais nada. Felicíssimo é quem tinha razão quando me dizia que você, Consuelo, era uma outra Nossa Senhora da Piedade.

Cansou, e lágrimas correram-lhe pelo rosto emurchecido, sem que as pudesse conter.

— O médico proibiu qualquer palestra com o senhor, meu amigo. Não fale. É para seu bem — pediu Consuelo.

— Temo ficar paralítico... — confessou, triste.

De repente:

— Meus pais? Que notícia me dá você dos velhinhos, Angelina?

— Aquiete-se, Giacomo. Não se exalte. Estão em nossa casa. As meninas são ótimas assistentes e enfermeiras. O Sr. Aprígio e senhora ficaram com eles.

Capítulo 5

— Quando iria supor vivessem em uma casa pela qual estava sempre a passar... Há desígnios imperscrutáveis, meu Deus!

— Contenha-se, Giacomo — pediu Angelina. — Pode piorar, preocupando-se.

— É impossível acontecer-me coisa pior. Estou condenado a viver em cadeira de rodas.

— Confie em Deus, Sr. Spoletto — disse Consuelo, pondo a mão direita sobre a testa escaldante do seu perseguidor.

Enquanto sua mão permanecia naquela posição, ela orava, suplicando às Forças do Bem o auxílio indispensável ao doente.

Spoletto adormeceu tranquila e profundamente. Não gemia. Estampava-se-lhe na fisionomia uma doce calma reconfortante.

Angelina, desviando o olhar para Consuelo, fitou-a com visível assombro. Que poderes tinha aquela mulher para insuflar energias curativas naquele organismo gasto pela idade, alquebrado pela enfermidade, traumatizado pelo acidente?

— Que faz, Consuelo?

— Pelo pensamento amorável e digno, magnetizo as nebulosas celulares, transmitindo poderes energéticos aos corpúsculos do cosmo orgânico. Qualquer pessoa de boa vontade pode fazer o que estou fazendo, pois Jesus já disse que somos deuses.

Com a entrada de Sérgio, que viera buscar a esposa para um trabalho urgente no setor de serviços que lhes estava afeto, Consuelo, findo o passe, retirou-se, despedindo-se de Angelina.

Esta, ficando só, relembrou os fatos. Giacomo contara-lhe, um dia, a paixão avassaladora que nutria por aquela moça que agora lhe dava algo de si mesma, energias eletropsíquicas, numa verdadeira transfusão de vida nova.

"A Bondade deve ser, então" — raciocinava —, "uma estranha força espiritual, que não fica no ar, no gesto, no ambiente onde se vive e onde atua a alma, mas penetra no ser, em sua própria substância, dando nova direção ao pensamento, novo vigor ao mundo mental, singular beleza ao coração. Sim, a Bondade vence tudo. Consuelo venceu Giacomo. Enquanto em sua insânia procurava aproximar-se dela pelos sentidos, a força de sua generosidade a separava dele. Ela o procurava por outros caminhos, os caminhos de Deus; ele a buscava pelas veredas sombrias do pecado. Jamais se encontrariam. Preciso foi que o acontecimento lhe descarregasse o conteúdo psíquico, para que ocorresse a aproximação..."

Mirou, por longos instantes, o marido, que dormia profundamente, sereno, calmo, tranquilo. E quedou-se mergulhada em seus cismares.

Algumas horas depois, Spoletto abria os olhos e, instintivamente, procurava Consuelo.

Viu apenas Angelina. Teve vergonha de si mesmo.

— Venha para perto de mim. Preciso de você, minha boa Angelina.

A esposa dedicada e extremosa arrastou a cadeira para junto do velho companheiro de lutas e sacrifícios e, num gesto de carinho, tomou uma das mãos do marido entre as suas.

— Sente-se bem?

— Dormi e sonhei que me davam uma colher de remédio amargo como fel. Diziam-me que a droga não me curaria o corpo, mas, em compensação, melhoraria a alma. Tomei-o e senti que me enrijeciam os músculos e me deixava o corpo sem movimentos, mas meus pensamentos eram diferentes dos que me empolgavam até então. Que conclusão você tira daí, minha amiga?

— Que posso concluir? O que me assalta é a certeza de que sua vida, Giacomo, vai mudar de rumo. Não parece?

— É justamente o que também me ocorreu. Seja como for, receberei de Deus o meu castigo, com humildade e paciência. Suportarei tudo, ainda que além de minhas forças.

Capítulo 5

— Jesus nos dá sempre a cruz da provação na proporcionalidade dos débitos a pagar.

Uma ligeira batida à porta e eis que entram Lívia e Marília, cada qual com o filhinho nos braços, vindo a seguir Demenciano e Clóvis, que, a seu turno, traziam pelo braço os velhos Spolettos.

Foi uma cena comovente, que arrancou lágrimas de todos os presentes.

— Meu querido Giacomo, Senhor! E como o vejo no fim de minha vida, bom Deus! — exclamava a velhinha, chorando sobre o ombro do filho, enquanto o velho molhava o lenço com as suas lágrimas copiosas.

Spoletto soluçava. Não tinha coragem de falar. Foi a hora mais dolorosa de toda a sua vida atribulada e difícil. Que poderia dizer? Que pagara a um criminoso para matar aquela a quem mais amava, juntamente com os pais a quem adorava? Era melhor emudecer. Não lhe sobrava nem o direito de falar, de justificar-se. Ai! como daria tudo, a própria vida, para que nunca houvera semelhante cena...

Aprígio, porém, viera a tempo, e ponderando que o enfermo não podia emocionar-se, retirou-os a todos do aposento, conduzindo-os a sua casa.

Angelina deixou que o marido voltasse à calma. Limpou-lhe os olhos ainda molhados e disse baixinho:

— Sofra com Jesus, meu amigo. Agora começou o resgate. Tenha coragem e bom ânimo. Seu sonho avisou-o em tempo. Bons amigos nos sustentarão, lá em Cima.

— Crê no Espiritismo, Angelina?

— Se não fora ele, acha que poderia suportar todo o peso das minhas amarguras? Mas não falemos nisso. A fé nos sustentará.

— Frequenta você algum trabalho?

— Desde que... Bem, basta. Vamos agora pensar na sua cura. Penso que o médico dirá logo o que nos resta fazer.

E o médico, efetivamente, algum tempo depois, disse a verdade:

— Não será mais possível caminhar, Sr. Spoletto. As pernas estão hirtas, mortas. Digo-o com franqueza porque a sua fé o revigorará nesta altura da vida.

— Antes que o senhor mo declarasse, eu já o sabia. Disseram-me há tempos que eu perderia os movimentos das pernas, conservando os dos braços. Se tentar caminhar, só o farei como os quadrúpedes, como os cães. Mas considero isso, agora, uma sorte, uma felicidade.

— Quê? — indagou, assustado, o médico.

— A felicidade de, ainda nesta romagem, pela asperidão dos caminhos de minha vida, iniciar o pagamento de meu débito colossal para com a Justiça de Deus, do Pai munificente de quem nunca me lembrei, apesar de não me ter Ele negado jamais as bênçãos do seu amor e da sua piedade.

....

Às vésperas do Natal de Jesus, quando Spoletto se achava sozinho, a tomar banho de sol no pátio do Lar de Maria, em sua cadeira de rodas, lembrou-se vivamente de Felicíssimo, e passou a monologar:

— Estou tal qual o pobre "Cão da Fábrica". Felicíssimo ainda era mais feliz, desde que podia locomover-se, arrastando-se; entretanto, eu... Creio não o possa fazer. As minhas pernas estão hirtas, paralíticas, enquanto as dele tinham alguma flexibilidade. É verdade não haver ainda experimentado sair da cadeira para arrastar-me.

Pensou algum tempo. Olhou em torno. Não havia ninguém a espreitá-lo. Decidiu tentar. Fez tremendo esforço a fim de deixar a cadeira, escorregando pela frente. Cautelosamente, foi procurando atingir o solo. Caiu em decúbito dorsal. Quis movimentar as pernas, mas estas estavam mortas; todavia, os braços obedeciam ao comando de sua vontade. Tomou a positura de Felicíssimo. Mas Felicíssimo movia-se apoiado nas pernas que ainda conservavam certa mobilidade; Spoletto, porém, estava com as suas implacavelmente retesadas. Se desejasse ir adiante, somente o faria de ventre no chão, como os ofídios. Assim mesmo, arriscou-se. Contudo, ao sentir a aspereza do solo, titubeou. O seu desejo, porém, de mover-se era tamanho que, reunindo todas as forças, e apoiando-se vigorosamente sobre os dois braços, pôs-se a rastejar pelo pátio, como o faria uma foca.

Não pôde ir longe, porém. A breve tempo, as mãos estavam em carne viva, e as pernas, especialmente os joelhos, esfrangalhada a calça, se dilaceravam ao atrito do pavimento áspero. Extenuado pelo esforço, e desfalecendo ante as dores lancinantes, abateu-se de borco sobre o chão, respiração opressa, a sangrar. Foi nesse justo momento que Consuelo assomou a uma janela, tomando conhecimento do que ocorria com o pobre velho. Apressou-se a correr em seu auxílio, ao mesmo tempo em que solicitava o socorro de outros companheiros.

Achegando-se ao paralítico, Dor-sem-fim tomou-o em seus braços carinhosamente. Era um anjo socorrendo um demônio. O conúbio do Céu com a Terra. Da Luz com a Treva. Da Piedade de Deus com a escuridão do mundo.

Spoletto abriu os olhos com dificuldade e fitou o semblante doce e meigo de Consuelo.

Seu corpo foi sacudido por violento tremor, e o velho paralítico não pôde mais conter os soluços e o choro convulsivo que o oprimiam em frente à mulher a quem tanto difamara. Levando a cabeça para um lado, de modo a aproximar um pouco mais os lábios das mãos de Consuelo, beijou-as com unção, molhando-as com as lágrimas de sua compunção.

— Perdoe-me, Consuelo, fui...

Esta, delicadamente, colocou a mão sobre a boca ferida de Spoletto e recomendou:

— Não se acuse. Vamos orar, agradecendo a Jesus o se haver lembrado de nós, na hora do sublime esquecimento.

Miguel, que fora o primeiro a acorrer ao chamado de Consuelo, sentiu, mais do que viu, luminosa massa envolver a esposa bem-amada de Sérgio, como se o Céu se tivesse aberto para derramar sobre ela uma chuva celestial de luz opalescente, que a transfigurava. Tudo nela era luz.

Miguel não conseguia ausentar-se daquele espetáculo de singular esplendor, a murmurar dentro de si:

"É um anjo que desceu, por amor, ao Vale das Sombras..."

Ele bem que desejava aproximar-se de Consuelo, porém, irresistível força o detinha na mesma posição.

Fitou as janelas superiores e constatou que diversos amigos do Lar de Maria, impossibilitados de irem ao local onde a vítima era atendida piedosamente, admiravam, também, a cena comovedora.

Antes que o formoso quadro perdesse aquele toque de celeste encantamento, a esposa de Sérgio, ajudada por Miguel, acomodou o enfermo em sua cadeira e, ao transportá-lo para a enfermaria, lhe osculou, santamente, as faces congestionadas.

Giacomo Spoletto, feliz em seu martírio, murmurou, tocado por indefinível sensação de paz:

— Deus, alfim, acendeu uma luz no meu caminho...

Dor-sem-fim sorriu apenas e impulsionou, devagarinho, como quem tem medo de fazer doer uma chaga sangrenta, a cadeira de rodas e, instintivamente, olhou para cima. Sérgio — o esposo bem-amado —, Sileno e Lisi sorriam-lhe da sacada, ignorando que, um pouco afastados de si, estavam postados, envoltos em tênue neblina luminosa, amigos do outro plano, que sorriam para ela.

Capítulo 5

Em outra janela, Aprígio e Maria, que presenciavam os acontecimentos, olhos molhados, tinham, sem o saber, ao lado, Carlota e Cornélia, e, um pouco recuado, sorridente e feliz, o "Cão da Fábrica", Felicíssimo, belo, mas modesto, fitando o venturoso casal a quem tanto devia.

Consuelo, conduzindo a cadeira, ia rememorando o dia em que, com os veementes votos de êxito integral de seus colegas da "Metrópole dos Sacrifícios", viera disposta a vencer a asperidão de uma nova jornada, a serviço de Deus.

Tão logo o deixou sob os cuidados do enfermeiro, no afã de atender a outros deveres que lhe reclamavam a presença, voltou-se e disse:

— Muito obrigada, Sr. Spoletto, pela oportunidade.

— Mas... não sei... — tartamudeou.

Dor-sem-fim pôs o indicador nos lábios, em sinal de silêncio, e retirou-se apressadamente.

Angelina, que a tudo assistira de longe, chorando, abraçada aos filhos do coração, pediu, quando Consuelo passava a seu lado:

— De joelhos, meus filhos, porque vai passando o Anjo do Perdão!

Miguel, que fitava extasiado o infinito amor de sua vida, acrescentou, entre lágrimas incoercíveis:

— Ela também é o Anjo do Divino Amor!

— Ou Nossa Senhora da Dor-sem-fim — arrematou o tenente Pompeu, que, passando pelo Lar de Maria para visitar os amigos, surgira, inesperadamente, de um lado.

Mas disse-o a chorar, na lembrança dolorosa de um campo de prisioneiros na Europa Ocidental, pelos idos da Primeira Guerra Mundial, quando a fúria do mal se estendera sobre a doçura, a bondade e a pureza de uma sublime criatura que descera do Céu à escuridão dos desatinos humanos somente para amar e sofrer todo o peso de nossa imperfeição.

Conselho Editorial:
Antonio Cesar Perri de Carvalho – Presidente

Coordenação Editorial:
Geraldo Campetti Sobrinho

Produção Editorial:
Rosiane Dias Rodrigues

Capa e Projeto Gráfico:
Paulo Márcio Moreira

Normalização Técnica:
Biblioteca de Obras Raras e Documentos Patrimoniais do Livro

Esta edição foi impressa pela Cromosete Gráfica e Editora Ltda., São Paulo, SP, com tiragem de 2 mil exemplares, todos em formato fechado de 140x210 mm e com mancha de 100x170 mm. Os papéis utilizados foram o Lux Cream 70 g/m² para o miolo e o cartão Supremo 300 g/m² para a capa. O texto principal foi composto em ZapfCalligr BT 10,3/14,7 e os títulos em Stonehenge 50/60. Impresso no Brasil. *Presita en Brazilo.*